税理士受験シリーズ

簿記論

完全無欠の総まとめ

はじめに

本書は、税理士試験の重要科目の一つである「簿記論」について、項目（テーマ）別にコンパクトにまとめたものです。

しかし、単に税理士試験の対策として必要な要点を簡略化してまとめたものではありません。基礎知識が未習熟な人でも、学習の手助けとなるように、基礎となるポイントを確実に押さえた内容となっています。

「簿記論」を初めて学習する人は、そのとっつきにくさにとまどってしまうことも多いでしょう。なぜなら、基礎知識をきちんと踏まえたうえで、仕訳と計算を確実にこなさなければならない科目であるからです。

単に暗記をすれば解答できる科目とは異なるため、効果的な勉強法がつかめず、手探りの学習に陥ってしまいがちですが、本書は、各項目の最初に「学習のポイント」を表示するなど、初めて学ぶ人でも効率よく学習が進められるように、さまざまな工夫を凝らしてあります。ですから、「ポイント整理」で要点をつかみ、「例題」を解き、「解答・解説」で確認することで、無駄のない学習を進めていくことができます。

すでにひととおり学習をした人は、知識に欠落がないか、弱点はないかを、「例題」を解きながら確かめることができます。また、復習や試験前の総まとめの際にも最適なパートナーとなってくれるでしょう。

本書は、税理士試験で毎年抜群の実績を残しているＴＡＣで使用している基本テキストをはじめとする各種の教材をコンパクトにまとめたものですから、税理士試験に限らず、会計学を受験科目とする、簿記検定１級、国税専門官、建設業経理士１級など各種試験に対応した知識を習得することもできます。

税理士試験に限らず、試験勉強は、何度も繰り返し学習することで習熟度を増すことができるものです。「本書の特長と使い方」を参考に、自己の習熟度を確かめながら、受験勉強を進めてください。

なお、本書は2024年10月１日時点の施行法令に準拠しています。

本書が、税理士試験などを受験する人の、力強い味方になれば幸いです。

ＴＡＣ税理士講座

本書の特長と使い方

①本書は、「簿記論」を「基礎理論」を確実に習得したうえで「仕訳」と「計算」ができるような構成になっています。「理論」と「仕訳」は学習上不可分であり、「理論」と「仕訳」を同時に学習したほうが学習効率もよいとの考えから、各ポイントごとに相互に学習できるようにまとめました。

②各項目は税理士試験の**重要度に応じて、「A☆☆☆」「B☆☆」「C☆」の3段階で明示**しています。そのため、重要度の高い項目から取り組むなど、自己のスケジュールに合わせて学習することができます。

③各項目の最初に、効率のよい学習ができるように、**「学習のポイント」**として要点を提示しています。

④重要な事柄を、文章の中で理解したほうがよいものは文章に、図表の中で視覚的に理解したほうがよいものは図表にまとめてあります。

⑤「簿記論」では、「仕訳」に習熟することが重要です。そのため、本書では、各ポイントごとに**例題を設け、仕訳、公式の内容を解説**してあります。ですから、手軽に持ち歩ける問題集としても活用することができます。

⑥各項目に関連する、覚えておきたい**重要な語句、重要なポイントは太文字**にしてありますので、一目で確認をすることができます。

⑦重要項目の理解と暗記には、繰り返し学習することが大切です。そこで、自己の学習がどの程度進んでいるかを確認できるように、各項目の最初のページに**「学習度チェック」**を付

けました。

⑧巻末には、チェックしたい項目が簡単に引き出せるように**「索引」**が付いています。この索引によって、重要語句の暗記に役立つだけでなく、掲載ページが一目で確認できるので、関連項目もチェックしながら学習することができます。

目　次

☆☆☆：重要度A
☆☆：重要度B
☆：重要度C

完全無欠の総まとめ

簿 記 論

学習度チェック

1　簿記一巡の手続

重要度B ★★

●学習のポイント●

1．簿記一巡の手続（特に決算手続の流れ）を理解する。
2．開始手続・営業手続・決算手続について、それぞれの時点で行うべき処理をマスターする。特に決算整理仕訳と決算振替仕訳の違いを確認する。
3．費用・収益の見越・繰延を理解する。

ポイント整理

1．簿記一巡の手続（大陸式簿記法）

⑴　開始手続

開始手続とは、営業取引の記帳を行うために帳簿の準備をする手続のことを指す。一事業年度における簿記一巡の手続は、この開始手続をすることから始まり、**開始仕訳**と**再振替仕訳**がある。

①　開始仕訳

期首に、資産・負債・純資産の**期首残高**を、総勘定元帳の各勘定に記帳する手続であり、純大陸式（開始残高勘定を用いて開始仕訳を行う方法）と準大陸式（開始残高勘定を用いないで開始仕訳を行う方法。純大陸式の簡便法）の2つの方法がある。

純大陸式	資産の勘定	××	開始残高	××
	開始残高	××	負債の勘定	××
			純資産の勘定	××
準大陸式（簡便法）	資産の勘定	××	負債の勘定	××
			純資産の勘定	××

②　再振替仕訳

前期末に設けられた経過勘定項目（前払費用・前受収益・未払費用・未収収益）については、開始仕訳に続いて前期末の決算整理仕訳の反対の仕訳を仕訳帳に行い、総勘定元帳へ転記することにより、元々の費用・収益の勘定へ振り替える。

⑵ 営業手続

営業手続とは、期中における営業取引を記帳する手続を指す。営業取引を**仕訳帳**へ仕訳し、それを**総勘定元帳**の勘定に転記する。

⑶ 決算手続

決算手続とは、当期における**損益計算**と、当期末現在の資産・負債・純資産を計算し、**財政状態**を明らかにするために、帳簿を締め切って整理することを指す。決算手続は、以下の順に行われる。

① **決算整理前試算表の作成**	決算にあたり、開始手続及び営業手続について、仕訳帳から総勘定元帳への転記が正しく行われたかを検証するために、総勘定元帳の各勘定に記入された金額を集計する。
② **決算整理**	収益・費用の正しい発生額、財産の実際有高を調査し、総勘定元帳の記録を修正したり、新しい勘定を設けて記録する。
③ **決算整理後試算表の作成**	決算整理後に、仕訳帳から総勘定元帳への転記が正しく行われたかを検証するために、総勘定元帳の各勘定に記入された金額を集計する。
④ **決算振替と帳簿の締切** **(a)収益・費用の損益勘定への振替**	当期純利益を算定するために、損益勘定を設けて、これに決算整理後の収益・費用の各勘定の残高を振り替えて集計する。
(b)当期純利益の純資産勘定への振替	当期純利益は、純資産の正味増加額なので、これを純資産の勘定へ振り替える。
(c)資産・負債・純資産の残高勘定への振替	資産・負債・純資産の期末残高を残高勘定に振り替える。この振替処理により、各勘定の残高がゼロとなるため、勘定を締め切る。
⑤ **損益計算書・貸借対照表の作成**	全帳簿の締切終了後、損益勘定を基に損益計算書を、残高勘定を基に貸借対照表を作成する。

◆例題◆

個人企業であるＡ商店の当期中の取引は以下の(1)～(3)のとおりである。

(1) 前期末の残高勘定（なお、開始仕訳は開始残高勘定を用いない方法による）

残　高

現　金	10,000	未払営業費	200
繰越商品	5,000	資本金	14,800
	15,000		15,000

(2) 営業取引（同種取引を集約）

① 商品30,000円を仕入れ、代金は現金で支払った。

② 商品40,000円を売上げ、代金は現金で受取った。

③ 営業費6,000円を現金で支払った。

(3) 決算整理事項

① 期末商品棚卸高　6,000円

② 営業費の見越高　300円

【解答・解説】

(1) 開始手続

①	現　金	10,000	未払営業費	200
	繰越商品	5,000	資本金	14,800
②	未払営業費	200	営業費	200

※１　①開始仕訳

※２　②再振替仕訳

(2) 営業手続（営業仕訳）

①	仕　入	30,000	現　金	30,000
②	現　金	40,000	売　上	40,000
③	営業費	6,000	現　金	6,000

(3) 決算手続

① 決算整理前残高試算表

決算整理前残高試算表

現　金	14,000	資本金	14,800
繰越商品	5,000	売　上	40,000
仕　入	30,000		
営業費	5,800		
	54,800		54,800

② 決算整理仕訳

	借方科目	金額	貸方科目	金額
①	仕入	5,000	繰越商品	5,000
	繰越商品	6,000	仕入	6,000
②	営業費	300	未払営業費	300

※1　①売上原価の算定

※2　②営業費の見越計上

③ 決算整理後残高試算表

決算整理後残高試算表

現金	14,000	未払営業費	300
繰越商品	6,000	資本金	14,800
仕入	29,000	売上	40,000
営業費	6,100		
	55,100		55,100

④ 決算振替仕訳

	借方科目	金額	貸方科目	金額
①	売上	40,000	損益	40,000
	損益	35,100	仕入	29,000
			営業費	6,100
②	損益	4,900	資本金	4,900
③	残高	20,000	現金	14,000
			繰越商品	6,000
	未払営業費	300	残高	20,000
	資本金	19,700		

※1　①収益・費用の損益勘定への振替

※2　②当期純利益の資本金勘定への振替

※3　③資産・負債・純資産の残高勘定への振替

⑤ 損益勘定

損　益

仕入	29,000	売上	40,000
営業費	6,100		
資本金	4,900		
	40,000		40,000

⑥ 残高勘定

残　高

現金	14,000	未払営業費	300
繰越商品	6,000	資本金	19,700
	20,000		20,000

2．費用・収益の見越・繰延

期中における費用・収益の計上は、現金の収入・支出に基づいて行われるため、当期分に計上すべき費用や収益が計上されていなかったり、次期以降に計上すべき費用や収益が計上されている場合がある。そこで、決算時に**決算整理**として、当期の費用・収益を修正するため、次の経過勘定項目が計上される。

⑴ 費用・収益の繰延

① 前払費用

期中に費用として支払った金額のうち、次期以降に属する分があるときは、その金額を当期の費用からマイナスするとともに、一時的に**前払費用勘定**（**資産勘定**）に振り替え、次期へ繰り越す。

② 前受収益

期中に収益として受け取った金額のうち、次期以降に属する分があるときは、その金額を当期の収益からマイナスするとともに、一時的に**前受収益勘定**（**負債勘定**）に振り替え、次期へ繰り越す。

⑵ 費用・収益の見越

① 未払費用

期中に支払っていないが、当期の費用として計上すべき分があるときは、その金額を当期の費用にプラスするとともに、一時的に**未払費用勘定**（**負債勘定**）に振り替え、次期へ繰り越す。

② 未収収益

期中に受け取っていないが、当期の収益として計上すべき分があるときは、その金額を当期の収益にプラスするとともに、一時的に**未収収益勘定**（**資産勘定**）に振り替え、次期へ繰り越す。

⑶ 翌期首の処理（再振替仕訳）

前期末に設けられた経過勘定項目（前払費用・前受収益・未払費用・未収収益）については、前期末の決算整理仕訳の反対の仕訳を行い、元々の費用・収益の勘定へ振り替える。

◆例題◆

次の資料に基づき、①決算整理仕訳、②翌期首の再振替仕訳を行いなさい。

(1) 決算整理前残高試算表

営業費	5,000	受取利息	2,000
支払利息	3,000	有価証券利息	4,000

(2) 当期の繰延・見越は次のとおりである。

（繰延高）営業費 100円、受取利息 20円

（見越高）支払利息 60円、有価証券利息 40円

【解答】

① 決算整理仕訳

前払費用	100	営業費	100
受取利息	20	前受収益	20
支払利息	60	未払費用	60
未収収益	40	有価証券利息	40

② 翌期首の再振替仕訳

営業費	100	前払費用	100
前受収益	20	受取利息	20
未払費用	60	支払利息	60
有価証券利息	40	未収収益	40

学習度チェック

2　債権・債務

重要度A ★★★

●学習のポイント●

債権・債務の勘定科目の使い分けを理解する。

ポイント整理

1．債権・債務の分類

<table>
<tr><th colspan="2">債権の分類</th><th>借方科目</th><th>貸方科目</th><th colspan="2">債務の分類</th></tr>
<tr><td rowspan="12">金銭債権</td><td rowspan="5">売上債権</td><td>受取手形</td><td>支払手形</td><td rowspan="5">仕入債務</td><td rowspan="12">金銭債務</td></tr>
<tr><td>電子記録債権</td><td>電子記録債務</td></tr>
<tr><td>売掛金</td><td>買掛金</td></tr>
<tr><td>クレジット売掛金</td><td rowspan="2"></td></tr>
<tr><td>契約資産</td></tr>
<tr><td rowspan="7">売上債権以外</td><td>営業外受取手形</td><td>営業外支払手形</td><td rowspan="7">仕入債務以外</td></tr>
<tr><td>手形貸付金</td><td>手形借入金</td></tr>
<tr><td>営業外電子記録債権</td><td>営業外電子記録債務</td></tr>
<tr><td>貸付金</td><td>借入金</td></tr>
<tr><td>未収金</td><td>未払金</td></tr>
<tr><td>立替金</td><td>預り金</td></tr>
<tr><td>差入保証金</td><td>預り保証金</td></tr>
<tr><td colspan="2">商品引渡請求権</td><td>前渡金
前払金</td><td>契約負債
前受金</td><td colspan="2">商品等移転義務</td></tr>
<tr><td colspan="2" rowspan="2">仮勘定</td><td>仮払金</td><td>仮受金</td><td colspan="2" rowspan="2">仮勘定</td></tr>
<tr><td>未決算</td><td></td></tr>
</table>

「収益認識に関する会計基準」において、顧客との契約から生じた債権、契約資産及び契約負債が定義された。

顧客との契約から生じた債権とは、企業が顧客に移転した財又はサービスと交換に受け取る対価に対する企業の権利のうち無条件のもの（すなわち、対価に対する法的な請求権）をいう。

契約資産とは、企業が顧客に移転した財又はサービスと交換に受け取る対価に対する企業の権利（ただし、顧客との契約から生じた債権を除く。）をいう。契約資産は、約束された支払期日が到来した時点で、売掛金等の債権（法的な請求権）の勘定に振替える。

契約負債とは、財又はサービスを顧客に移転する企業の義務に対して、企業が顧客から対価を受け取ったもの又は対価を受け取る期限が到来しているものをいう。

2．売掛金・買掛金

(1) 売掛金

商品を販売して代金が未収のとき、得意先に対して生じる請求権は、**売掛金勘定**を用いて処理する。

◆例題◆

(1) A商店に商品100円を掛で販売した。
(2) A商店に対する売掛金のうち50円を現金で回収した。

【解答】

(1)	売掛金	100	売上	100
(2)	現金	50	売掛金	50

(2) 売掛金の売却（ファクタリング）

ファクタリングとは、他人が有する債権を買い取って、その債権の回収を行う金融サービスをいう。売掛金は、ファクタリング会社（債権買取業者）に買取ってもらうことにより早期に現金化することができる。ファクタリング会社に対する債権は主たる営業取引ではないため、契約時に売掛金勘定から**未収金勘定**に振替える。なお、売掛金はファクタリング業者が買取るため支払側が支払不能になっても譲渡側に支払義務は生じない（ノンリコース）。ファクタリング会社に支払う手数料は、**売上債権売却損勘定**で処理する。

◆例題◆

(1) A社は、売掛金200円を早期に回収するため、ファクタリング会社と償還請求権なし（ノンリコース）の条件で売掛金譲渡契約を締結した。
(2) ファクタリング会社より手数料５％を控除した手取額190円が当座預金に入金された。

【解答・解説】

(1)	未収金	200	売掛金	200
(2)	当座預金 売上債権売却損	190 10	未収金	200

※　手数料　200×５％＝10

(3) 買掛金

商品を仕入れて代金が未払のとき、仕入先に対して生じる債務は、**買掛金勘定**を用いて処理する。

◆例題◆

(1) B商店から商品80円を掛で仕入れた。
(2) B商店に対する買掛金のうち60円を現金で支払った。

【解答】

(1)	仕入	80	買掛金	80
(2)	買掛金	60	現金	60

3．クレジット売掛金

商品をクレジットカードにより販売したときは、**クレジット売掛金勘定**で処理する。クレジットカード会社に対する手数料は**支払手数料勘定**で処理し、通常、販売時に計上する。

◆例題◆

(1) A社は、商品600円をクレジット払いの条件で販売した。信販会社へのクレジット手数料は販売代金の3％である。クレジット手数料は販売時に計上する。
(2) 上記(1)のクレジット売掛金が、信販会社よりA社の当座預金に入金された。

【解答・解説】

(1)	クレジット売掛金 支払手数料	582 18	売上	600
(2)	当座預金	582	クレジット売掛金	582

※　支払手数料　600×3％＝18

4．契約資産

売上の相手科目として**契約資産**又は**債権**を認識する。契約資産は法的な請求権が未確定の場合に使用し、法的な請求権が確定した時点で、売掛金、受取手形等の債権に振替える。

◆例題◆

(1) 商品800円を販売する契約を締結した。契約ではすべての納品が完了した段階で、対価に対する請求権利が生じることになっている。本日、商品300円を出荷し、即日検収が完了した。
(2) 残りの商品500円を出荷し、即日検収が完了した。

【解答・解説】

(1)	契約資産	300	売上	300
(2)	売掛金	800	売上 契約資産	500 300

※ (1)の段階ではすべての納品が完了していないため契約資産とし、すべての納品が完了した(2)の段階で、契約資産から売掛金に振替える。

5．前渡金（前払金）・契約負債（前受金）

(1) 前渡金（前払金）

商品を仕入れる際に代金の一部を仕入先に前払したとき、仕入先に対して生じる請求権は、**前渡金勘定**又は**前払金勘定**で処理する。

◆例題◆

(1) C商店へ商品200円を注文し、その内金として100円を現金で支払った。

(2) C商店から、かねて注文していた商品を受け取り、残金100円は掛とした。

【解答】

(1)	前渡金	100	現金	100
(2)	仕入	200	前渡金 買掛金	100 100

(2) 契約負債（前受金）

商品を販売する際に代金の一部を得意先より前受したとき、得意先に対する義務は、**契約負債勘定**又は**前受金勘定**で処理する。

◆例題◆

(1) D商店から商品200円の注文があり、その内金として100円を現金で受け取った。

(2) D商店へ、かねて注文のあった商品を引き渡し、残金100円は掛とした。

【解答】

(1)	現金	100	契約負債	100
(2)	契約負債 売掛金	100 100	売上	200

6．未収金・未払金

⑴ 未収金

商品売買以外の取引によって生じた債権は、**未収金勘定**で処理する。

◆例題◆

⑴ 土地（取得原価300円）を400円で売却し、代金は月末に受け取ることにした。

⑵ かねて売却した土地代金400円を現金で受け取った。

【解答】

(1)	未収金	400	土地	300
			土地売却益	100
(2)	現金	400	未収金	400

⑵ 未払金

商品売買以外の取引によって生じた債務は、**未払金勘定**で処理する。

◆例題◆

⑴ 備品300円を購入し、代金は月末に支払うことにした。

⑵ かねて購入した備品代金300円を現金で支払った。

【解答】

(1)	備品	300	未払金	300
(2)	未払金	300	現金	300

7．貸付金・借入金

⑴ 貸付金

借用証書によって金銭を貸し付けたとき、借主に対して生じる債権は、**貸付金勘定**で処理する。

◆例題◆

⑴ E商店に対し借用証書により現金100円を貸し付けた。

⑵ 上記⑴の貸付金を利息10円とともに現金で受け取った。

【解答】

(1)	貸付金	100	現金	100
(2)	現金	110	貸付金	100
			受取利息	10

⑵ **借入金**

借用証書により金銭を借り入れたとき、貸主に対して生じる債務は、**借入金勘定**で処理する。

◆例題◆

⑴　F商店から借用証書により現金200円を借り入れた。

⑵　上記⑴の借入金を利息20円とともに現金で支払った。

【解答】

⑴	現　　　　金	200	借　　入　　金	200
⑵	借　　入　　金 支　払　利　息	200 20	現　　　　金	220

8．立替金・預り金

⑴ **立替金**

従業員や取引先に対して金銭を一時的に立て替えたときは、**立替金勘定**で処理する。

⑵ **預り金**

従業員や取引先から金銭を一時的に預かったときは、**預り金勘定**で処理する。

◆例題◆

⑴　従業員に給料の前貸として30円を現金で支払った。

⑵　給料の支払にあたり、給料500円から先日前貸した30円と源泉所得税50円、社会保険料40円を差し引き、残額を現金で支払った。

⑶　社会保険料について、上記⑵の個人負担分に同額の会社負担分を加えた金額を現金で納付した。

⑷　給料から天引きした上記⑵の源泉所得税50円を現金で支払った。

【解答】

⑴	立　　替　　金	30	現　　　　金	30
⑵	給　　　　料	500	立　　替　　金 預　　り　　金 現　　　　金	30 90 380
⑶	預　　り　　金 法　定　福　利　費	40 40	現　　　　金	80
⑷	預　　り　　金	50	現　　　　金	50

9．仮払金・仮受金

(1) 仮払金

現金の支出があったが、その相手勘定又は金額が未確定の場合には、取りあえず**仮払金勘定**で処理する。そして、**正しい勘定科目又は金額が確定したとき、適正な勘定に振り替える**。

◆例題◆

(1) 従業員の出張に際し、旅費の概算額100円を現金で渡した。

(2) 従業員が帰社し、旅費として90円支払ったとの報告を受け、残金10円は現金で受け取った。

【解答】

(1)	仮払金	100	現金	100
(2)	旅費	90	仮払金	100
	現金	10		

(2) 仮受金

現金の収入があったが、その相手勘定又は金額が未確定の場合には、取りあえず**仮受金勘定**で処理する。そして、**正しい勘定科目又は金額が確定したとき、適正な勘定に振り替える**。

◆例題◆

(1) 出張中の従業員から当座預金口座に200円の振込があったが、その内容は不明である。

(2) 従業員が帰社し、先の当座振込は得意先に対する売掛金の回収である旨の報告を受けた。

【解答】

(1)	当座預金	200	仮受金	200
(2)	仮受金	200	売掛金	200

10. 差入保証金・預り保証金

(1) 差入保証金

建物等の賃借の際に支払う敷金・保証金、取引先に支払う営業保証金は**差入保証金勘定**で処理する。

(2) 預り保証金

取引先から営業保証金等を預かった場合には、**預り保証金勘定**で処理する。

◆例題◆

(1) 建物の賃借にあたり、保証金200円を現金で支払った。

(2) G商店より営業保証金として100円を現金で受取った。

【解答】

	借方		貸方	
(1)	差入保証金	200	現金	200
(2)	現金	100	預り保証金	100

11. 未決算

勘定科目や金額が未確定の場合に、それらが確定するまで一時的に**未決算勘定**で処理する。

◆例題◆

(1) 建物（取得原価1,000円、減価償却累計額600円、記帳方法は直接控除法）が火災により焼失した。この建物については保険金額300円の火災保険に加入していたので、ただちに保険会社に請求した。

(2) 保険会社から、保険金200円を支払う旨の連絡を受けた。

【解答・解説】

(1) 建物焼失・保険金請求時

借方		貸方	
火災未決算	300	建物	400
火災損失	100		

※ 未決算勘定に計上する金額は保険金額300を限度とする。

(2) 保険金確定時

借方		貸方	
未収金	200	火災未決算	300
火災損失	100		

学習度チェック

3 手形

重要度B ★★

●学習のポイント●

1．約束手形・為替手形の会計処理をマスターする。
2．手形の裏書譲渡・割引による保証債務の会計処理をマスターする。
3．手形が不渡りになった場合の会計処理をマスターする。
4．営業外手形や金融手形についての勘定科目を正確に覚える。
5．電子記録債権・債務の会計処理をマスターする。

ポイント整理

1．約束手形

約束手形とは、手形の**振出人**（手形作成人及び支払人）が**名宛人**（受取人）に対して、一定の期日に一定の金額を支払うことを約束した証券である。

約束手形─┬振出人…手形債務が生じる ⇨ **支払手形勘定**
　　　　　└名宛人…手形債権が生じる ⇨ **受取手形勘定**

手形の受取人は、取引銀行に手形の取立（現金化）を依頼し、銀行間で手形の決済が行われる。

◆例題◆

⑴　A商店はB商店へ商品100円を売り渡し、代金はB商店振出の約束手形で受け取り、取引銀行に取立を依頼した。
⑵　A商店は、上記手形が満期となり取引銀行から当座預金に入金した旨の連絡を受けた。

【解答】

〈A商店（名宛人）の仕訳〉

⑴	受取手形	100	売上	100
⑵	当座預金	100	受取手形	100

〈B商店（振出人）の仕訳〉

⑴	仕入	100	支払手形	100
⑵	支払手形	100	当座預金	100

2．為替手形

為替手形とは、**振出人**（手形作成者）が**名宛人**（支払人）に対して、一定期日に一定の金額を**指図人**（受取人）に支払うことを委託した証券である。

為替手形
- 振出人…手形債権・債務は生じない。
- 名宛人…手形債務が生じる ⇨ **支払手形勘定**
- 指図人…手形債権が生じる ⇨ **受取手形勘定**

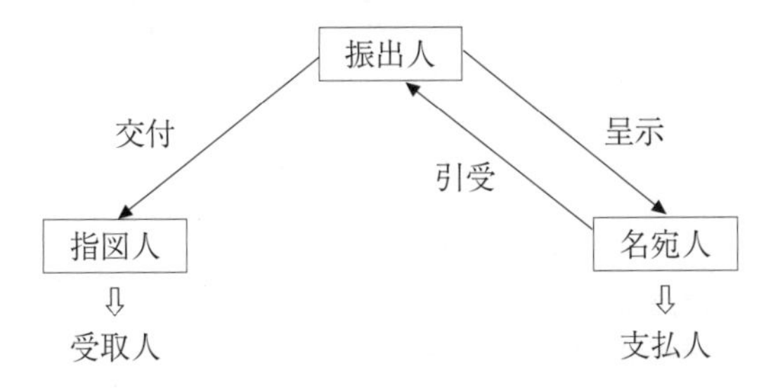

◆例題◆

⑴　A商店は、仕入先C商店に対する買掛金200円を支払うために、かねて売掛金のある得意先B商店宛の為替手形を振り出し、B商店の引受を得てC商店に交付した。

⑵　A商店は、C商店に交付した為替手形が、本日、無事支払われた旨の連絡を取引銀行から受けた。

【解答】

〈A商店（振出人）の仕訳〉

⑴	買掛金	200	売掛金	200
⑵	仕訳なし			

〈B商店（名宛人）の仕訳〉

⑴	買掛金	200	支払手形	200
⑵	支払手形	200	当座預金	200

〈C商店（指図人）の仕訳〉

⑴	受取手形	200	売掛金	200
⑵	当座預金	200	受取手形	200

3．手形の割引及び裏書譲渡

(1) 手形債権の消滅と保証債務

手形を割引及び裏書譲渡した場合、手形債権が他に移転するため、**手形債権の消滅を認識**する。

また、手形の割引及び裏書譲渡に伴い、新たに手形の遡及義務である**保証債務が発生**する。この保証債務は金融負債であり、手形の割引及び裏書譲渡を行った時点で時価により計上し、手形が決済又は不渡となった時点で取崩処理を行う。

なお、保証債務の発生に伴い**保証債務費用**を計上するが、この保証債務費用を手形売却損で処理する場合もある。

(2) 保証債務の時価

保証債務については時価評価を行うが、保証債務の時価がゼロと評価された場合には、保証債務は認識されない。したがって、保証債務の計上については、問題の指示に従う。

(3) 会計処理

① 割引時の処理

借方	金額	貸方	金額
現金預金	×××	受取手形	×××
手形売却損	×××		
保証債務費用	×××	保証債務	×××

② 裏書時の処理

借方	金額	貸方	金額
買掛金or仕入	×××	受取手形	×××
保証債務費用	×××	保証債務	×××

③ 決済時の処理

借方	金額	貸方	金額
保証債務	×××	保証債務取崩益	×××

◆例題◆

(1)① 得意先振出の約束手形5,000円を銀行で割引き、割引料60円を差し引かれた残額は当座預金とした。なお、保証債務は額面の２％を計上する。

② 上記手形が無事決済された。

(2)① 買掛金3,000円の支払として、同額の得意先振出の約束手形を裏書譲渡した。なお、保証債務については考慮不要とする。

② 上記手形が無事決済された。

(3) 前期に取得した受取手形2,000円を買掛金の支払のために裏書譲渡した。なお、裏書時における保証債務の時価を額面の２％と評価して計上するとともに、前期末に設定してあった貸倒引当金（額面の２％）の取崩を行う。

【解答・解説】

(1) 割引

① 割引時

当座預金	4,940	受取手形	5,000
手形売却損	60		
保証債務費用	100	保証債務	100

※ 5,000×２％＝100

② 決済時

保証債務	100	保証債務取崩益	100

(2) 裏書譲渡

① 裏書時

買掛金	3,000	受取手形	3,000

② 決済時

仕訳なし			

(3) 裏書譲渡

買掛金	2,000	受取手形	2,000
保証債務費用	40	保証債務	40
貸倒引当金	40	貸倒引当金戻入	40

※ 2,000×２％＝40

4．手形の不渡り

手形の受取人は、取引銀行に手形代金の取立を依頼することにより、手形代金を回収する。この場合、手形債務者の当座預金口座の残高が手形代金に満たないとき、代金決済ができないことになる。これを、**手形の不渡り**という。

⑴　自己所有の手形が不渡りとなった場合

自己所有の手形が不渡りとなった場合は、通常の手形と区別するために、**受取手形勘定から不渡手形勘定へ振り替える。**

◆例題◆

⑴　得意先Ｂ商店から受け取ったＢ商店振出の約束手形300円の支払期日が到来したが、取引銀行より不渡りとなった旨の通知を受けた。

⑵　上記不渡手形が、Ｂ商店の破産によって回収できなくなった。

【解答】

⑴	不渡手形	300	受取手形	300
⑵	貸倒損失	300	不渡手形	300

⑵　自己が保証債務を負う手形が不渡りとなった場合

自己が保証債務を負う手形が不渡りとなり、手形代金を支払った場合は、**その支払額をもって不渡手形勘定で処理する。**なお、保証債務の計上を行っていた場合は、これに伴い消去する処理も行う。

◆例題◆

⑴　先に取引銀行で割引に付していたＣ商店振出の約束手形600円が、本日、不渡りとなった旨の通知があり、直ちに小切手を振り出して手形を買い戻すとともにＣ商店に対し償還請求を行った。なお、割引時に手形額面の１％の保証債務を計上している。

⑵　上記⑴の不渡手形が、Ｃ商店の破産によって回収できなくなった。

【解答】

⑴	不渡手形	600	当座預金	600
	保証債務	6	保証債務取崩益	6
⑵	貸倒損失	600	不渡手形	600

5. 営業外手形

固定資産等の取引に基づいて生じた手形債権・手形債務は、主たる営業取引に基づいて生じた手形債権・手形債務と区別して、**営業外受取手形勘定・営業外支払手形勘定**で処理する。

◆例題◆

(1) 建物200円を購入し、代金は約束手形を振り出して支払った。

(2) 土地（帳簿価額100円）を150円で売却し、代金は約束手形で受け取った。

【解答】

(1)	建物	200	営業外支払手形	200
(2)	営業外受取手形	150	土地	100
			土地売却益	50

※ 営業外支払手形に代えて**固定資産購入支払手形**、営業外受取手形に代えて**固定資産売却受取手形**を使用してもよい。

6. 金融手形

取引先などに対し金銭の貸付を行う場合、**借用証書の代わりに、手形を利用**することがある。このような手形を金融手形といい、**手形貸付金勘定・手形借入金勘定**で処理する。

◆例題◆

Ａ商店はＢ商店に対し300円を貸し付け、利息10円を差し引き、残額を現金で支払った。なお、この貸付に伴い、Ｂ商店振出の約束手形300円を受け取った。

【解答】

Ａ商店	手形貸付金	300	現金	290
			受取利息	10
Ｂ商店	現金	290	手形借入金	300
	支払利息	10		

7. 電子記録債権・電子記録債務

電子記録債権・債務は、全銀電子債権ネットワーク（でんさいネット）が記録機関となって運営されており、従来からある銀行決済システムを利用している。ペーパーレスの手形決済ともいえるが、事務手続の軽減、印紙税不要など、従来の手形取引より利便性が高い。受取側は**電子記録債権勘定**、支払側は**電子記録債務勘定**で処理し、支払期日に銀行間で決済される。電子記録債権は、支払期日前に分割して割引または譲渡することができる。なお、譲渡側は手形と同様に遡求義務を負う。

◆例題◆

(1) B社は、買掛金400円の支払いを電子記録債権機関で行うため、取引銀行を通して債務の発生記録を行った。
(2) B社は、上記(1)の電子記録債務が支払期日に当座預金で決済された旨の通知を受けた。
(3) C社は、売掛金500円について、取引銀行より電子記録債権が発生した旨の通知を受けた。
(4) C社は、上記(3)の電子記録債権のうち300円を取引銀行で割引き、割引料10円を差し引かれた手取額は当座預金とした。なお、保証債務は認識しない。
(5) D社は、土地800円を購入し、支払は電子記録債権機関で行うため、取引銀行を通して債務の発生記録を行った。

【解答・解説】

(1) 債務発生時

借方	金額	貸方	金額
買掛金	400	電子記録債務	400

(2) 決済時

借方	金額	貸方	金額
電子記録債務	400	当座預金	400

(3) 債権発生時

借方	金額	貸方	金額
電子記録債権	500	売掛金	500

(4) 割引時

借方	金額	貸方	金額
当座預金	290	電子記録債権	300
電子記録債権売却損	10		

(5) 債務発生時

借方	金額	貸方	金額
土地	800	営業外電子記録債務	800

※ 主たる営業取引以外の場合は、営業外電子記録債権勘定又は営業外電子記録債務勘定で処理する。

MEMO

学習度チェック

4　有価証券

重要度A ★★★

●学習のポイント●

1．有価証券の分類及び期末評価をマスターする。
2．有価証券の取得・売却についての会計処理をマスターする。
3．売買目的有価証券についての会計処理をマスターする。
4．満期保有目的の債券についての償却原価法をマスターする。
5．子会社株式及び関連会社株式についての範囲及び期末評価をマスターする。
6．その他有価証券についての会計処理をマスターする。
7．減損処理についての会計処理をマスターする。
8．有価証券の保有目的区分の変更についての会計処理をマスターする。

ポイント整理

1．有価証券の分類

⑴　金融商品取引法による分類

有価証券とは、金融商品取引法に定められているものをいい、具体的には、①公債（国債、地方債）、②社債、③株式、④新株予約権などが該当する。

⑵　保有目的による分類と表示科目

保有目的による分類		表示科目
売買目的有価証券		有価証券
満期保有目的の債券	1年内満期到来債券	有価証券
	上記以外	投資有価証券
子会社株式・関連会社株式		関係会社株式
その他有価証券	1年内満期到来債券	有価証券
	上記以外	投資有価証券

2．有価証券の取得・売却

⑴　購入の場合の取得原価

有価証券を購入した場合は、購入代価に支払手数料等の付随費用を加算した金額を取得原価とする。なお、同じ銘柄の有価証券を異なる単価で追加購入した場合には、移動平均法又は総平均法により単価の付替計算を行う。

取得原価＝購入代価＋付随費用

(2) 株式分割による無償取得

株式分割により無償交付を受けた場合、**会計処理は不要**である。ただし、株数が増加するため単価の付替計算を行う。

(3) 売却時における支払手数料の処理

① 総額法

有価証券を売却した際の支払手数料を、「支払手数料」勘定で処理する。

現金預金	×××	有価証券	×××
支払手数料	×××	有価証券売却損益	×××

② 純額法

有価証券を売却した際の支払手数料を、売却損益と相殺する。

現金預金	×××	有価証券	×××
		有価証券売却損益	×××

◆例題◆

(1)　Ｙ社株式100株を１株当たり400円で購入し、購入手数料1,000円とともに現金で支払った。

(2)　Ｙ社株式100株を１株当たり440円で追加購入し、購入手数料1,000円とともに現金で支払った。

(3)　Ｙ社株式について、１株を２株に分割する株式分割が行われた。

(4)　Ｙ社株式100株を１株当たり250円で売却し、売却手数料500円を差し引かれた手取金は現金で受取った。なお、売却原価は移動平均法により算定する。

【解答・解説】

(1) 購入

有価証券	41,000	現金	41,000

※１　取得原価　100株×@400＋1,000＝41,000

※２　単価　41,000÷100株＝@410

(2) 追加購入

有価証券	45,000	現金	45,000

※１　取得原価　100株×@440＋1,000＝45,000

※２　移動平均単価　(41,000＋45,000)÷200株＝@430

(3) **株式分割**

仕訳なし			

※1　取得株式数　200株×1＝200株

※2　移動平均単価　(41,000＋45,000)÷400株＝@215

(4) **売却**

① 総額法

借方	金額	貸方	金額
現金	24,500	有価証券	21,500
支払手数料	500	有価証券売却益	3,500

※1　売却原価　100株×@215＝21,500

※2　手取金　100株×@250－500＝24,500

※3　売却益　100株×@250－21,500＝3,500

② 純額法

借方	金額	貸方	金額
現金	24,500	有価証券	21,500
		有価証券売却益	3,000

※　売却益　手取金24,500－21,500＝3,000

(4) 経過利息の処理

① 購入時

債券を利払日と利払日の中途で購入した場合は、前回の利払日の翌日から購入日までの経過利息を支払う。

借方	金額	貸方	金額
有価証券	**×××**	**現金預金**	**×××**
有価証券利息	**×××**		

② 売却時

債券を利払日と利払日の中途で売却した場合は、前回の利払日の翌日から売却日までの経過利息を受け取る。

借方	金額	貸方	金額
現金預金	**×××**	**有価証券**	**×××**
		有価証券利息	**×××**
		有価証券売却損益	**×××**

③ 経過利息の計算方法

経過利息（端数利息ともいう）の計算は原則として日割計算で行う。また、経過日数の計算は前回の利払日の翌日から売買日までの日数とする。ただし、問題で月割計算の指示があればそれに従う。

④ **利付相場と裸相場**

経過利息を含めた債券の価格を**利付相場**といい、経過利息を含めない債券の価格を**裸相場**という。

◆例題◆

(1) ×1年3月1日に、満期保有目的でA社社債1,000口を購入し、経過利息とともに現金で支払った。A社社債の額面は1口100円、購入時における裸相場は1口99円、利率は年2.92%、利払日は10月末と4月末である。有価証券利息の計算方法は1年を365日とする日割計算（ただし、経過利息の計算については購入日を含める）とする。

(2) ×1年3月31日の決算において、有価証券利息の見越計上を行う。

【解答・解説】

(1) ×1年3月1日

借方科目	金額	貸方科目	金額
投資有価証券	99,000	現金	99,968
有価証券利息	968		

※1　裸相場　1,000口×@99＝99,000

※2　経過利息　(1,000口×@100)×2.92%×$\frac{121日}{365日}$＝968

(2) ×1年3月31日

借方科目	金額	貸方科目	金額
未収収益	1,208	有価証券利息	1,208

※　(1,000口×@100)×2.92%×$\frac{151日}{365日}$＝1,208

(5) 有価証券の発生及び消滅の認識

有価証券等の金融資産については、契約を締結した時に金融資産の発生及び消滅の認識をしなければならないが、有価証券の売買契約については、約定日から受渡日まで、通常、証券会社の2営業日を要するため、次の2つの方法が認められている。

① **約定日基準（原則処理）**

買手は約定日に有価証券の発生を認識する。売手は約定日に有価証券の消滅を認識する。

＜買手の処理－売買目的有価証券（洗替法）の場合＞

日付	借方科目	金額	貸方科目	金額
約定日	有価証券	××	未払金	××
決算日	有価証券	××	有価証券評価損益	××
翌期首	有価証券評価損益	××	有価証券	××
受渡日	未払金	××	現金預金	××

＜売手の処理－売買目的有価証券の場合＞

約定日	未収金	××	有価証券 有価証券売却損益	×× ××
決算日	仕訳なし			
翌期首	仕訳なし			
受渡日	現金預金	××	未収金	××

② **修正受渡日基準（容認処理）**

買手は約定日から受渡日までの時価の変動分のみを認識し、受渡日に有価証券の発生を認識する。売手は、売却損益については下記のように認識し、受渡日に有価証券の消滅を認識する。

(a) 売買目的有価証券に区分している場合は、約定日に売却損益を認識する（なお、実務上は決算日に売却損益を認識することも認められる）。

(b) その他有価証券に区分している場合は、決算日に売却損益を認識する。

＜買手の処理－売買目的有価証券（洗替法）の場合＞

約定日	仕訳なし			
決算日	有価証券	××	有価証券評価損益	××
翌期首	有価証券評価損益	××	有価証券	××
受渡日	有価証券	××	現金預金	××

＜売手の処理－売買目的有価証券の場合＞

約定日	有価証券	××	有価証券売却損益	××
決算日	仕訳なし			
翌期首	仕訳なし			
受渡日	現金預金	××	有価証券	××

◆例題◆

A社（買手）とB社（売手）の有価証券の売買取引は以下のとおりである。なお、A社及びB社は当該有価証券を売買目的で保有しており、評価差額については切放法を採用している。

(1) 3月30日（約定日）に、A社はB社保有のX社株式（簿価800円）を1,000円で購入した。

(2) 3月31日（決算日）におけるX社株式の時価は1,010円である。

(3) 4月1日に受渡しが行われ、代金が決済された。

【解答・解説】

1　約定日基準

⑴　A社（買手）の処理

①　3月30日（約定日）

有価証券	1,000	未払金	1,000

②　3月31日（決算日）

有価証券	10	有価証券評価損益	10

③　4月1日（受渡日）

未払金	1,000	現金預金	1,000

⑵　B社（売手）の処理

①　3月30日（約定日）

未収金	1,000	有価証券	800
		有価証券売却損益	200

②　3月31日（決算日）

仕訳なし			

③　4月1日（受渡日）

現金預金	1,000	未収金	1,000

2　修正受渡日基準

⑴　A社（買手）の処理

①　3月30日（約定日）

仕訳なし			

②　3月31日（決算日）

有価証券	10	有価証券評価損益	10

③　4月1日（受渡日）

有価証券	1,000	現金預金	1,000

⑵　B社（売手）の処理

①　3月30日（約定日）

有価証券	200	有価証券売却損益	200

②　3月31日（決算日）

仕訳なし			

③　4月1日（受渡日）

現金預金	1,000	有価証券	1,000

3. 有価証券の期末評価

<table>
<tr><th colspan="2">保有目的</th><th>期末の評価基準</th><th>時価評価に伴う評価差額の処理</th><th>減損処理</th></tr>
<tr><td colspan="2">売買目的有価証券</td><td>時価</td><td>有価証券運用損益</td><td></td></tr>
<tr><td colspan="2">満期保有目的の債券</td><td>取得原価
または
償却原価</td><td></td><td rowspan="4">時価を算定するもの→時価まで評価減

市場価格のない株式等→実質価額まで評価減</td></tr>
<tr><td colspan="2">子会社株式・関連会社株式</td><td>取得原価</td><td></td></tr>
<tr><td rowspan="2">その他有価証券</td><td>市場価格のない株式等</td><td>取得原価</td><td></td></tr>
<tr><td>市場価格のない株式等以外</td><td>時価</td><td>全部純資産直入法
または
部分純資産直入法</td></tr>
</table>

※1　市場価格のない株式等とは、市場において取引されていない株式及び出資金など株式と同様に持分の請求権を生じさせるものをいう。

※2　時価とは、算定日に市場参加者間で秩序ある取引が行われると想定した場合の、その有価証券の売却によって受取る価格をいう。また、市場価格がない場合には、合理的に算定された価格を時価とする。ただし、市場価格のない株式等については例外的に時価の算定は不要とする。

4. 売買目的有価証券

(1) 売買目的有価証券

売買目的有価証券とは、いわゆるトレーディング目的の有価証券であり、時価の変動により利益を得ることを目的として保有する有価証券をいう。

(2) 期末評価

売買目的有価証券は、**時価をもって貸借対照表価額**とし、評価差額は「有価証券評価損益」として当期の損益に計上する。

(3) 勘定科目

売買目的有価証券に係る損益には、有価証券評価損益、有価証券売却損益、有価証券利息及び受取配当金があるが、これらはすべて**有価証券運用損益**として処理することもできる。

⑷ 会計処理

評価差額の会計処理については、**洗替法**又は**切放法**の選択適用が認められている。

① 洗替法

洗替法とは、翌期首において帳簿価額を取得原価に戻して処理する方法である。

② 切放法

切放法とは、翌期以降はその当期末の時価を帳簿価額として処理する方法である。

◆例題◆

(1) 当期

① 決算整理前試算表

有価証券	1,500		

② 有価証券は、期中において甲社株式（取得原価1,500円）を売買目的で取得した際に、計上したものである。

③ 期末時価は1,600円である。

(2) 翌期首

【解答・解説】

1．洗替法

(1) 当期

① 決算整理

有価証券	100	有価証券運用損益	100

② 決算整理後試算表

有価証券	1,600	有価証券運用損益	100

(2) 翌期首

有価証券運用損益	100	有価証券	100

2．切放法

(1) 当期

① 決算整理

有価証券	100	有価証券運用損益	100

② 決算整理後試算表

有価証券	1,600	有価証券運用損益	100

(2) 翌期首

仕訳なし			

5．満期保有目的の債券

(1) 満期保有目的の債券

満期保有目的の債券とは、満期まで所有する意図をもって保有する社債その他の債券をいう。

(2) 期末評価

満期保有目的の債券は、**取得原価をもって貸借対照表価額**とする。ただし、債券を債券金額より低い価額又は高い価額で取得した場合において、取得原価と債券金額との差額（以下「取得差額」という）の性格が金利の調整と認められるときは、**償却原価法に基づいて算定された価額（償却原価）をもって貸借対照表価額**としなければならない。

(3) 償却原価法

償却原価法とは、取得差額が金利調整差額であると認められる場合に、当該取得差額に相当する金額を償還期に至るまで毎期一定の方法で貸借対照表価額に加減する方法をいう。なお、加減額（償却額）については、**有価証券利息**に含めて処理を行う。金利調整差額の償却方法については、**利息法**と**定額法**がある。

① 利息法

利息法とは、帳簿価額に対し実効利子率を乗じた金額を、各期の利息配分額として計上し、これとクーポン利息計上額との差額を金利調整差額の償却額として帳簿価額に加減する方法である。なお、計算の手順は次のとおりである。

(a) 利息配分額

帳簿価額×実効利子率＝利息配分額

(b) クーポン利息

債券金額×クーポン利子率＝クーポン利息

(c) 償却額

利息配分額－クーポン利息＝償却額

② 定額法

定額法とは、金利調整差額を毎期均等償却し、これを帳簿価額に加減する方法である。したがって、各期に計上される利息配分額は、金利調整差額の償却額とクーポン利息計上額との合計となる。

③ 償却額の計上時期

(a) 利息法の場合…通常、**利払日**に償却額の計上を行う。

(b) 定額法の場合…通常、**決算日**に償却額の計上を行う。

◆例題◆

当社（決算日は3月末日の年1回）は、×1年4月1日に満期まで保有する目的で甲社債を取得した。その内容は、次のとおりである。

(1) 取得原価： 9,600円
(2) 債券金額：10,000円
(3) 満 期 日：×4年3月31日
(4) 実効利子率：年2.4%
(5) クーポン利子率：年1%
(6) 利 払 日：毎年9月末日と3月末日の年2回
(7) 取得原価と債券金額の差額は、すべて金利調整差額と認められる。

【解答・解説】

1．利息法による償却原価法を採用した場合

(1) 利息及び償却原価のスケジュール表

×実効利子率2.4%

年月日	利息配分額	クーポン利息受取額	金利調整差額償却額	償却原価（帳簿価額）
×1年4月1日	——	——	——	9,600
9月30日	115 ※1	50 ※2	65 ※3	9,665 ※4
×2年3月31日	115 ※5	50 ※2	65 ※6	9,730 ※7
9月30日	116	50 ※2	66	9,796
×3年3月31日	117	50 ※2	67	9,863
9月30日	118	50 ※2	68	9,931
×4年3月31日	119	50 ※2	69	10,000
合　計	700	300	400	——

※1　9,600×実効利子率2.4%×$\frac{6月}{12月}$＝115.2→115（切捨）

※2　債券金額10,000×クーポン利子率1%×$\frac{6月}{12月}$＝50

※3　115－50＝65

※4　9,600＋65＝9,665

※5　9,665×実効利子率2.4%×$\frac{6月}{12月}$＝115.98→115（切捨）

※6　115－50＝65

※7　9,665＋65＝9,730

(2) 会計処理

① ×1年4月1日（取得日）

投資有価証券	9,600	現金預金	9,600

② ×1年9月30日（利払日）

現金預金	50	有価証券利息	115
投資有価証券	※ 65		

※ 利息法の場合、通常、利払日に償却額を計上する。

③ ×2年3月31日（利払日）

現金預金	50	有価証券利息	115
投資有価証券	65		

④ ×2年9月30日（利払日）

現金預金	50	有価証券利息	116
投資有価証券	66		

⑤ ×3年3月31日（利払日）

現金預金	50	有価証券利息	117
投資有価証券	67		
有価証券	※9,863	投資有価証券	9,863

※ 翌期に満期日が到来するため、投資有価証券を有価証券に振り替える。

2．定額法による償却原価法を採用した場合

(1) 利息及び償却原価のスケジュール表

年月日	利息配分額	クーポン利息受取額	金利調整差額償却額	償却原価（帳簿価額）
×1年4月1日	――	――	――	9,600
9月30日	――	50 ※1	――	――
×2年3月31日	233	50 ※1	133 ※2	9,733 ※3
9月30日	――	50 ※1	――	――
×3年3月31日	233	50 ※1	133 ※2	9,866
9月30日	――	50 ※1	――	――
×4年3月31日	234	50 ※1	134 ※4	10,000
合計	700	300	400	――

※1　債券金額10,000×クーポン利子率1％×$\frac{6月}{12月}$＝50

※2　（債券金額10,000－取得原価9,600）×$\frac{1年}{3年}$＝133.33…

→133（切捨）

※3　9,600＋133＝9,733

※4　差額

(2)　会計処理

①　×1年4月1日（取得日）

投資有価証券	9,600	現金預金	9,600

②　×1年9月30日（利払日）

現金預金	50	有価証券利息	50

③　×2年3月31日（利払日、決算日）

(a)　利払の処理

現金預金	50	有価証券利息	50

(b)　金利調整差額の償却

投資有価証券	※ 133	有価証券利息	133

※　定額法の場合、通常、決算日に償却額を計上する。

④　×2年9月30日（利払日）

現金預金	50	有価証券利息	50

⑤　×3年3月31日（利払日、決算日）

(a)　利払の処理

現金預金	50	有価証券利息	50

(b)　金利調整差額の償却

投資有価証券	133	有価証券利息	133

(c)　有価証券への振替

有価証券	9,866	投資有価証券	9,866

6．子会社株式及び関連会社株式

⑴　子会社株式

子会社株式とは、親会社が他の会社の意思決定機関を支配している場合における当該他の会社の株式をいう。なお、子会社には、具体的に次のような会社が該当する。

①　当社が議決権の過半数を所有している会社
②　当社が議決権の40％以上50％以下を所有していて、かつ、
　(a)　取締役会を支配している会社
　(b)　契約などにより重要な財務及び営業又は事業の方針決定を支配している会社

⑵　関連会社株式

関連会社株式とは、親会社及び子会社が出資、人事、資金、技術、取引等の関係を通じて、子会社以外の他の会社の財務及び営業又は事業の方針の決定に対して重要な影響を与えることができる場合における当該他の会社の株式をいう。なお、関連会社には、具体的に次のような会社が該当する。

①　当社が議決権の20％以上を所有している会社
②　当社が議決権の15％以上20％未満を所有していて、かつ、
　(a)　役員等が代表取締役、取締役又はこれらに準ずる役職に就任している会社
　(b)　重要な融資を行っている会社

⑶　期末評価

子会社株式及び関連会社株式は、**取得原価をもって貸借対照表価額**とする。これは、その保有が他の会社を支配したり、他の会社への影響力の行使を目的としているものであるため、時価の変動を投資活動の成果として捉える必要がないからである。

◆例題◆

(1)　決算整理前試算表

関係会社株式	1,500	

(2)　関係会社株式の期末時点における時価は1,300円である。

【解答】

(1)　決算整理

仕　訳　な　し			

(2)　決算整理後試算表

関係会社株式	1,500	

7．その他有価証券

(1) その他有価証券

その他有価証券とは、売買目的有価証券、満期保有目的の債券、子会社及び関連会社株式以外の有価証券をいう。その他有価証券には、長期的な時価の変動により利益を得ることを目的として保有する有価証券や持ち合い株式のように業務提携の目的で保有する有価証券が含まれている。

(2) 期末評価

市場価格のない株式等以外のものについては、時価をもって貸借対照表価額とし、評価差額は原則として純資産直入する。ただし、取得差額が金利調整差額と認められる債券については、償却原価法を適用した上で、償却原価と時価との差額を評価差額として処理しなければならない。

市場価格のない株式等については、取得原価をもって貸借対照表価額とする。

(3) 評価差額の会計処理

評価差額については、洗替法に基づいて、**全部純資産直入法**又は**部分純資産直入法**の選択適用が認められている。

① 全部純資産直入法

評価差益及び評価差損の合計額を純資産の部に「その他有価証券評価差額金」として計上する方法である。

② 部分純資産直入法

評価差益は純資産の部に「その他有価証券評価差額金」として計上するが、評価差損は「投資有価証券評価損益」として当期の損失に計上する方法である。

(4) 税効果会計の適用

その他有価証券は、税務上、取得原価または定額法による償却原価法により評価されるため、会計上、時価により評価した場合には、一時差異が生じることとなる。したがって、会計処理にあたって税効果会計を適用しなければならない。

(5) 株式の場合

◆例題◆

(1)

決算整理前試算表

投資有価証券	5,000	

(2) 期末に保有する有価証券は、以下のとおりであり、すべて「その他有価証券」の区分に分類している。

銘　　柄	市場価格	期末簿価	期末時価
A社株式	有	3,000円	2,900円
B社株式	有	2,000円	2,300円

(3) その他有価証券評価差額金について税効果を認識する。なお、法定実効税率は30％である。

【解答・解説】

1．全部純資産直入法

(1) 当期

① 決算整理

(a) A社株式（評価差損）

借方	金額	貸方	金額
繰延税金資産	※1 30	投資有価証券	100
その他有価証券評価差額金	※2 70		

※1　評価差額100×30％＝30

※2　差額

(b) B社株式（評価差益）

借方	金額	貸方	金額
投資有価証券	300	繰延税金負債	※1 90
		その他有価証券評価差額金	※2 210

※1　評価差額300×30％＝90

※2　差額

② 決算整理後試算表

借方	金額	貸方	金額
投資有価証券	5,200	繰延税金負債	90
繰延税金資産	30	その他有価証券評価差額金	140

(2) 翌期

① 期首試算表

借方	金額	貸方	金額
投資有価証券	5,200	繰延税金負債	90
繰延税金資産	30	その他有価証券評価差額金	140

② 期首の洗替処理

(a) A社株式

借方	金額	貸方	金額
投資有価証券	100	繰延税金資産	30
		その他有価証券評価差額金	70

(b) B社株式

借方	金額	貸方	金額
繰延税金負債	90	投資有価証券	300
その他有価証券評価差額金	210		

③ 決算整理前試算表

投資有価証券	5,000		

2．部分純資産直入法

(1) 当期

① 決算整理

(a) A社株式（評価差損）

投資有価証券評価損益	100	投資有価証券	100

(b) A社株式に係る評価差額に対する税効果会計の適用

繰延税金資産	※ 30	法人税等調整額	30

※ 評価差額100×30％＝30

(c) B社株式（評価差益）

投資有価証券	300	繰延税金負債	※1 90
		その他有価証券評価差額金	※2 210

※1 評価差額300×30％＝90

※2 差額

② 決算整理後試算表

投資有価証券	5,200	繰延税金負債	90
繰延税金資産	30	その他有価証券評価差額金	210
投資有価証券評価損益	100	法人税等調整額	30

(2) 翌期

① 期首試算表

投資有価証券	5,200	繰延税金負債	90
繰延税金資産	30	その他有価証券評価差額金	210

② 期首の洗替処理

(a) A社株式

投資有価証券	100	投資有価証券評価損益	100

※ 繰延税金資産30の洗替処理は期末に行う。

(b) B社株式

繰延税金負債	90	投資有価証券	300
その他有価証券評価差額金	210		

③ 決算整理前試算表

投資有価証券	5,000	投資有価証券評価損益	100
繰延税金資産	30		

(6) 債券の場合

◆例題◆

(1) 決算整理前試算表

投資有価証券	4,700	

(2) 当期首にC社社債（償還期限3年）を取得し、「その他有価証券」の区分に分類している。

銘柄	市場価格	債券金額	期末簿価	期末時価
C社社債	有	5,000円	4,700円	4,950円

(3) 取得原価と債券金額との差額は、金利調整差額であると認められるため、定額法による償却原価法を適用し、期末時価との評価差額については全部純資産直入法による処理を行う。

(4) その他有価証券評価差額金について税効果を認識する。なお、法定実効税率は30%である。

(5) クーポン利息はないものとする。

【解答・解説】

(1) 当期

① 決算整理

(a) 償却原価法（定額法）の適用

投資有価証券	※ 100	有価証券利息	100

※ （債券金額5,000－取得原価4,700）× $\frac{12月}{36月}$ ＝100

(b) 時価評価（評価差額の計上）

投資有価証券	※1 150	繰延税金負債	※2 45
		その他有価証券評価差額金	※3 105

※1 期末時価4,950－償却原価4,800＝150

※2 評価差額150×30%＝45

※3 差額

② 決算整理後試算表

投資有価証券	4,950	繰延税金負債	45
		その他有価証券評価差額金	105
		有価証券利息	100

(2) **翌期**

① 期首試算表

投資有価証券	4,950	繰延税金負債	45
		その他有価証券評価差額金	105

② 期首の洗替処理

繰延税金負債	45	投資有価証券	※150
その他有価証券評価差額金	105		

※ 償却原価法による金利調整差額の償却額は洗替しない。

③ 決算整理前試算表

投資有価証券	4,800		

8. 減損処理

(1) 時価を算定する有価証券の減損処理

売買目的有価証券以外の有価証券のうち時価を算定するものについて、時価が著しく下落したときは、回復する見込みがあると認められる場合を除き、時価をもって貸借対照表価額とし、評価差額を当期の損失として処理しなければならない。

なお、時価が「著しく下落した」とは、時価が取得原価に比べて50%程度又はそれ以上下落した場合をいう。

(2) 市場価格のない株式等の減損処理

市場価格のない株式等については、発行会社の財政状態の悪化により実質価額が著しく低下したときは、相当の減額をなし、評価差額は当期の損失として処理しなければならない。なお、実質価額が「著しく低下した」とは、株式の実質価額が取得原価に比べて50%程度以上低下した場合をいう。

(3) 会計処理

評価差額については、**切放法**により処理を行う。

(4) 時価を算定する有価証券の場合

◆例題◆

(1) 当期

① 決算整理前試算表

投資有価証券	15,000		

② 投資有価証券は、甲社株式（取得原価15,000円）であり、取得時にその他有価証券に分類している。

③ 甲社株式の期末時価は7,000円と著しく下落しており、回復見込みはないと判断されるため減損処理を行う。

4 有価証券

④　その他有価証券は全部純資産直入法により処理する。

⑤　その他有価証券評価差額金について税効果を認識する。なお、法定実効税率は30%である。

(2)　翌期

甲社株式の期末時価は7,200円である。

【解答・解説】

(1)　当期

①　決算整理

投資有価証券評価損	※ 8,000	投資有価証券	8,000

※　取得原価15,000－時価7,000＝評価損8,000

②　決算整理後試算表

投資有価証券	7,000		
投資有価証券評価損	8,000		

(2)　翌期

①　期首

仕訳なし			

※　切放法により処理されるため、評価差額は洗替しない。

②　決算整理前試算表

投資有価証券	7,000		

③　決算整理

投資有価証券	※1 200	繰延税金負債	※2 60
		その他有価証券評価差額金	※3 140

※1　期末時価7,200－帳簿価額7,000＝200

※2　評価差額200×30%＝60

※3　差額

④　決算整理後試算表

投資有価証券	7,200	繰延税金負債	60
		その他有価証券評価差額金	140

(3)　翌々期

①　期首の洗替処理

繰延税金負債	60	投資有価証券	200
その他有価証券評価差額金	140		

②　決算整理前試算表

投資有価証券	7,000		

(5) 市場価格のない株式等の場合

◆例題◆

(1) 決算整理前試算表

関係会社株式	7,500		

(2) 関係会社株式は、すべて甲社株式（市場価格なし、取得原価7,500円、100株）である。

(3) 甲社株式の１株あたりの実質価額は36円であり、甲社株式の実質価額は著しく低下していると認められるため減損処理を行う。

【解答・解説】

(1) 当期

① 決算整理

関係会社株式評価損	※ 3,900	関係会社株式	3,900

※ 実質価額：@36×100株＝3,600
評価損：取得原価7,500－実質価額3,600＝3,900

② 決算整理後試算表

関係会社株式	3,600		
関係会社株式評価損	3,900		

(2) 翌期

① 期首

仕訳なし			

※ 切放法により処理されるため、評価差額は洗替しない。

② 決算整理前試算表

関係会社株式	3,600		

③ 決算整理

仕訳なし			

④ 決算整理後試算表

関係会社株式	3,600		

9．有価証券の保有目的区分の変更

⑴　保有目的区分の変更

有価証券の保有目的区分は、正当な理由なく変更することはできない。保有目的区分の変更が認められるのは以下の場合である。

①　資金運用方針等の変更の場合
②　株式の追加取得又は売却により持分比率等が変動した場合
③　法令又は基準等が改正された場合

⑵　保有目的区分変更時の振替価額

変更時の振替価額は、原則として変更前の保有目的区分の評価基準に従う。ただし、その他有価証券から関係会社株式への振替の場合のみ、変更後の保有目的区分（関係会社株式）の評価基準に従う。さらに、部分純資産直入法を採用し、前期末に評価差損を計上している場合には、前期末の時価で振り替える。

⑶　振替時の評価差額

原則として、変更前の保有目的区分から生じたものとして処理する。

<table>
<tr><th>変更前の区分</th><th>変更後の区分</th><th colspan="3">変更時の振替価額</th><th>振替時の評価差額</th></tr>
<tr><td rowspan="2">売買目的</td><td>関係会社</td><td colspan="3" rowspan="2">変更時の時価</td><td rowspan="2">損益計上</td></tr>
<tr><td>その他</td></tr>
<tr><td rowspan="2">満期保有目的債券</td><td>売買目的</td><td colspan="3" rowspan="2">変更時の償却原価</td><td rowspan="2"></td></tr>
<tr><td>その他</td></tr>
<tr><td rowspan="2">関係会社</td><td>売買目的</td><td colspan="3" rowspan="2">帳簿価額</td><td rowspan="2"></td></tr>
<tr><td>その他</td></tr>
<tr><td rowspan="4">その他</td><td>売買目的</td><td colspan="3">変更時の時価</td><td>損益計上</td></tr>
<tr><td rowspan="3">関係会社</td><td>全部</td><td colspan="2">帳簿価額</td><td rowspan="3"></td></tr>
<tr><td rowspan="2">部分</td><td>評価益</td><td>帳簿価額</td></tr>
<tr><td>評価損</td><td>前期末時価</td></tr>
</table>

◆例題◆

(1) 資金運用方針の変更に伴い、売買目的有価証券（帳簿価額800円）をその他有価証券へ振り替えた。変更時の時価は1,000円である。

(2) 資金運用方針の変更に伴い、その他有価証券（帳簿価額1,300円）を売買目的有価証券へ振り替えた。変更時の時価は1,700円である。

(3) 一部売却による株式持分比率の変動に伴い、関係会社株式（帳簿価額600円）をその他有価証券へ振り替えた。

(4) 株式持分比率の変動に伴い、その他有価証券（帳簿価額2,000円）を関係会社株式へ振り替えた。その他有価証券はこれまで全部純資産直入法を採用していた。

(5) 株式持分比率の変動に伴い、その他有価証券（帳簿価額2,000円）を関係会社株式へ振り替えた。その他有価証券はこれまで部分純資産直入法を採用しており、当該株式の前期末における取得原価は2,000円、時価は1,800円であった。

【解答】

(1) 売買目的有価証券→その他有価証券

借方	金額	貸方	金額
投資有価証券	1,000	有価証券	800
		有価証券評価損益	200

(2) その他有価証券→売買目的有価証券

借方	金額	貸方	金額
有価証券	1,700	投資有価証券	1,300
		投資有価証券評価損益	400

(3) 関係会社株式→その他有価証券

借方	金額	貸方	金額
投資有価証券	600	関係会社株式	600

(4) その他有価証券→関係会社株式（全部純資産直入法）

借方	金額	貸方	金額
関係会社株式	2,000	投資有価証券	2,000

(5) その他有価証券→関係会社株式（部分純資産直入法）

借方	金額	貸方	金額
関係会社株式	1,800	投資有価証券	2,000
投資有価証券評価損益	200		

学習度チェック

5　現金・預金

重要度A ★★★

●学習のポイント●

1．簿記上、現金勘定で処理するものを覚える。
2．現金過不足についての会計処理をマスターする。
3．小口現金について、インプレスト・システムを採用した場合の会計処理をマスターする。
4．当座借越についての、二勘定制と一勘定制の違いを理解する。
5．銀行勘定調整に関する不一致原因を覚える。
6．銀行勘定調整表の作成とそれに伴う修正仕訳をマスターする。
7．受取小切手の会計処理をマスターする。
8．振込手数料の会計処理をマスターする。

ポイント整理

1．現金の範囲

簿記上、現金勘定で処理するものは、**通貨（紙幣・硬貨）**と**通貨代用証券**である。通貨代用証券には次のものがある。

⑴　**他人振出の当座小切手**
⑵　**利払日の到来した公社債のクーポン**
⑶　**配当金領収証**
⑷　**送金小切手・送金為替手形**
⑸　**普通為替証書・振替口座払出証書**
⑹　**預金小切手・預金手形**

（注）現金とまちがえやすいものとして次のものがある。

①　**自己振出の当座小切手──►当座預金勘定**で処理する。
②　**先日付小切手──►受取手形勘定**で処理する。
③　**収入印紙──►貯蔵品勘定**で処理する。
④　**譲渡性預金の預金証書──►有価証券勘定**で処理する。

◆例題◆

⑴　Ａ商店に対する売掛金200円の回収として、Ａ商店振出の小切手180円と当店振出の小切手20円を受け取った。
⑵　Ｂ商店に対する買掛金180円を、上記Ａ商店振出の小切手で支払った。

⑶　本日、所有社債の利払日である。半年分のクーポンは250円である。
⑷　C株式会社から150円の配当金領収証が送られてきた。

【解答】

⑴	現金	180	売掛金	200
	当座預金	20		
⑵	買掛金	180	現金	180
⑶	現金	250	有価証券利息	250
⑷	現金	150	受取配当金	150

2．現金過不足

現金勘定の帳簿残高と実際有高が異なるときは、取りあえず事実に合わせて帳簿残高を実際有高に修正し、その不足額又は過大額は、一時的に**現金過不足勘定**で処理しておく。そして、後日原因が判明したときに正しい勘定に振り替える。

もし決算日になっても原因がわからない場合は、不足額は**雑損失勘定**（又は**雑損勘定**）に、過大額は**雑収入勘定**（又は**雑益勘定**）に振り替える。

◆例題◆

⑴①　現金の実際有高を調べたところ250円であったが、帳簿残高は500円であった。
②　上記の現金過不足のうち、150円は交通費の記帳漏れと判明した。
③　決算日になっても、上記現金過不足の残高の原因は判明しなかった。
⑵　決算日に金庫を調べたところ、現金の実際有高は700円であり、帳簿残高は500円であった。このうち150円は受取利息の記帳漏れであることが判明したが、その他の不一致原因は不明である。

【解答】

⑴	①	現金過不足	250	現金	250
	②	交通費	150	現金過不足	150
	③	雑損失	100	現金過不足	100
⑵		現金	200	受取利息	150
				雑収入	50

※　決算日に判明した過不足額については、現金過不足勘定を用いないで処理する。

3．小口現金（定額資金前渡制度＝インプレスト・システム）

定額資金前渡制度とは、あらかじめ一定期間における小払資金の必要額を前払しておき、支払額の報告がなされたときに、それと同額だけ資金の補給をする方法をいう。

なお、資金の補給には、**即日補給**と**翌日補給**の２つの場合があり、即日補給とは、支払報告を受けたその日のうちに補給することをいい、翌日補給とは、支払報告を受けた翌日に補給することをいう。

◆例題◆

(1)9/1　当月よりインプレスト・システムを採用することになり、用度係に小払資金として300円の小切手を振り出して支払った。

(2)9/30　用度係より下記の小口現金支払報告を受け、ただちに同額の小切手を振り出して支払った。

通信費80円　消耗品費50円　交通費70円　雑費30円

【解答】

(1)	小口現金	300	当座預金	300
(2)	通信費	80	小口現金	230
	消耗品費	50		
	交通費	70		
	雑費	30		
	小口現金	230	当座預金	230

4．当座預金

当座預金とは、商取引における簡便かつ迅速な決済を目的とした無利息の預金であり、預入には通貨及び通貨代用証券を、引出には小切手を使用する。

5．当座借越

銀行と当座借越契約を結び、借越限度額を定めておけば、その限度額まで預金残高を超えて小切手を振り出すことができる。これを**当座借越**という。

なお、当座借越は実質的に銀行からの借入金であり、当座借越残高がある場合に預入を行えば、自動的に当座借越の決済が行われる。

当座借越の会計処理には、**二勘定制**と**一勘定制**の２つの方法がある。

⑴ 二勘定制

二勘定制とは、当座預金残高がプラスのときは当座預金勘定で、当座預金残高がマイナスのときは当座借越勘定で処理する方法である。

⑵ 一勘定制

一勘定制とは、当座預金と当座借越をともに当座勘定で一括して処理する方法である。この場合、当座勘定が借方残高のときは資産、貸方残高のときは負債としての性格を有する。

◆例題◆

⑴ 買掛金300円を小切手を振り出して支払った。なお、預金残高は200円であるが、銀行との間で限度額500円の当座借越契約を締結している。

⑵ 売掛金250円を現金で受け取り、直ちに当座預金とした。

【解答】

〈二勘定制〉

	借方科目	金額	貸方科目	金額
⑴	買掛金	300	当座預金	200
			当座借越	100
⑵	当座借越	100	売掛金	250
	当座預金	150		

〈一勘定制〉

	借方科目	金額	貸方科目	金額
⑴	買掛金	300	当座	300
⑵	当座	250	売掛金	250

6．銀行勘定調整

企業の当座預金勘定残高は、本来、銀行の預金残高と必ず一致するはずであるが、実際には、両者の残高はさまざまな原因により一致しないのが通常である。

そこで、両者の金額の不一致原因を確かめるために、**銀行勘定調整表**を作成し、これに伴い企業の当座預金勘定残高を修正する。

(1) 不一致原因

不一致原因	内　　容	企業側	銀行側	修正仕訳の有無
時間外預入（締後入金）	企業が現金を預け入れたが、銀行の閉店後であったため、銀行では翌日に入金処理している。	処理済	未処理	**無**
未取付小切手	企業では小切手を振り出して支払先に交付したが、銀行では未呈示のため出金処理していない。	処理済	未処理	**無**
未渡小切手	企業では小切手を振り出し、出金処理したが、支払先に未渡しのため銀行では出金処理していない。	処理済	未処理	**有**
振込未記帳	銀行で当座振込があったが、企業ではその通知を受けていないため入金処理していない。	未処理	処理済	**有**
引落未記帳	銀行で当座引落しがあったが、企業ではその通知を受けていないため出金処理していない。	未処理	処理済	**有**
誤記帳	企業で取引金額等を誤って入金処理または出金処理した場合。	処理済（誤記帳）	処理済（適正）	**有**

(2) 銀行勘定調整表の作成方法

① **企業残高・銀行残高区分調整法**

企業残高と銀行残高のそれぞれについて分けて示すことにより、本来あるべき残高での一致を示す方法。

② **企業残高基準法**

企業残高を基準として、銀行残高に合わせる方法。

③ **銀行残高基準法**

銀行残高を基準として、企業残高に合わせる方法。

◆例題◆

当社の決算日における当座預金残高は350円であるが、銀行の残高証明書は435円であった。両者の不一致の原因を調査したところ、次の(1)〜(5)の事実が明らかになった。

(1) 決算日に現金60円を預け入れたが、銀行の閉店後であったため、銀行では翌日の入金として処理されていた。

(2) 銀行に取立依頼していた約束手形70円が取り立てられていたが、この通知が当社に届いていなかった。

(3) 買掛金20円と運賃15円の支払のために振り出した小切手が相手に未渡しであった。

(4) 買掛金支払のために振り出した小切手50円が、まだ取り立てられていない。

(5) 送金手数料10円が銀行で当座預金より引き落とされていた。

【解答・解説】

〈修正仕訳〉

(1)	仕訳なし			
(2)	当座預金	70	受取手形	70
(3)	当座預金	35	買掛金 未払金	20 15
(4)	仕訳なし			
(5)	支払手数料	10	当座預金	10

① 企業残高・銀行残高区分調整法

銀行勘定調整表

企業残高	350	銀行残高	435
(加算)(2)取立手形未記帳	70	(加算)(1)時間外預入	60
(3)未渡小切手	35		
(減算)(5)手数料未記帳	10	(減算)(4)未取付小切手	50
	445		445

② 企業残高基準法

銀行勘定調整表

企業残高	350
(加算)(2)取立手形未記帳	70
(3)未渡小切手	35
(4)未取付小切手	50
(減算)(1)時間外預入	60
(5)手数料未記帳	10
銀行残高	435

③ 銀行残高基準法

銀行勘定調整表

銀行残高	435
(加算)(1)時間外預入	60
(5)手数料未記帳	10
(減算)(2)取立手形未記帳	70
(3)未渡小切手	35
(4)未取付小切手	50
企業残高	350

7．受取小切手の処理

受け取った他人振出の小切手は通貨代用証券であり、現金で処理する。その後、受け取った小切手は銀行に取立依頼を行い、銀行を通して決済される。

⑴　小切手受取時

借方	金額	貸方	金額
現　　　　金	×××	売　　掛　　金	×××

⑵　取立依頼時

借方	金額	貸方	金額
当　座　預　金	×××	現　　　　金	×××

⑶　取立完了時

借方	金額	貸方	金額
仕　訳　な　し			

⑷　不渡時

借方	金額	貸方	金額
不　渡　小　切　手	×××	当　座　預　金	×××

◆例題◆

⑴　売掛金1,000円の回収として、得意先振出の小切手を受け取った。

⑵　手許に保管してある他人振出小切手のうち800円を銀行に取立依頼した。

⑶　銀行より、過日取立依頼した小切手500円の取立が完了した旨の連絡を受けた。

⑷　銀行より、過日取立依頼した小切手300円が不渡りになった旨の連絡を受けた。

【解答】

⑴　小切手受取

借方	金額	貸方	金額
現　　　　金	1,000	売　　掛　　金	1,000

⑵　取立依頼

借方	金額	貸方	金額
当　座　預　金	800	現　　　　金	800

⑶　取立完了

借方	金額	貸方	金額
仕　訳　な　し			

⑷　不渡り

借方	金額	貸方	金額
不　渡　小　切　手	300	当　座　預　金	300

8．振込手数料

債権及び債務の決済を当座預金により行う場合、銀行に対して当座決済に係る手数料を支払うことになるが、この手数料については、債務者が負担する場合と債権者が負担する場合がある。

(1)　債務者が負担する場合の会計処理

①　債務者の処理

借方	金額	貸方	金額
買掛金	×××	当座預金	×××
支払手数料	×××		

②　債権者の処理

借方	金額	貸方	金額
当座預金	×××	売掛金	×××

(2)　債権者が負担する場合の会計処理

①　債務者の処理

借方	金額	貸方	金額
買掛金	×××	当座預金	×××

②　債権者の処理

借方	金額	貸方	金額
当座預金	×××	売掛金	×××
支払手数料	×××		

◆例題◆

A社はB社に対する買掛金5,000円を、当座預金からの振込により支払った。なお、振込手数料は100円である。

【解答】

(1)　債務者（A社）が負担する場合

①　A社の処理

借方	金額	貸方	金額
買掛金	5,000	当座預金	5,100
支払手数料	100		

②　B社の処理

借方	金額	貸方	金額
当座預金	5,000	売掛金	5,000

(2)　債権者（B社）が負担する場合

①　A社の処理

借方	金額	貸方	金額
買掛金	5,000	当座預金	5,000

②　B社の処理

借方	金額	貸方	金額
当座預金	4,900	売掛金	5,000
支払手数料	100		

学習度チェック

6　有形固定資産

重要度A ★★★

●学習のポイント●

1．有形固定資産の取得原価を算定できるようにする。
2．有形固定資産の減価償却方法と記帳方法をマスターする。
3．有形固定資産の除却・売却についての会計処理をマスターする。
4．資本的支出と収益的支出の会計処理をマスターする。
5．有形固定資産が焼失したときの会計処理をマスターする。
6．圧縮記帳の会計処理をマスターする。
7．資産除去債務の会計処理をマスターする。
8．減損会計の会計処理をマスターする。

ポイント整理

1．有形固定資産の種類

種　類	具　体　例
建　　物	店舗・事務所・工場等の営業用の建物
建物附属設備	電気・冷暖房・給排水設備
構　築　物	舗装道路・塀などの土木設備・広告塔・煙突
機械装置	製品の製造にあたり使用する機械装置
車両運搬具	トラック・ダンプ・営業用自家用車等の自動車
備　　品	机・椅子・金庫・商品陳列棚・コピー機
土　　地	店舗・事務所等の敷地
建設仮勘定	建設中の建物等に係る手付金

2．有形固定資産の取得原価

(1)　取得の形態と取得原価

形　態	取　得　原　価
購　　入	(購入代金－値引)＋付随費用
自家建設	適正に計算された製造原価
現物出資	公正な評価額
交　　換	提供した自己資産の帳簿価額又は時価
贈　　与	公正な評価額

(注) 付随費用には、引取運賃、購入手数料、据付費、試運転費、登録免許税、登録手数料、関税、取得税などがある。

◆例題◆

(1) 機械500円を購入し、代金は運送費50円、据付費30円、試運転費10円とともに現金で支払った。

(2) 車両を購入した。その明細は、車両価格340円（定価）、車両の値引40円、登録諸費用10円であり、代金は現金で支払った。

(3) 建設業を営む当社は、自社ビルを自家建設した。完成までに要した工事原価は1,000円であり、このうち前期発生額が400円、当期発生額が600円である。

(4) 土地（時価800円）の現物出資を受け、株式10株を交付した。株主資本増加額はすべて資本金とする。

(5) 当社所有の土地（簿価500円、時価700円）とC社所有の土地（時価800円）を交換し、時価の差額100円は現金で支払った。

(6) 当社所有の有価証券（簿価300円、時価500円）とD社所有の備品（時価500円）を交換した。

(7) 当社の大株主から土地（時価700円）の贈与を受けた。

【解答・解説】

	借方科目	金額	貸方科目	金額
(1)	機械	590	現金	590
(2)	車両	310	現金	310
(3)	建物	1,000	建設仮勘定	400
			未成工事支出金	600
(4)	土地	800	資本金	800
(5)	土地	600	土地	500
			現金	100
(6)	備品	500	有価証券	300
			有価証券売却益	200
(7)	土地	700	土地受贈益	700

※ 固定資産と固定資産を交換した場合は、提供した自己資産の帳簿価額を取得した固定資産の取得原価とする（時価の差額を支払った場合は取得原価に加算する）。これに対して、有価証券と固定資産を交換した場合は、提供した有価証券の時価を取得した固定資産の取得原価とし、有価証券の簿価と時価の差額は有価証券売却益とする。

(2) 建物付土地の取得

建物付の土地を取得し、ただちにその建物の取壊しに着手するなど、その取得が土地を利用する目的であることが明らかである場合の**建物の取得原価及び建物取壊費用は、すべて土地の取得原価に算入**する。ただし、建物取壊しに伴う廃材売却収入は土地の取得原価から控除する。

◆例題◆

(1) 建物付土地を2,000円で購入し、代金は現金で支払った。建物は取り壊して駐車場として利用する予定である。

(2) 建物を取り壊し、その費用150円から建物廃材売却収入50円を差し引いた差額は現金で支払った。

(3) 駐車場を建設し、路面舗装及びアスファルト費用200円は現金で支払った。

【解答・解説】

(1) 建物付土地の取得

借方	金額	貸方	金額
土地	2,000	現金	2,000

(2) 建物の取り壊し

借方	金額	貸方	金額
土地	100	現金	100

(3) 駐車場の建設

借方	金額	貸方	金額
構築物	200	現金	200

3．建設仮勘定

建物を建てる場合などには、建設業者との契約によって完成前に代金の一部を支払うのが通常である。この場合、この支払額は**建設仮勘定**で処理し、完成して引渡しを受けたとき、建物勘定に振り替える。

◆例題◆

(1) 建物を建設するため、業者に工事代金の一部として、契約額500円のうち200円を小切手で支払った。

(2) 上記建物が完成して引渡しを受け、残金は小切手で支払った。

【解答】

	借方	金額	貸方	金額
(1)	建設仮勘定	200	当座預金	200
(2)	建物	500	建設仮勘定	200
			当座預金	300

4．有形固定資産の減価償却

⑴ 平成19年3月31日以前取得分

① 旧定額法

（取得原価－残存価額）×旧定額法償却率＝年間減価償却費

（注1）残存価額は、通常、取得原価の10%。

（注2）旧定額法償却率と耐用年数の両方が与えられた場合には、旧定額法償却率により計算する。

② 旧定率法

期首帳簿価額×旧定率法償却率＝年間減価償却費

（注）期首帳簿価額は、取得原価－期首減価償却累計額。

⑵ 平成19年4月1日以後取得分

① 定額法

取得原価×定額法償却率＝年間減価償却費

（注1）残存価額はゼロ。

（注2）定額法償却率と耐用年数の両方が与えられた場合には、定額法償却率により計算する。

② 定率法

① 期首帳簿価額×定率法償却率＝年間減価償却費
② 取得原価×保証率＝償却保証額
③ ①>②の場合は、①の額を年間減価償却費とする。
④ ①<②の場合は、次の額を年間減価償却費とする。
期首帳簿価額×改定償却率＝年間減価償却費

（注）期首帳簿価額は、取得原価－期首減価償却累計額。

③ 級数法

$$\text{取得原価} \times \frac{\text{当期項数}}{\text{総項数}} = \text{年間減価償却費}$$

（注）総項数は、次の算式により計算する。

$$\frac{\text{耐用年数} \times (\text{耐用年数} + 1)}{2} = \text{総項数}$$

⑶ 減価償却費の月割計算

会計期間の中途で取得等した場合には月割計算する。

$$\text{年間減価償却費} \times \frac{\text{当期使用月数}}{12\text{月}} = \text{減価償却費}$$

◆例題◆

(1) 当期は×22年4月1日から×23年3月31日である。

(2) 金額の単位はすべて円であり、計算の結果円未満の端数が生じた場合は四捨五入する。

(3) 有形固定資産の内訳は次のとおりである。

種類	使用開始年月日	取得原価	期首 帳簿価額	耐用 年数
建物	×2年4月1日	100,000	38,800	30年
器具	×22年9月1日	15,000	——	5年
車両	×19年4月1日	10,000	2,160	5年
備品	×19年4月1日	8,000	3,375	8年

(4) 減価償却の方法等は、次のとおりである。

① 建物は旧定額法を適用する。残存価額は取得原価の10%、償却率は0.034である。

② 器具は定額法を適用する。残存価額は0円、償却率は0.200である。

③ 車両及び備品は定率法を適用する。償却率、保証率及び改定償却率は次のとおりである。

耐用年数	償却率	保証率	改定償却率
5年	0.400	0.10800	0.500
8年	0.250	0.07909	0.334

【解答・解説】

建物減価償却費	3,060
器具減価償却費	1,750
車両減価償却費	1,080
備品減価償却費	844

※1 建物

$100{,}000 \times 0.9 \times 0.034 = 3{,}060$

※2 器具

$15{,}000 \times 0.200 \times \frac{7月}{12月} = 1{,}750$

※3 車両

① $2{,}160 \times 0.400 = 864$

② $10{,}000 \times 0.10800 = 1{,}080$

③ ①<② ∴改定償却率で償却費を算定する。

④ $2{,}160 \times 0.500 = 1{,}080$

※4 備品

① $3{,}375 \times 0.250 = 844$（四捨五入）

② $8{,}000 \times 0.07909 = 633$（四捨五入）

③ ①>② ∴①の額を償却費とする。

(4) 総合償却

総合償却とは、耐用年数の異なる複数の有形固定資産について、平均耐用年数を用いて一括的に減価償却計算及び記帳を行う方法である。

① 平均耐用年数の算定

要償却額合計÷年償却額合計＝平均耐用年数

② 除却処理

総合償却では個々の資産の未償却残高は明らかでないため、耐用年数到来前に除却しても、除却損は計上されず、除却した資産の要償却額全額を減価償却累計額から控除する。

◆例題◆

(1) 次の機械を×1年4月1日に現金で一括購入した。定額法で総合償却を行う。記帳方法は間接控除法による。

	取得原価	耐用年数	残存価額
機械A	4,000円	8年	0円
機械B	6,000円	10年	0円
機械C	12,800円	16年	0円

(2) ×2年3月31日。決算で減価償却費を計上した。

(3) ×6年3月31日。機械Aを除却した。

【解答・解説】

(1) ×1年4月1日

機械	22,800	現金	22,800

(2) ×2年3月31日

減価償却費	1,900	減価償却累計額	1,900

※1 平均耐用年数
要償却額合計22,800÷年償却額合計1,900＝12年

	取得原価	耐用年数	残存価額	年償却額
機械A	4,000円	8年	0円	500円
機械B	6,000円	10年	0円	600円
機械C	12,800円	16年	0円	800円
合計	22,800円	—	—	1,900円

※2 減価償却費
取得原価合計22,800÷平均耐用年数12年＝1,900

(3) ×6年3月31日

減価償却累計額	4,000	機械	4,000

※ 減価償却累計額は要償却額4,000を控除する。

5．減価償却の記帳方法

⑴ 間接控除法

間接控除法とは、減価償却費を固定資産の勘定から直接控除しないで、減価償却累計額勘定で処理する方法である。

⑵ 直接控除法

直接控除法とは、減価償却費を固定資産の勘定から直接控除する方法である。

◆例題◆

58ページの例題の建物について、間接控除法および直接控除法による記入を示すとどうなるか。

【解答・解説】

1．間接控除法

決算整理前残高試算表　（単位：円）

借方	金額	貸方	金額
建　物	100,000	建物減価償却累計額	61,200

（決算整理仕訳）

借方	金額	貸方	金額
建物減価償却費	3,060	建物減価償却累計額	3,060

決算整理後残高試算表　（単位：円）

借方	金額	貸方	金額
建　物	100,000	建物減価償却累計額	64,260
建物減価償却費	3,060		

2．直接控除法

決算整理前残高試算表　（単位：円）

借方	金額	貸方	金額
建　物	38,800		

（決算整理仕訳）

借方	金額	貸方	金額
建物減価償却費	3,060	建　物	3,060

決算整理後残高試算表　（単位：円）

借方	金額	貸方	金額
建　物	35,740		
建物減価償却費	3,060		

6．記帳方法の変更

前期まで減価償却を直接控除法により記帳してきたものを、当期から間接控除法に変更するという場合、取得原価の計算がポイントであり、取得原価をXとして次の算式により求める。

(1) **定額法（残存価額が取得原価の10%の場合）**

$$X - \frac{0.9X}{\text{耐用年数}} \times \text{償却済年数} = \text{帳簿価額}$$

(2) **定率法**

$$X(1 - \text{定率法償却率})^{\text{償却済年数}} = \text{帳簿価額}$$

◆例題◆

(1) 当期は×13年4月1日から×14年3月31日までの1年間。

(2) 決算整理前残高試算表 （単位：円）

建　　物	84,000	
備　　品	16,000	

(3) 決算整理

① 減価償却は前期まで直接控除法で記帳してきたが、当期から間接控除法に改める。なお、過年度における償却過不足はない。

② 建物は×3年4月1日に取得したもので、耐用年数は30年。減価償却は、残存価額を取得原価の10%として定額法により行っている。

③ 備品は×11年4月1日に取得したもので、減価償却は、償却率年20%の定率法により行っている。

【解答・解説】

建物	建　　物	36,000	建物減価償却累計額	36,000
	建物減価償却費	3,600	建物減価償却累計額	3,600

備品	備　　品	9,000	備品減価償却累計額	9,000
	備品減価償却費	3,200	備品減価償却累計額	3,200

※ 貸方の減価償却累計額は、まとめて仕訳してもよい。

(1) 建物

① 取得原価の推定

償却済年数は10年、取得原価をX

$$X - 0.9X \times \frac{10\text{年}}{30\text{年}} = 84{,}000\text{（帳簿価額）}$$

$$X = 120{,}000\text{（取得原価）}$$

したがって、期首減価償却累計額は、

120,000－84,000＝36,000となる。

② 当期の減価償却費

$$120{,}000 \times 0.9 \times \frac{1\text{年}}{30\text{年}} = 3{,}600$$

(2) 備品

① 取得原価の推定

償却済年数は2年、取得原価をX

$X(1-0.2)^{2年}=16,000$（帳簿価額）

$X=25,000$（取得原価）

したがって、期首減価償却累計額は、

25,000－16,000＝9,000となる。

② 当期の減価償却費

(25,000－9,000)×0.2＝3,200

直接控除法から間接控除法への変更により、決算整理後残高試算表は次のようになる。

決算整理後残高試算表　（単位：円）

借方科目	金額	貸方科目	金額
建物	120,000	建物減価償却累計額	39,600
備品	25,000	備品減価償却累計額	12,200
建物減価償却費	3,600		
備品減価償却費	3,200		

7．有形固定資産の売却・買換・除却・廃棄

(1) 売却

有形固定資産を売却した場合には、その有形固定資産の売却時点における帳簿価額と売却代金との差額を、**固定資産売却益勘定**及び**固定資産売却損勘定**で処理する。なお、売却した有形固定資産の当期減価償却費の計上は次のように行う。

① 期首売却の場合――→当期減価償却費の計上は行わない。

② 期中売却の場合――→期首から売却日までの分を月割計算して計上する。

③ 期末売却の場合――→1年分を計上する。

◆例題◆

当期首に取得原価100円、既償却額80円の備品を30円で売却し、代金は現金で受け取った。

① 減価償却を間接控除法で記帳していた場合

② 減価償却を直接控除法で記帳していた場合

【解答・解説】

	借方科目	金額	貸方科目	金額
①	現金	30	備品	100
	減価償却累計額	80	備品売却益	10
②	現金	30	備品	20
			備品売却益	10

※ 備品売却益は固定資産売却益でもよい。

(2) 買換

買換とは、中古資産を下取りに出し、新品資産を購入することをいう。つまり、**①中古資産の売却と②新品資産の購入を同時に行う取引**である。

◆例題◆

当期首にこれまで使用していた車両（取得原価800円、減価償却累計額400円）を300円で下取らせ、900円の車両を購入し、残金600円は小切手を振り出して支払った。

① 旧車両の適正時価が300円の場合
② 旧車両の適正時価が250円の場合

【解答・解説】

	借方科目	金額	貸方科目	金額
①	車両	900	車両	800
	減価償却累計額	400	当座預金	600
	車両売却損	100		
②	車両	850	車両	800
	減価償却累計額	400	当座預金	600
	車両売却損	150		

※1 下取車両の適正時価300の場合

下取価額 300
適正時価 300
帳簿価額 400

値引 0 ∴ 取得原価＝900
売却損 100

※2 下取車両の適正時価250の場合

下取価額 300
適正時価 250
帳簿価額 400

値引 50 ∴ 取得原価＝900－50＝850
売却損 150

(3) 除却

有形固定資産が事業の用途から取りはずされることを、除却という。除却した資産の帳簿価額と評価額（見積処分価額）との差額は、**固定資産除却損勘定**で処理する。除却した資産の評価額は**貯蔵品勘定**で処理する。

◆例題◆

当期首に取得原価100円、減価償却累計額90円の備品を除却した。なお、見積売却価額は5円である。

【解答】

借方科目	金額	貸方科目	金額
減価償却累計額	90	備品	100
貯蔵品	5		
備品除却損	5		

(4) **廃棄**

有形固定資産の耐用年数が到来する前でも、破損などにより使用できなくなれば廃棄処分にする。この場合、その固定資産の帳簿価額は**固定資産廃棄損勘定**で処理する。

(5) **売却・除却・廃棄に要した費用**

固定資産を売却・除却・廃棄する際に要した取壊し・解体・撤去などの費用は、固定資産売却損・固定資産除却損・固定資産廃棄損に**加算**する（固定資産売却益が生じる場合は相殺処理する）。

◆例題◆

当期首に取得原価100円、減価償却累計額90円の備品を廃棄した。なお、廃棄費用として10円を現金で支払った。

【解答】

借方科目	金額	貸方科目	金額
減価償却累計額	90	備　　品	100
備品廃棄損	20	現　　金	10

8．改良と修繕

(1) **資本的支出と収益的支出**

所有している固定資産を改良したり、修繕を行った場合は、それに要した支出は**資本的支出**と**収益的支出**の２つに区分される。

① **資本的支出**

その支出により、①耐用年数が延長した場合、②価値が増加した場合には、資本的支出とされ、**固定資産の取得原価に加算する**。

② **収益的支出**

単に現状を維持するための支出は、収益的支出とされ、**修繕費として費用処理する**。

(2) **資本的支出と収益的支出の区分計算**

資本的支出と収益的支出を同時に行った場合には、次のように資本的支出の額を計算する。

$$\textbf{資本的支出}=\textbf{支出した額}\times\frac{\textbf{延長年数}}{\textbf{残存耐用年数}}$$

(3) 資本的支出後の減価償却計算

資本的支出後の減価償却計算は、次のように行う。

① 耐用年数が延長した場合──►残存耐用年数により計算

② 耐用年数が延長しない場合──►当初耐用年数により計算

ただし、耐用年数が延長した場合でも、当初耐用年数を用いる旨の指示があればそれに従う。

◆例題◆

期首に建物（取得原価800円、減価償却累計額540円、前期末まで30年経過）について大規模な改修を行い360円を支出した。この結果、耐用年数が20年延長し、当期から30年間使用できることになった。支出額のうち延長年数に相当する金額は資本的支出とする。

建物については耐用年数40年、残存価額は取得原価の10%、定額法により減価償却を行っている。

なお、資本的支出後の減価償却計算は残存耐用年数により行うこととし、既存部分は残存価額10%、資本的支出部分は残存価額ゼロとする。

【解答・解説】

資本的支出の額	240円
収益的支出の額	120円
資本的支出後の減価償却費	14円

※1　資本的支出と収益的支出の区分計算

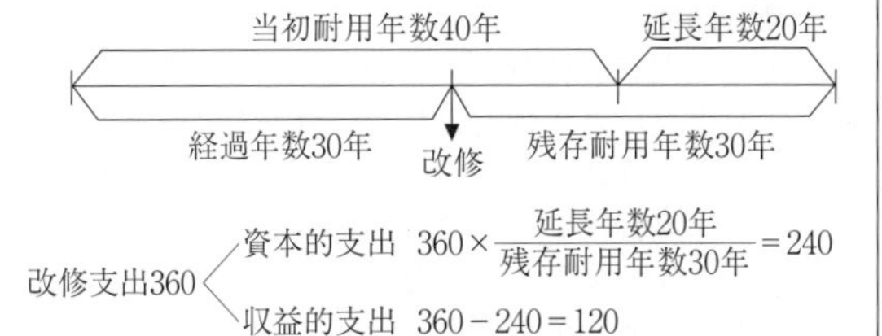

改修支出360
- 資本的支出　$360\times\dfrac{\text{延長年数20年}}{\text{残存耐用年数30年}}=240$
- 収益的支出　$360-240=120$

※2　資本的支出後の減価償却計算

① 既存部分　$(800-540-80)\div 30$年$=6$

② 資本的支出部分　$240\div 30$年$=8$

③ 減価償却費　①＋②＝14

9．火災による焼失

(1) 火災保険を付していない場合

火災保険を付していない有形固定資産が火災により焼失した場合には、その固定資産の焼失時の帳簿価額を**火災損失勘定**で処理する。

◆例題◆

当期首に建物（取得原価100円、減価償却累計額30円）を火災により焼失した。なお、火災保険は付していない。

【解答】

減価償却累計額	30	建　　物	100
火災損失	70		

(2) 火災保険を付している場合

火災保険を付している有形固定資産が火災により焼失した場合、保険会社から給付される保険金額が確定しなければ、火災による損失額が確定しない。

そこで、焼失時において、焼失した有形固定資産の帳簿価額を一時的に**保険未決算勘定**で処理しておき、後日、**保険金額が確定した時点で適正な勘定に振り替える**。

なお、火災保険を付した有形固定資産の焼失時の帳簿価額より保険契約額の方が少ない場合には、その差額分は、保険金が受け取れないことが明らかなので、焼失時に火災損失勘定で処理する。

◆例題◆

(1) 当期首に建物（取得原価100円、減価償却累計額30円）を火災により焼失した。なお、この建物には80円の火災保険が付されている。

(2) 保険会社より保険金を支払う旨の連絡を受けた。

① 保険金が60円の場合

② 保険金が80円の場合

【解答】

(1)		減価償却累計額	30	建　　物	100
		保険未決算	70		
(2)	①	未収金	60	保険未決算	70
		火災損失	10		
	②	未収金	80	保険未決算	70
				保険差益	10

10. 圧縮記帳

(1) 圧縮記帳とは

圧縮記帳とは、国庫補助金や保険金等の交付を受けて固定資産を取得した場合、国庫補助金等に対する**課税の繰延**を行うための税務上の制度である。

税務上、国庫補助金等は課税の対象となるため、国庫補助金等に対する一時の課税を避け、課税の繰延（延期）を行うことに圧縮記帳の目的がある。

圧縮記帳の会計処理には、**直接減額方式**と**積立金方式**の2つの方法がある。

(2) 直接減額方式

決算時に固定資産圧縮損を計上し、新規に取得した固定資産の取得原価を同額だけ減額する方法である。

固定資産圧縮損	×××	固　定　資　産	×××

(3) 積立金方式

任意積立金である圧縮積立金を積み立て、新規に取得した固定資産の減価償却に応じて、圧縮積立金の取崩処理を行う方法である。

① 圧縮積立金の積立時

繰越利益剰余金	×××	圧　縮　積　立　金	×××

② 圧縮積立金の取崩時

圧　縮　積　立　金	×××	繰越利益剰余金	×××

③ 積立金方式と税効果会計

積立金方式を採用した場合、固定資産の簿価及び減価償却費の額に会計上と税務上で差異が生じる。この差異は税効果会計の対象となるが、これについては「税金・税効果会計」の項で説明する。

◆例題◆

(1) ×1年4月1日に、国庫補助金1,000円の交付を受けた。

(2) ×1年10月1日に、機械3,000円を現金で購入した。

(3) ×2年3月31日の決算において、国庫補助金相当額について圧縮記帳を行う。機械は、耐用年数5年、残存価額0円、定額法（直接法）により減価償却を行う。なお、税効果は考慮しない。

(4) ×3年3月31日の決算を迎えた。

【解答・解説】

1　直接減額方式

(1)　国庫補助金受取時

現金預金	1,000	国庫補助金収入	1,000

(2)　機械取得時

機械	3,000	現金預金	3,000

(3)　×2年3月31日決算時

①　圧縮損の計上

機械圧縮損	1,000	機械	1,000

②　減価償却

減価償却費	200	機械	200

※　2,000÷5年×6月/12月＝200

(4)　×3年3月31日決算時

減価償却費	400	機械	400

※　2,000÷5年＝400

2　積立金方式

(1)　国庫補助金受取時

現金預金	1,000	国庫補助金収入	1,000

(2)　機械取得時

機械	3,000	現金預金	3,000

(3)　×2年3月31日決算時

①　減価償却

減価償却費	300	機械	300

※　3,000÷5年×6月/12月＝300

②　圧縮積立金の積立と取崩

繰越利益剰余金	1,000	圧縮積立金	1,000
圧縮積立金	100	繰越利益剰余金	100

※1　圧縮積立金の積立　国庫補助金相当額

※2　圧縮積立金の取崩　1,000÷5年×6月/12月＝100

(4)　×3年3月31日決算時

①　減価償却

減価償却費	600	機械	600

※　3,000÷5年＝600

②　圧縮積立金の取崩

圧縮積立金	200	繰越利益剰余金	200

※　圧縮積立金の取崩　1,000÷5年＝200

11. 資産除去債務

(1) 資産除去債務の概要

将来の有形固定資産の除去に関する支出を、有形固定資産の取得時にあらかじめ見積もり、その割引現在価値を負債として計上するとともに有形固定資産の取得原価に算入し、資産の耐用年数にわたって費用処理するものであり、有形固定資産の除去に関する将来の負担を財務諸表に反映させることを目的とする。

(2) 資産除去債務の定義

資産除去債務とは、有形固定資産の取得、建設、開発又は通常の使用によって生じ、当該有形固定資産の除去に関して法令又は契約で要求される法律上の義務及びそれに準ずるものをいう。

① 有形固定資産の範囲

有形固定資産には、財務諸表等規則において有形固定資産に区分される資産のほか、建設仮勘定、リース資産、投資不動産なども対象となる。

② 有形固定資産の除去とは

有形固定資産の除去とは、有形固定資産を用役提供から除外することをいう。具体的には、売却、廃棄等が含まれるが、転用や用途変更は含まれない。また、有形固定資産が遊休状態になる場合は除去に該当しない。

③ 法律上の義務及びそれに準ずるものとは

法律上の義務には、有形固定資産を除去する義務のほか、有形固定資産の除去そのものは義務でなくとも、有形固定資産を除去する際に当該有形固定資産に使用されている有害物質等を法律等の要求による特別の方法で除去する義務も含まれる。

法律上の義務に準ずるものとは、債務の履行を免れることがほぼ不可能な義務を指し、法令または契約で要求される法律上の義務とほぼ同等の不可避的な義務が該当する。

(3) 資産除去債務の会計処理

① 資産除去債務の負債計上と除去費用の資産計上（発生時）

資産除去債務は、有形固定資産の取得、建設、開発又は通常の使用によって発生した時に負債として計上する。

資産除去債務に対応する除去費用は、資産除去債務を負債として計上したときに、当該負債の計上額と同額を、関連する有形固定資産の帳簿価額（取得原価）に加える。

なお、資産除去債務は、有形固定資産の除去に要する割引前の将来キャッシュ・フローを見積もり、割引後の金額（割引価値）で算定する。

有形固定資産	×××	現金預金 資産除去債務	××× ×××

② **除去費用の費用配分（決算時）**

資産計上された資産除去債務に対応する除去費用は、減価償却を通じて、当該有形固定資産の耐用年数にわたり、各期に費用配分する。

減価償却費	×××	減価償却累計額	×××

③ **時の経過による資産除去債務の調整額（決算時）**

時の経過による資産除去債務の調整額は、その発生時の費用として処理し、当該資産除去債務に関連する有形固定資産の減価償却費と同じ区分に含めて計上する。

なお、資産除去債務の調整額は、期首の資産除去債務の帳簿価額に当初負債に計上したときの割引率を乗じて算定する。

利息費用	×××	資産除去債務	×××

④ **資産除去債務の履行時の処理（除去時）**

資産除去債務の履行時に認識される資産除去債務残高と実際の支払額との差額は、履行差額として計上する。

資産除去債務 履行差額	××× ×××	現金預金	×××

◆例題◆

(1) A社（決算日は3月末日）は、×1年4月1日に設備装置を30,000千円で現金にて購入し使用を開始した。A社には、設備装置を使用後に除去する法的義務があり、除去に必要な支出は2,000千円と見積もられている。設備装置は、耐用年数3年、残存価額0で定額法（間接法）により減価償却する。資産除去債務は取得時にのみ発生するものとし、割引率は3％、期間3年の現価係数は0.91514である。計算上、千円未満の端数は四捨五入する。

(2) ×2年3月31日。決算日を迎えた。

(3) ×3年3月31日。決算日を迎えた。

(4) ×4年3月31日。設備装置が除去された。除去に係る支出2,100千円は現金で支払った。

【解答・解説】

(1)　**×1年4月1日**

設備装置	31,830	現金預金	30,000
		資産除去債務	1,830

※　資産除去債務　2,000×0.91514＝1,830（四捨五入）

(2)　**×2年3月31日**

①　設備装置と資産計上した除去費用の減価償却

減価償却費	10,610	減価償却累計額	10,610

※　31,830÷3年＝10,610

②　時の経過による資産除去債務の調整額

利息費用	55	資産除去債務	55

※　1,830×3％＝55（四捨五入）

(3)　**×3年3月31日**

①　設備装置と資産計上した除去費用の減価償却

減価償却費	10,610	減価償却累計額	10,610

※　31,830÷3年＝10,610

②　時の経過による資産除去債務の調整額

利息費用	57	資産除去債務	57

※　(1,830＋55)×3％＝57（四捨五入）

(4)　**×4年3月31日**

①　設備装置と資産計上した除去費用の減価償却

減価償却費	10,610	減価償却累計額	10,610

※　31,830÷3年＝10,610

②　時の経過による資産除去債務の調整額

利息費用	58	資産除去債務	58

※　2,000－(1,830＋55＋57)＝58

③　設備装置の除去及び資産除去債務の履行

減価償却累計額	31,830	設備装置	31,830
資産除去債務	2,000	現金預金	2,100
履行差額	100		

(4) 見積りの変更があった場合

① 割引前将来キャッシュ・フローの見積りの変更

割引前の将来キャッシュ・フローに重要な見積りの変更が生じた場合の当該見積りの変更による調整額は、資産除去債務の帳簿価額及び関連する有形固定資産の帳簿価額に加減して処理する。資産除去債務が法令の改正等により新たに発生した場合も、見積りの変更と同様に取り扱う。

(a) 割引前将来キャッシュ・フローが増加する場合

有形固定資産	×××	資産除去債務	×××

(b) 割引前将来キャッシュ・フローが減少する場合

資産除去債務	×××	有形固定資産	×××

② 見積りの変更による調整額に適用する割引率

割引前の将来キャッシュ・フローに重要な見積りの変更が生じ、当該キャッシュ・フローが増加する場合には、その時点の割引率を適用する。これに対し、当該キャッシュ・フローが減少する場合には、負債計上時の割引率を適用する。

◆例題◆

(1) A社（決算日は3月末日）は、×1年4月1日に設備装置を30,000千円で現金にて購入し使用を開始した。A社には、設備装置を使用後に除去する法的義務があり、除去に必要な支出は2,000千円と見積もられている。設備装置は、耐用年数3年、残存価額0で定額法（間接法）により減価償却する。資産除去債務は取得時にのみ発生し、割引率は3％、期間3年の現価係数は0.91514である。計算上、千円未満の端数は四捨五入する。

(2) ×2年3月31日。決算日を迎えた。2年後の除去費用見積額に変更はない。

(3) ×3年3月31日。決算日を迎えた。1年後の除去費用見積額は2,300千円に増額した。割引率は2％とし、期間1年の現価係数は0.98039である。

(4) ×4年3月31日。設備装置が除去された。除去に係る支出2,310千円は現金で支払った。

【解答・解説】

(1) **×1年4月1日**

設備装置	31,830	現金預金 資産除去債務	30,000 1,830

※ 資産除去債務 2,000×0.91514＝1,830（四捨五入）

(2) **×2年3月31日**

① 設備装置と資産計上した除去費用の減価償却

減価償却費	10,610	減価償却累計額	10,610

※ 31,830÷3年＝10,610

② 時の経過による資産除去債務の調整額

利息費用	55	資産除去債務	55

※ 1,830×3％＝55（四捨五入）

(3) **×3年3月31日**

① 設備装置と資産計上した除去費用の減価償却

減価償却費	10,610	減価償却累計額	10,610

※ 31,830÷3年＝10,610

② 時の経過による資産除去債務の調整額

利息費用	57	資産除去債務	57

※ (1,830＋55)×3％＝57（四捨五入）

③ 見積りの変更による資産除去債務の増加

設備装置	294	資産除去債務	294

※ 資産除去債務 増額分300×0.98039＝294（四捨五入）

(4) **×4年3月31日**

① 設備装置と資産計上した除去費用の減価償却

減価償却費	10,904	減価償却累計額	10,904

※ 31,830÷3年＋294＝10,904

② 時の経過による資産除去債務の調整額

利息費用	64	資産除去債務	64

※ 2,300－(1,830＋55＋57＋294)＝64

③ 設備装置の除去及び資産除去債務の履行

減価償却累計額 資産除去債務 履行差額	32,124 2,300 10	設備装置 現金預金	32,124 2,310

12. 減損会計

⑴ 意義

① 固定資産の減損とは、資産の収益性の低下により投資額の回収が見込めなくなった状態をいう。

② 減損処理とは、固定資産に減損が生じている場合に、一定の条件の下で回収可能性を反映させるように帳簿価額を減額する会計処理である。

⑵ 減損会計の適用対象資産

① 有形固定資産（土地、建物、機械装置、共用資産など）

② 無形固定資産（のれん、借地権など）

③ 投資その他の資産（投資不動産など）

⑶ 用語の定義

① **回収可能価額**とは、資産又は資産グループの正味売却価額と使用価値のいずれか高い方の金額をいう。

② **正味売却価額**とは、資産又は資産グループの時価から処分費用見込額を控除した金額をいう。

③ **使用価値**とは、資産又は資産グループの継続的使用と使用後の処分によって生ずると見込まれる将来キャッシュ・フローの現在価値をいう。

④ **共用資産**とは、複数の資産又は資産グループの将来キャッシュ・フローの生成に寄与する資産をいい、のれんを除く。具体的には、本社建物、研究施設、福利厚生施設などの「全社的資産」をいう。

⑷ 資産のグルーピング

事業用の固定資産の場合、複数の資産が一体となって独立したキャッシュ・フローを生み出すことが一般的であるため、減損損失の認識及び測定は、合理的な範囲で資産のグルーピングを行う必要がある。グルーピングは、他の資産又は資産グループのキャッシュ・フローからおおむね独立したキャッシュ・フローを生み出す最小の単位で行う。

⑸ 減損の兆候

減損の兆候とは、資産又は資産グループに減損が生じている可能性を示す事象である。具体的には、資産又は資産グループの市場価格が著しく低下したこと、資産又は資産グループから生じる営業損益又はキャッシュ・フローが継続的にマイナスとなっている、といった事象が減損の兆候とされる。

⑹ 減損損失の認識の判定

減損の兆候がある資産又は資産グループについて、当該資産又は資産グループから得られる割引前将来キャッシュ・フローの総額がこれらの帳簿価額を下回る場合には、減損損失を認識する。

① 割引前将来キャッシュ・フローの総額＜帳簿価額
　──→減損損失を認識する

② 割引前将来キャッシュ・フローの総額＞帳簿価額
　──→減損損失の認識は行わない

(7) 減損損失の測定及び会計処理

減損損失を認識すべきであると判定された資産又は資産グループについては、帳簿価額を回収可能価額まで減額し、当該減少額を減損損失として当期の損失とする。ここで回収可能価額とは、正味売却価額と使用価値のいずれか高い方の金額である。

減損損失＝帳簿価額－回収可能価額

なお、資産グループについて認識された減損損失は、帳簿価額に基づく比例配分等の合理的な方法により、当該資産グループの各構成資産に配分する。

◆例題◆

工場における資産グループについて減損損失を計上する。帳簿価額は、建物1,400円、機械600円、備品400円であり、当該資産グループの正味売却価額は1,600円、使用価値は1,800円である。当該資産グループについて認識された減損損失は、帳簿価額に基づき各構成資産に比例配分する。

【解答・解説】

借方科目	金額	貸方科目	金額
減損損失	600	建物	350
		機械	150
		備品	100

① 帳簿価額：建物1,400＋機械600＋備品400＝2,400

② 回収可能価額：正味売却価額1,600＜使用価値1,800　∴1,800

③ 減損損失：帳簿価額2,400－回収可能価額1,800＝600

④ 減損損失の各資産への配分

建物：$600\times\frac{1,400}{2,400}=350$

機械：$600\times\frac{600}{2,400}=150$

備品：$600\times\frac{400}{2,400}=100$

13. 共用資産及びのれんの減損処理

(1) 共用資産の減損処理

本社建物などの共用資産に減損の兆候がある場合、減損損失の認識及び測定は、原則として、共用資産が関連する資産又は資産グループに共用資産を加えた、より大きな単位で行う。

① 減損損失の認識の判定は、まず、共用資産が関連する資産又は資産グループに減損の兆候がある場合、当該資産又は資産グループごとに行い、その後、より大きな単位で行う。

② 共用資産にも減損の兆候がある場合は、資産又は資産グループにおいて算定された減損損失控除前の帳簿価額に共用資産の帳簿価額を加えた金額と、共用資産を含むより大きな単位での割引前将来キャッシュ・フローとを比較する。この結果、割引前将来キャッシュ・フローが帳簿価額を下回る場合には、減損損失を認識すべきであると判定され、それらの回収可能価額まで減額する。この際、減損損失のうち、資産又は資産グループに係る減損損失を控除した減損損失の増加額は、原則として、共用資産に配分する。

③ 減損損失の増加額を全額共用資産に配分すると、共用資産の正味売却価額を下回る結果になる場合は、次のいずれかの方法により、資産又は資産グループの回収可能価額を下回る結果とならないように、各資産又は資産グループに配分する。

(a) 帳簿価額の比率により配分

(b) 帳簿価額と回収可能価額の差額の比率により配分

(2) のれんの減損処理

のれんに減損の兆候がある場合、減損損失の認識及び測定は、共用資産に準じて行う。なお、のれんを認識した取引において取得された事業の単位が複数である場合は、のれんを合理的な基準で分割する。

◆例題◆

(1) 当社はA、B及びCの３つの資産グループからなり、それぞれキャッシュ・フローを生み出す最小の単位と判断される。また、共用資産を所有している。

(2) 資産グループB、C及び共用資産に減損の兆候がある。

(3) 減損損失の配分は帳簿価額を基準として比例配分する。なお、回収可能価額が判明しているものについては、減損損失配分後の帳簿価額が回収可能価額を下回らないように各資産グループ及び共用資産に配分する。

(4) 共用資産の正味売却価額は300円である。
(5) 減損処理に必要なデータ

	A	B	C	共用資産	合計
減損処理前帳簿価額	1,000	1,500	2,100	1,000	5,600
割引前将来キャッシュ・フロー	不明	1,600	1,800	不明	5,200
回収可能価額	不明	不明	1,200	不明	3,750

【解答・解説】

	A	B	C	共用資産	合計
減損処理前帳簿価額	1,000	1,500	2,100	1,000	5,600
減損損失	100	150	900	700	1,850
減損処理後帳簿価額	900	1,350	1,200	300	3,750

(1) 各資産グループごとの減損損失の認識の判定及び測定
① 資産グループBの減損損失の認識の判定
割引前将来CF1,600＞帳簿価額1,500→減損処理を行わない
② 資産グループCの減損損失の認識の判定
割引前将来CF1,800＜帳簿価額2,100→減損処理を行う
③ 資産グループCの減損損失の測定
帳簿価額2,100－回収可能価額1,200＝減損損失900

(2) より大きな単位での減損損失の認識の判定及び測定
① 減損損失の認識の判定
割引前将来CF5,200＜帳簿価額5,600→減損処理を行う
② 減損損失の測定
帳簿価額5,600－回収可能価額3,750＝減損損失1,850
③ 共用資産を加えることによる減損損失の増加額
減損損失1,850－資産グループCの減損損失900＝増加額950

(3) 減損損失の配分
① 共用資産への配分額
共用資産の帳簿価額1,000－正味売却価額300＝700
② 各資産グループへの配分額
増加額950－共用資産への配分額700＝250
③ 資産グループA及びBへの配分額

資産グループA：$250 \times \frac{1,000}{1,000 + 1,500} = 100$

資産グループB：$250 \times \frac{1,500}{1,000 + 1,500} = 150$

6 有形固定資産

学習度チェック

7　リース取引

重要度B
★★

●学習のポイント●

1．リース取引の分類と判定基準をマスターする。
2．借手側の会計処理をマスターする。
3．貸手側の3つの会計処理をマスターする。
4．セール・アンド・リースバック取引における借手側の会計処理をマスターする。
5．残価保証のあるリース取引の会計処理をマスターする。

ポイント整理

1．リース取引

(1)　リース取引の意義と分類

リース取引とは、特定の物件の所有者たる貸手（レッサー）が、当該物件の借手（レッシー）に対し、リース期間にわたりこれを使用収益する権利を与え、借手は、リース料を貸手に支払う取引をいい、次のように分類される。

<table>
<tr><td rowspan="3">リース取引</td><td rowspan="2">ファイナンス・リース取引</td><td>所有権移転ファイナンス・リース取引</td></tr>
<tr><td>所有権移転外ファイナンス・リース取引</td></tr>
<tr><td colspan="2">オペレーティング・リース取引</td></tr>
</table>

(2)　ファイナンス・リース取引の定義

次の2つの要件を満たすリース取引をいう。

①　リース契約に基づくリース期間の中途において当該契約を解除することができないリース取引またはこれに準ずるリース取引（**解約不能のリース取引**）

②　借手が、当該契約に基づき使用する物件からもたらされる経済的利益を実質的に享受することができ、かつ、当該リース物件の使用に伴って生じるコストを実質的に負担するリース取引（**フルペイアウトのリース取引**）

(3)　ファイナンス・リース取引の具体的判定基準

次の基準のいずれかに該当する場合には、ファイナンス・リース取引と判定される。

① **現在価値基準**

解約不能のリース期間中のリース料総額の現在価値が、借手の見積現金購入価額のおおむね90％以上であること。

② **経済的耐用年数基準**

解約不能のリース期間が、当該リース物件の経済的耐用年数のおおむね75％以上であること。

(4) 所有権移転の判定基準

次のいずれかに該当する場合には所有権移転取引とし、該当しない場合は所有権移転外取引とする。

① **所有権移転条項が付されている。**

② **割安購入選択権が付されている。**

③ **リース物件が特別仕様になっている。**

(5) オペレーティング・リース取引の定義

オペレーティング・リース取引とは、ファイナンス・リース取引以外のリース取引をいう。

2．借手側の会計処理

(1) ファイナンス・リース取引の会計処理

① **リース取引開始時**

リース資産	×××	リース債務	×××

※　リース資産及びリース債務の計上価額は次のとおり。

所有権移転	所有権移転外
①リース物件の貸手の購入価額が明らかな場合→当該価額 ②明らかでない場合→見積現金購入価額とリース料総額の現在価値とのいずれか低い方	①リース物件の貸手の購入価額が明らかな場合→当該価額とリース料総額の現在価値とのいずれか低い方 ②明らかでない場合→見積現金購入価額とリース料総額の現在価値とのいずれか低い方
借手が現在価値の算定のために用いる割引率は、貸手の計算利子率を知り得る場合は当該利率とし、知り得ない場合は借手の追加借入利子率とする。	

② **リース料支払時**

支払利息	×××	現金預金	×××
リース債務	×××		

※　利息相当額の配分方法は、原則として利息法による。利息法に用いる利率は、リース料総額の現在価値がリース資産の計上価額と等しくなる利率を用いる。

③　**決算時**

減価償却費	×××	減価償却累計額	×××

※　減価償却計算は次のとおり。

所有権移転	所有権移転外
①耐用年数→経済的耐用年数 ②残存価額→問題指示 ③償却方法→問題指示	①耐用年数→リース期間 ②残存価額→ゼロ ③償却方法→問題指示

⑵　**オペレーティング・リース取引の会計処理**

通常の賃貸借取引に係る方法に準じて会計処理を行う。

支払リース料	×××	現金預金	×××

◆例題◆

×1年4月1日に、以下の条件で備品をリース契約した。

(1)　解約不能のリース期間：3年

(2)　所有権移転条項、割安購入選択権等は付されていない。

(3)　借手の見積現金購入価額：52,000千円（貸手の購入価額は明らかではない）。

(4)　リース料：年額17,626千円（支払は年1回、3月31日）、総額52,878千円

(5)　リース物件の経済的耐用年数：5年

(6)　借手の追加借入利子率：年5％（貸手の計算利子率は知り得ない）。なお、利子率年5％で3回払いによる年金現価係数は2.72325として計算する。

(7)　減価償却方法：定額法（間接法）

(8)　決算日：毎年3月31日

(9)　千円未満の端数は四捨五入する。

【解答・解説】

⑴　**ファイナンス・リース取引の判定**

①　現在価値基準による判定

現在価値：17,626×2.72325≒48,000

現在価値48,000÷見積現金購入価額52,000≒92％≧90％

②　経済的耐用年数基準による判定

リース期間3年÷経済的耐用年数5年＝60％≦75％

③　所有権移転条項等は付されていないため、所有権移転ファイナンス・リース取引には該当しない。

④　①及び③により、このリース取引は所有権移転外ファイナンス・リース取引に該当する。

(2)　**×1年4月1日（リース開始時）**

リース資産	48,000	リース債務	48,000

※　リース資産計上価額

見積現金購入価額52,000＞現在価値48,000　∴48,000

(3)　**×2年3月31日（リース料支払時）**

支払利息	2,400	現金預金	17,626
リース債務	15,226		

※　支払利息：リース債務48,000×5％＝2,400

(4)　**×2年3月31日（決算整理）**

減価償却費	16,000	減価償却累計額	16,000

※　48,000÷リース期間3年＝16,000

3．貸手側の会計処理

(1)　ファイナンス・リース取引の会計処理

次のいずれかの方法を選択し、継続的に適用する。

①　リース取引開始日に売上高と売上原価を計上する方法

②　リース料受取時に売上高と売上原価を計上する方法

③　売上高を計上せずに利息相当額を各期へ配分する方法

なお、所有権移転ファイナンス・リース取引と判定された場合には「リース債権」を、所有権移転外ファイナンス・リース取引と判定された場合には「リース投資資産」で処理する。

また、いずれの方法を採用しても、各期における利息相当額は同額となる。

(2)　リース取引開始日に売上高と売上原価を計上する方法

①　リース取引開始時

リース料総額で売上を計上し、同額でリース債権（又はリース投資資産）を計上する。また、リース物件の現金購入価額により売上原価を計上する。

売上と売上原価との差額は、利息相当額として取扱い、原則として利息法によりリース期間中の各期に配分する。

リース債権	×××	売上	×××
売上原価	×××	買掛金	×××

② **リース料受取時**

現　金　預　金	×××	リ　ー　ス　債　権	×××

③ **リース取引開始事業年度の決算時**

リース取引開始日に計算された利息相当額の総額のうち、代金未回収部分に対応する額を繰延リース利益として繰り延べる。なお、貸借対照表上、リース債権（又はリース投資資産）と繰延リース利益は相殺して表示する。

繰延リース利益繰入	×××	繰延リース利益	×××

④ **リース取引開始翌事業年度以降の決算時**

リース取引開始事業年度に、繰延リース利益として繰り延べた利息相当額のうち、代金回収部分に対応する額を繰延リース利益戻入として処理する。

繰延リース利益	×××	繰延リース利益戻入	×××

(3) リース料受取時に売上高と売上原価を計上する方法

① **リース取引開始時**

リース取引開始日に、リース物件の現金購入価額によりリース債権（又はリース投資資産）を計上する。

リ　ー　ス　債　権	×××	買　　掛　　金	×××

② **リース料受取時**

リース料受取額を売上として計上し、当該金額から利息相当額を控除した金額を売上原価として計上する。

現　金　預　金	×××	売　　　　上	×××
売　上　原　価	×××	リ　ー　ス　債　権	×××

(4) 売上高を計上せずに利息相当額を各期へ配分する方法

① **リース取引開始時**

リース取引開始日に、リース物件の現金購入価額によりリース債権（又はリース投資資産）を計上する。

リ　ー　ス　債　権	×××	買　　掛　　金	×××

② **リース料受取時**

リース料受取額を利息相当額とリース債権の元本回収部分とに区分し、前者を受取利息として処理し、後者をリース債権の元本回収額として処理する。

現　金　預　金	×××	受　取　利　息 リ ー ス 債 権	××× ×××

(5) オペレーティング・リース取引の会計処理

オペレーティング・リース取引については、通常の賃貸借取引に係る方法に準じて会計処理を行う。

現　金　預　金	×××	受取リース料	×××

◆例題◆

リース業者であるB社（決算日は3月末日）は、×1年4月1日に、以下の条件で機械をリース契約した。

(1) 解約不能のリース期間：5年
(2) 所有権移転条項、割安購入選択権等は付されていない。
(3) B社のリース物件の購入価額：61,500千円（リース取引開始日に掛で購入）。
(4) リース料：年額15,000千円（支払は年1回、3月31日）、総額75,000千円
(5) リース物件の経済的耐用年数：7年
(6) リース物件の見積残存価額：0円
(7) B社の計算利子率年7％（年7％による期間5年の年金現価係数は4.100とする）
(8) 千円未満の端数は四捨五入する。

【解答・解説】

(1) ファイナンス・リース取引の判定

① 現在価値基準による判定
現在価値　15,000×4.100＝61,500
現在価値61,500÷現金購入価額61,500＝100％≧90％

② 経済的耐用年数基準による判定
リース期間5年÷経済的耐用年数7年≒71.4％≦75％

③ 所有権移転条項等は付されていないため、所有権移転ファイナンス・リース取引には該当しない。

④ ①及び③により、このリース取引は所有権移転外ファイナンス・リース取引に該当する。

(2) リース取引開始日に売上高と売上原価を計上する方法

① ×1年4月1日（リース取引開始時）

リース投資資産 売　上　原　価	75,000 61,500	売　　　上 買　掛　金	75,000 61,500

② ×2年3月31日（リース料受取時）

現金預金	15,000	リース投資資産	15,000

③ ×2年3月31日（決算時）

繰延リース利益繰入	9,195	繰延リース利益	9,195

※ (75,000－61,500)－61,500×7％＝9,195

④ ×3年3月31日（リース料受取時）

現金預金	15,000	リース投資資産	15,000

⑤ ×3年3月31日（決算時）

繰延リース利益	3,556	繰延リース利益戻入	3,556

※ (期首リース投資資産60,000－9,195)×7％＝3,556

(3) リース料受取時に売上高と売上原価を計上する方法

① ×1年4月1日（リース取引開始時）

リース投資資産	61,500	買掛金	61,500

② ×2年3月31日（リース料受取時）

現金預金	15,000	売上	15,000
売上原価	10,695	リース投資資産	10,695

※ 売上原価 15,000－61,500×7％＝10,695

③ ×3年3月31日（リース料受取時）

現金預金	15,000	売上	15,000
売上原価	11,444	リース投資資産	11,444

※ 売上原価 15,000－(61,500－10,695)×7％＝11,444

(4) 売上高を計上せずに利息相当額を各期へ配分する方法

① ×1年4月1日（リース取引開始時）

リース投資資産	61,500	買掛金	61,500

② ×2年3月31日（リース料受取時）

現金預金	15,000	受取利息	4,305
		リース投資資産	10,695

※ 受取利息 61,500×7％＝4,305

③ ×3年3月31日（リース料受取時）

現金預金	15,000	受取利息	3,556
		リース投資資産	11,444

※ 受取利息 (61,500－10,695)×7％＝3,556

4．セール・アンド・リースバック取引

⑴　セール・アンド・リースバック取引

セール・アンド・リースバック取引とは、物件の所有者が、その所有する物件をリース会社に売却し、物件の新所有者であるリース会社を貸手、物件の旧所有者を借手として、リース契約を締結する取引をいう。すなわち、借手から見れば、物件の売却と当該物件のリースとが一体化した取引である。

⑵　借手の会計処理

通常のリース取引と同様に売買処理に係る取引に準じて会計処理を行う。また、セール・アンド・リースバック取引においても、通常のファイナンス・リース取引と同様に、所有権移転取引と所有権移転外取引とに分類される。

①　資産売却時

物件の売却に伴う売却損益は、長期前受収益（又は長期前払費用）として、償却期間にわたり繰延経理する。

減価償却累計額	×××	**固定資産**	×××
現金預金	×××	**長期前受収益**	×××

②　リース取引開始時

リース資産	×××	**リース債務**	×××

※　リース資産及びリース債務の計上価額は次のとおり。

所有権移転	所有権移転外
実際売却価額	実際売却価額とリース料総額の現在価値のいずれか低い方

③　リース料支払時

支払利息	×××	**現金預金**	×××
リース債務	×××		

④　決算時

リース資産の減価償却計算を行うとともに、資産売却時に計上した長期前受収益（又は長期前払費用）を、リース資産の減価償却費の割合に応じ減価償却費に加減する。

減価償却費	×××	**減価償却累計額**	×××
長期前受収益	×××	**減価償却費**	×××

※　減価償却計算は次のとおり。

所有権移転	所有権移転外
①耐用年数→経済的耐用年数 ②残存価額→問題指示 ③償却方法→問題指示	①耐用年数→リース期間 ②残存価額→ゼロ ③償却方法→問題指示

◆例題◆

×2年4月1日に、前期に取得した車両をリース会社に売却し、その全部をリースバックすることとした。決算日は3月31日。千円未満の端数は四捨五入する。

(1)　売却車両の内容
　①　取得日：×1年4月1日
　②　取得原価：50,000千円（減価償却累計額10,000千円）
　③　耐用年数：5年
　④　減価償却：定額法（残存価額はゼロ）

(2)　リースバックの条件
　①　売却価額：43,000千円
　②　所有権移転条項：あり
　③　解約不能のリース期間：4年
　④　リース料：年額12,000千円（総額48,000千円）
　⑤　リース料は毎年4月1日に前払いする。

(3)　リース資産の減価償却は、耐用年数4年、定額法、残存価額はゼロとする。

(4)　売却損益は、リース期間で減価償却費に加減する。

(5)　利息相当額は利息法により処理する。なお、計算の便宜上、計算利子率は年8％とする。

【解答・解説】

(1)　×2年4月1日

①　資産売却

減価償却累計額	10,000	車　　両	50,000
現　金　預　金	43,000	長期前受収益	3,000

②　リース取引開始

リ　ー　ス　資　産	43,000	リ　ー　ス　債　務	43,000

③　リース料支払

リ　ー　ス　債　務	12,000	現　金　預　金	12,000

※　前払では、初回のリース料は全額リース債務の返済となる。

(2) ×3年3月31日

① 減価償却費の計上

減価償却費	10,750	減価償却累計額	10,750

※ 43,000÷4年＝10,750

② 長期前受収益の減価償却費への加減

長期前受収益	750	減価償却費	750

※ 3,000÷4年＝750

③ 支払利息の見越計上

支払利息	2,480	未払費用	2,480

※ (43,000－12,000)×8％＝2,480

(3) ×3年4月1日

① 再振替仕訳

未払費用	2,480	支払利息	2,480

② リース料支払

支払利息 リース債務	2,480 9,520	現金預金	12,000

(4) ×4年3月31日

① 減価償却費の計上

減価償却費	10,750	減価償却累計額	10,750

※ 43,000÷4年＝10,750

② 長期前受収益の減価償却費への加減

長期前受収益	750	減価償却費	750

※ 3,000÷4年＝750

③ 支払利息の見越計上

支払利息	1,718	未払費用	1,718

※ (43,000－12,000－9,520)×8％＝1,718

5．残価保証のあるリース取引

(1) 残価保証

リース契約において、リース期間終了時に、リース物件の処分価額が契約上取り決めた保証価額に満たない場合は、借手に対して、その不足額を貸手に支払う義務が課せられることがある。このような条件を「残価保証」という。

(2) 借手の会計処理（所有権移転外ファイナンス・リース取引）

① リース取引開始時

リース資産の計上価額の算定に際し、残価保証額をリース料総額に含めて、現在価値の算定を行う。

リース資産	×××	リース債務	×××

② リース料支払時

支払利息	×××	現金預金	×××
リース債務	×××		

③ 決算時

残価保証額を残存価額として償却計算を行う。

減価償却費	×××	減価償却累計額	×××

④ リース資産返却及び処分価額確定時

リース物件の処分価額と残価保証額との差額をリース資産売却損として計上する。

減価償却累計額	×××	リース資産	×××
リース債務	×××	未払金	×××
リース資産売却損	×××		

◆例題◆

(1) ×1年4月1日。以下の条件で車両のリース契約を締結した。なお、当該リース取引は、所有権移転外ファイナンス・リースに該当する。また、円未満の端数が生じた場合は、四捨五入する。

① リース期間終了時に借手がリース物件の処分価額を2,000円まで保証する条項が付されている。

② 解約不能のリース期間　2年

③ 借手の見積現金購入価額　12,900円

④ リース料　年額6,000円（毎年3月31日に支払う）

⑤ 借手の追加借入利子率　年6％

⑥ 年6％で、期間2年の年金現価係数は1.8333、現価係数は0.8899である。

(2) ×2年3月31日。リース料支払日。決算において減価償却費（償却方法は定額法、記帳方法は間接法）を計上する。

(3)　×3年3月31日。リース料支払日。決算において減価償却費を計上する。

(4)　×3年4月1日。リース物件を返却した。また、リース物件の処分価額が1,500円と確定したため、残価保証との差額500円は現金で支払った。

【解答・解説】

(1)　×1年4月1日

リース資産	12,780	リース債務	12,780

※1　リース料総額の現在価値
　6,000×1.8333+2,000×0.8899=12,780（四捨五入）

※2　リース資産の計上価額
　現在価値12,780＜見積現金購入価額12,900　∴12,780

(2)　×2年3月31日

①　リース料支払

支払利息	767	現金預金	6,000
リース債務	5,233		

※　支払利息　12,780×6％=767（四捨五入）

②　減価償却費の計上

減価償却費	5,390	減価償却累計額	5,390

※　(12,780－残価保証2,000)÷2年=5,390

(3)　×3年3月31日

①　リース料支払

支払利息	453	現金預金	6,000
リース債務	5,547		

※　リース料6,000－(12,780－5,233－残価保証2,000)=453

②　減価償却費の計上

減価償却費	5,390	減価償却累計額	5,390

※　(12,780－残価保証2,000)÷2年=5,390

(4)　×3年4月1日

減価償却累計額	10,780	リース資産	12,780
リース債務	2,000	現金	500
リース資産売却損	500		

※1　減価償却累計額　5,390×2年=10,780

※2　リース債務　12,780－5,233－5,547=2,000（残価保証分）

※3　リース資産売却損　残価保証2,000－処分価額1,500=500

学習度チェック

8　無形固定資産

重要度B ★★

●学習のポイント●

1．無形固定資産の種類をマスターする。
2．無形固定資産の償却方法をマスターする。
3．研究開発費の会計処理をマスターする。
4．ソフトウェアの会計処理をマスターする。

ポイント整理

1．無形固定資産の種類

無形固定資産には、⑴法律上の権利、⑵のれん及び⑶ソフトウェアがある。

法律上の権利には、特許権、商標権、実用新案権、意匠権、借地権などがある。

2．無形固定資産の取得原価

⑴　法律上の権利

法律上の権利を取得したときは、その取得に要した支出額を取得原価とする。

◆例題◆

⑴　特許権を100円で買い入れ、代金は現金で支払った。
⑵　営業所を開設するため、土地を10年間賃借する契約を結び、その権利金500円を小切手を振り出して支払った。

【解答】

⑴	特　許　権	100	現　　　金	100
⑵	借　地　権	500	当座預金	500

⑵　のれん

のれんは、他企業の買収などの場合に計上される。

◆例題◆

当社は、次のような財政状態にあるＢ商店を4,100円で買収し、代金は小切手を振り出して支払った。

なお、建物の時価は3,000円であり、その他の資産及び負債の時価は帳簿価額と一致している。

B商店	貸借対照表		(単位：円)
売掛金	2,000	買掛金	800
商品	1,000	借入金	1,500
建物	4,000	資本金	4,700
	7,000		7,000

【解答】

売掛金	2,000	買掛金	800
商品	1,000	借入金	1,500
建物	3,000	当座預金	4,100
のれん	400		

3．無形固定資産の償却

	償却方法	耐用年数	残存価額	償却額の計算
法律上の権利	定額法	法定耐用年数	ゼロ	法定耐用年数内で月割計算
のれん	定額法	20年	ゼロ	20年内で月割計算

(注1) 借地権については、通常は償却しない。
(注2) 残存価額はゼロであるから、耐用年数が到来すれば無形固定資産は消滅する。
(注3) 記帳方法は直接控除法による。

◆例題◆

(1) 当期は4月1日から3月31日までの1年間。

(2)

決算整理前試算表	(単位：円)
商標権	500
特許権	360
借地権	300
のれん	400

(3) 決算整理
① 商標権は前々期の8月1日に取得したもので10年間で償却する(償却過不足はない)。
② 特許権は前期の10月1日に取得したもので8年間で償却する。

③　借地権は当期に土地賃借のために支払った権利金である。

④　のれんは当期首にB商店を買収した際に計上したもので、20年間で償却する。

【解答・解説】

①	商標権償却	60	商標権	60
②	特許権償却	48	特許権	48
③	仕訳なし			
④	のれん償却	20	のれん	20

※①　商標権：$500 \times \frac{12月}{120月 - 20月} = 60$

②　特許権：$360 \times \frac{12月}{96月 - 6月} = 48$

③　借地権：償却しない

④　のれん：$400 \times \frac{12月}{240月} = 20$

4．研究開発費

⑴　研究・開発の範囲

研究とは、新しい知識の発見を目的とした計画的な調査及び探求をいい、開発とは、新しい製品・サービス・生産方法（以下「製品等」という）についての計画もしくは設計又は既存の製品等を著しく改良するための計画もしくは設計として、研究の成果その他の知識を具体化することをいう。

⑵　研究開発費を構成する原価要素

研究開発費には、研究開発のために費消された人件費、原材料費、固定資産の減価償却費、間接費の配賦額のようなすべての原価が含まれる。

なお、特定の研究開発目的のみに使用され、他の目的に使用できない機械装置や特許権等を取得した場合の原価は、取得時の研究開発費とする。

⑶　研究開発費の会計処理

研究開発費は、すべて発生時に費用として処理しなければならない。なお、ソフトウェア制作費のうち、研究開発に該当する部分も研究開発費として費用処理する。研究開発費の処理方法には、①一般管理費として処理する方法、②当期製造費用として処理する方法がある。研究開発費は通常、原価性がないと考えられるため、一般的には**一般管理費として処理**する。

◆例題◆

(1) 研究開発のために、原材料費1,000円、人件費300円、その他の経費700円を現金で支払った。

(2) 特定の研究開発に使用するため、機械装置1,000円を取得し、代金は小切手を振り出して支払った。

【解答】

(1)	研究開発費	2,000	現金	2,000
(2)	研究開発費	1,000	当座預金	1,000

5．ソフトウェア

(1) ソフトウェアの定義

ソフトウェアとは、コンピュータを機能させるように指令を組み合わせて表現したプログラム等をいう。

(2) ソフトウェア制作費の分類と会計処理

ソフトウェアの制作費は、その制作目的に応じて次のように分類する。

① **研究開発目的**──▸研究開発費として処理する

② **研究開発目的以外**

(a) 自社利用目的──▸一定のものは資産計上する

(b) 市場販売目的──▸一定のものは資産計上する

(c) 受注制作目的──▸工事契約に準じた会計処理を行う

(3) 自社利用目的のソフトウェア

自社利用目的のソフトウェアとは、当該ソフトウェアを用いて社内の生産活動や管理活動に利用するものや、外部にサービスを提供するソフトウェアをいう。自社利用目的のソフトウェアは、その導入により、将来の収益獲得又は費用削減が確実と認められる場合は、ソフトウェアとして無形固定資産に計上し、認められない場合は費用処理される。

① **ソフトウェアの制作費及び導入費用の処理**

(a) パソコン・サーバーの購入費用──▸備品

(b) ソフトウェアの購入費用──▸ソフトウェア

(c) 仕様変更及び設定作業に係る費用──▸ソフトウェア

(d) 旧システムからのデータ移替費用──▸一般管理費

(e) 導入のためのトレーニング費用──▸一般管理費

② **ソフトウェアの減価償却**

無形固定資産として計上したソフトウェアの取得原価は、利用可能期間（原則として５年）以内で定額法により月割償却する。

③ ソフトウェアの廃棄

無形固定資産として計上したソフトウェアを廃棄処分した場合は、廃棄時の帳簿価額はソフトウェア廃棄損として処理する。

◆例題◆

(1) ×1年度期首に自社利用目的のソフトウェアを購入し、代金は現金で支払った。当該ソフトウェアの導入により将来の費用削減が確実と認められる。内訳明細は下記のとおりである。

① パッケージソフト　3,000円

② ソフトウェア仕様変更及び設定作業　1,000円

③ データ移替費用及びトレーニング費用　1,500円

(2) ×1年度末に、ソフトウェアの見込利用可能期間を5年とする定額法により減価償却を行う。

【解答・解説】

(1)	ソフトウェア 販売費及び一般管理費	4,000 1,500	現金	5,500
(2)	ソフトウェア償却	800	ソフトウェア	800

※1　ソフトウェア

パッケージソフト3,000＋仕様変更及び設定作業1,000
＝4,000

※2　ソフトウェア償却

$4{,}000 \times \frac{12月}{60月} = 800$

(4) 市場販売目的のソフトウェア

① 製品マスターの制作費の処理

ソフトウェアを市場において販売する場合、通常、製品マスター（複写可能な完成品）を制作し、それを複写したものを販売するという過程をたどる。製品マスターの制作費は次のように処理する。

(a) 最初に製品化された製品マスター（プロトタイプ）完成までの開発費用──►研究開発費

(b) 製品マスターの機能の改良及び強化に要した費用
──►ソフトウェア

(c) 製品マスターの機能の著しい改良に要した費用
──►研究開発費

(d) 製品マスターの機能維持に要した費用
──►販売費及び一般管理費

② **製品としてのソフトウェア制作原価**

製品としてのソフトウェア制作原価は、仕掛品として処理し、販売分は売上原価に計上する。

③ **ソフトウェアの減価償却**

ソフトウェアの減価償却額は、下記の(a)と(b)のいずれか大きい額とし、償却額は売上原価に計上する。

(a) 見込販売数量（又は見込販売収益）による償却額

$$\text{減価償却額} = \text{ソフトウェアの未償却残高} \times \frac{\text{各年度の実績販売数量}}{\text{各年度の期首（初年度は販売開始時）の見込販売数量}}$$

※ 見込販売収益による場合は、販売数量の部分を販売収益に置き換えて計算する。

(b) 見込有効期間（原則３年）による償却額

減価償却額＝ソフトウェアの未償却残高÷残存有効期間

(c) 見込販売収益を超過する未償却残高の費用処理

通常の減価償却を実施した後の未償却残高が翌期以降の見込販売収益の額を上回った場合、当該超過額は一時の費用又は損失として処理する。

◆例題◆

(1) ×１年度に市場販売目的のソフトウェアＡを開発した。制作に要した費用は次のとおりであるが、すべて仮払金で処理しているため、×１年度期末に適切な勘定に振替える。

① 製品マスター（プロトタイプ）の制作費　10,000円
② ウィルス対策等の機能維持のための費用　2,000円
③ 操作性の向上等の機能改良のための費用　60,000円
④ 製品としての制作費（700個、単価30円）　21,000円

(2) ×２年度期首からソフトウェアＡの販売を開始した。販売開始時点における見込販売数量等は次のとおりである。

	見込販売数量	見込販売単価	見込販売収益
×２年度	200個	200円	40,000円
×３年度	300個	180円	54,000円
×４年度	200個	150円	30,000円

×２年度の販売実績は見込どおりであった。無形固定資産に計上されたソフトウェアの見込有効期間は３年であり、×２年度期末に見込販売数量に基づいて償却を行った。

(3)　×３年度期首に見込販売数量等を次のように見直した。

	見込販売数量	見込販売単価	見込販売収益
×３年度	260個	180円	46,800円
×４年度	140個	150円	21,000円

×３年度の販売実績は修正後の見込どおりであった。×３年度期末に適切な償却処理を行った。

(4)　円未満の端数は四捨五入とする。

【解答・解説】

(1)　×１年度期末

研究開発費	10,000	仮払金	93,000
販売費及び一般管理費	2,000		
ソフトウェア	60,000		
仕掛品	21,000		

(2)　×２年度期末

売上原価	6,000	仕掛品	6,000
売上原価	20,000	ソフトウェア	20,000

①　製品売上原価　@30×200個＝6,000

②　見込販売数量によるソフトウェア償却

$$60{,}000 \times \frac{200個}{200個+300個+200個} = 17{,}143\ (四捨五入)$$

③　見込有効期間によるソフトウェア償却

60,000÷３年＝20,000

④　②と③のいずれか大きい額→20,000

(3)　×３年度期末

売上原価	7,800	仕掛品	7,800
売上原価	26,000	ソフトウェア	26,000

①　製品売上原価　@30×260個＝7,800

②　見込販売数量によるソフトウェア償却

$$(60{,}000-20{,}000) \times \frac{260個}{260個+140個} = 26{,}000$$

③　見込有効期間によるソフトウェア償却

(60,000－20,000)÷２年＝20,000

④　②と③のいずれか大きい額→26,000

⑤　見込販売収益を超過する未償却残高の判定

未償却残高　60,000－20,000－26,000＝14,000

翌期以降の見込販売収益の額　21,000

超過額　14,000＜21,000→なし

(5) 受注制作目的のソフトウェア

受注制作のソフトウェアのように、履行義務が一定の期間にわたり充足される取引は、充足の進捗度を見積もって、これに基づいて一定の期間にわたり収益を認識する。

① 進捗度を合理的に見積ることができる場合

履行義務の充足の進捗度に基づいて、取引価格を制作期間にわたって配分し、収益を認識する。進捗度の見積方法としては、発生原価による**原価比例法**が一般的である。

② 進捗度を合理的に見積ることができない場合

ソフトウェアが完成して顧客への引渡が完了した時点で、収益を認識する。ただし、発生原価の回収が見込まれる場合は、**原価回収基準**により収益を認識する。

③ 制作期間がごく短い場合

ソフトウェアが完成して顧客への引渡が完了した時点で、収益を認識する。

◆例題◆

(1) 決算整理前残高試算表

仕掛品	5,700	受注売上高	7,000

(2) 決算整理事項

受注制作のソフトウェアの制作費用については、期中は全額を仕掛品勘定に計上しており、当期中の制作費総額は5,500円（このうち期末仕掛分は400円）である。

なお、前期末において仕掛中であった受注ソフトウェアは、すべて当期中に完成し納品している。なお、受注制作については、完成引渡時に収益を計上している。

【解答・解説】

(1) 決算整理仕訳

売上原価	5,300	仕掛品	5,300

※ 売上原価　期首200＋当期5,500－期末400＝5,300

(2) 決算整理後残高試算表

仕掛品	400	受注売上高	7,000
売上原価	5,300		

学習度
チェック

9　繰延資産

重要度C
★

●学習のポイント●

1．繰延資産の種類及びそれぞれの償却期間をマスターする。
2．繰延資産の償却方法をマスターする。

ポイント整理

1．繰延資産

繰延資産とは、すでに代価の支払が完了しまたは支払義務が確定し、これに対応する役務の提供を受けたにもかかわらず、その効果が将来にわたって発現されると期待される費用のうち資産として計上されたものをいう。

2．繰延資産の種類

種　類	内　容
創立費	法律上の成立である設立登記までに要した会社の負担に帰すべき設立費用
開業費	会社成立後営業開始時までに支出した開業準備のための費用
開発費	新技術又は新経営組織の採用、資源の開発、市場の開拓等のため支出した費用、生産能率の向上又は生産計画の変更等により、設備の大規模な配置換えを行った場合等の費用
株式交付費	新株の発行又は自己株式の処分のために直接支出した費用
社債発行費等	社債又は新株予約権の発行のために直接支出した費用

3．会計処理

繰延資産の会計処理は、原則として支出時に費用として処理し、例外的に繰延資産として計上することができる。通常は(1)によるが、受験上は問題指示に従うこと。

(1)　費用処理──→支出時に全額費用処理する
(2)　繰延資産処理──→繰延資産に計上し、毎期償却を行う

4．繰延資産の償却

繰延資産の償却は、残存価額をゼロとして、月割償却を行う。また、償却の記帳方法は直接控除法により行う。

種　類	最長償却期間	償却方法
創立費	5年	定額法
開業費		
開発費		
株式交付費	3年	
社債発行費等	社債：償還期間	原則：利息法 例外：定額法
	新株予約権：3年	定額法

◆例題◆

(1) 当期は4月1日から3月31日までの1年間。

(2) 決算整理前試算表　(単位：円)

科目	金額	
株式交付費	300	
開発費	800	

(3) 決算整理

繰延資産はいずれも会社法に規定する最長期間で月割償却する。

① 株式交付費は当期の10月1日の増資にあたり支出したものである。

② 開発費は前期首に支出したものである（償却過不足はない）。

【解答・解説】

	借方科目	金額	貸方科目	金額
①	株式交付費償却	50	株式交付費	50
②	開発費償却	200	開発費	200

※① 株式交付費：$300 \times \frac{6月}{36月} = 50$

② 開発費：$800 \times \frac{12月}{60月 - 12月} = 200$

9 繰延資産

学習度チェック

10 引当金

重要度A ★★★

●学習のポイント●

1．貸倒引当金の設定の会計処理をマスターする。
2．前期発生債権の貸倒の会計処理と、当期発生債権の貸倒の会計処理の違いを理解する。
3．賞与引当金の設定時及び賞与支給時における会計処理をマスターする。
4．退職給付引当金の会計処理をマスターする。

ポイント整理

1．引当金

引当金とは、将来の特定の費用又は損失であって、その発生が当期以前の事象に起因し、発生の可能性が高く、かつ、その金額を合理的に見積もることができる場合に、将来の費用又は損失のうち当期に係る分を費用として見積計上する際の貸方科目をいう。

2．貸倒引当金

(1) 債権の区分

債権は、債務者の財政状態及び経営成績等に応じて、次のように区分される。

債権の区分	定　　義
一般債権	経営状態に重大な問題が生じていない債務者に対する債権
貸倒懸念債権	経営破綻の状態には至っていないが、債務の弁済に重大な問題が生じているか又は生じる可能性の高い債務者に対する債権
破産更生債権等	経営破綻又は実質的に経営破綻に陥っている債務者に対する債権

(2) 貸倒見積高の算定

貸倒見積高は、債権の区分ごとに次のように算定される。

債権の区分	算出単位	見積高の算定
一般債権	総括引当法	貸倒実績率法
貸倒懸念債権	個別引当法	① 財務内容評価法 ② キャッシュ・フロー見積法
破産更生債権等	個別引当法	財務内容評価法

(3) 個別引当法と総括引当法

債権の貸倒見積高を算出する方法には、個々の債権ごとに見積もる方法（個別引当法）と債権をまとめて過去の貸倒実績率により見積もる方法（総括引当法）とがある。

(4) 貸倒実績率法

貸倒実績率法とは、**一般債権に対する貸倒見積高の算定方法**であり、債権の全体又は同種・同類の債権ごとに過去の貸倒実績率等を乗じて貸倒見積高を算定する。通常、過去3年間の貸倒実績率の平均値が用いられる。

(5) 財務内容評価法

財務内容評価法とは、担保又は保証が付されている債権について、債権額から担保の処分見込額及び保証による回収見込額を減額し、その残額について債務者の財政状態及び経営成績を考慮して貸倒見積高を算定する方法である。

① **破産更生債権等**…原則として、債権額から担保等で保全されている額を控除した残額の**全額**を貸倒見積高とする。

② **貸倒懸念債権**…債権額から担保等で保全されている額を控除した残額のうち、**一定額**（例えば50％など）を貸倒見積高とする。

(6) 貸倒引当金の会計処理

貸倒引当金の繰入、取崩及び戻入処理は、各区分の債権とそれに対応する貸倒引当金ごとに行わなければならない。

① **決算時**

＜差額補充法＞

貸倒引当金繰入	×××	貸倒引当金	×××

10 引当金

<洗替法>

貸倒引当金	×××	貸倒引当金戻入	×××
貸倒引当金繰入	×××	貸倒引当金	×××

② **貸倒時**

<前期末債権の貸倒処理>

貸倒引当金の不足額は、貸倒損失で処理する。

貸倒引当金	×××	売掛金等	×××
貸倒損失	×××		

<当期発生債権の貸倒処理>

貸倒損失	×××	売掛金等	×××

◆例題◆

(1) 決算整理前試算表 (単位：円)

受取手形	25,000	貸倒引当金	800
売掛金	15,000	預り保証金	400

(2) 決算整理前試算表の貸倒引当金は前期末残高であり、その内訳は以下のとおりである。

① 一般債権に対する貸倒引当金 300円

② B社に対する貸倒引当金 500円

(3) 当期に以下の債権が貸倒となったが、未処理である。

① A社に対する売掛金200円。当該売掛金については、前期末に一般債権に区分されていた。

② B社に対する売掛金1,000円。当該売掛金については、前期末に貸倒懸念債権に区分し、債権残高の50%の貸倒引当金を設定していた。

(4) 当期末の貸倒引当金については、「一般債権」、「貸倒懸念債権」及び「破産更生債権等」に区分して設定する。貸倒引当金の繰入については差額補充法による。

① 一般債権については債権残高に貸倒実績率1%を乗じた額を設定する。貸倒懸念債権については、債権残高の50%を設定する。破産更生債権等については、債権残高から担保を控除した残高の100%を設定する。

② 前期末計上のC社に対する売掛金1,200円（当期末も同額）につき、C社の財務状況から判断して、一般債権から貸倒懸念債権に区分変更する。当期末の貸倒懸念債権はC社に対する売掛金のみである。

③　D社が当期中に民事再生法の申し立てを行った。D社に対する債権は、受取手形1,300円及び売掛金700円で、これらの債権は破産更生債権等に区分する。当期末の破産更生債権等はD社に対する債権のみである。なお、D社より保証金400円を受け入れている。

【解答・解説】

(1)　貸倒処理

①　A社に対する売掛金

貸倒引当金	200	売掛金	200

②　B社に対する売掛金

貸倒引当金	500	売掛金	1,000
貸倒損失	500		

(2)　一般債権に対する貸倒引当金の設定

貸倒引当金繰入	256	貸倒引当金	256

※　(受手25,000＋売掛15,000－A社貸倒200－B社貸倒1,000－C社懸念1,200－D社破産2,000)×1％－貸引残高100＝256

(3)　貸倒懸念債権に対する貸倒引当金の設定

貸倒引当金繰入	600	貸倒引当金	600

※　1,200×50％＝600

(4)　破産更生債権等

①　破産更生債権等への振替

破産更生債権等	2,000	受取手形	1,300
		売掛金	700

②　破産更生債権等に対する貸倒引当金の設定

貸倒引当金繰入	1,600	貸倒引当金	1,600

※　(2,000－保証金400)×100％＝1,600

(5)

決算整理後試算表　(単位：円)

受取手形	23,700	貸倒引当金	2,556
売掛金	13,100	預り保証金	400
破産更生債権等	2,000		
貸倒引当金繰入	2,456		
貸倒損失	500		

(7) キャッシュ・フロー見積法の会計処理

① 決算時

債権の簿価と将来キャッシュ・フローの割引現在価値との差額を貸倒引当金として設定する。なお、**割引計算には当初の約定利子率を用いる。**

貸倒引当金繰入	×××	貸倒引当金	×××

② 利息受取時

時の経過に伴う割引現在価値の増加分について、貸倒引当金の減額処理を行う。この貸倒引当金の減額分は、原則として受取利息で処理するが、貸倒引当金戻入で処理することもできる。

現金預金	×××	受取利息	×××
貸倒引当金	×××		

◆例題◆

(1) ×1年4月1日。当社（決算日は3月31日）は、A社に対して、以下の条件で貸付を行った。

① 貸付金額　10,000円
② 貸付日　×1年4月1日
③ 返済期日　×4年3月31日（一括返済）
④ 約定利子率　年5％
⑤ 利払日　毎年3月31日（年1回）

(2) ×2年3月31日。A社から支払条件の緩和の申し出があり、×2年4月1日以降の適用利子率を年2％に引き下げる旨の契約に変更した。このため、同日においてA社に対する貸付金を貸倒懸念債権に区分し、キャッシュ・フロー見積法により貸倒引当金を設定することとした。

(3) 割引現在価値の算定については、以下の現価係数を使用すること。なお、金額計算において、円未満の端数が生じた場合は、円未満を四捨五入する。

割引回数	2％	5％
1回	0.98039	0.95238
2回	0.96116	0.90702

【解答・解説】

(1) ×1年4月1日

貸付金	10,000	現金預金	10,000

(2) **×2年3月31日**

① 利息の受取

現金預金	500	受取利息	500

※ 10,000×5％＝500

② 貸倒引当金の設定

貸倒引当金繰入	558	貸倒引当金	558

※1 将来キャッシュ・フロー

×3年3月31日 10,000×2％＝200

×4年3月31日 10,000×2％＋10,000＝10,200

※2 将来キャッシュ・フローの割引現在価値

200×0.95238＋10,200×0.90702＝9,442（四捨五入）

※3 貸倒引当金

貸付金10,000－割引現在価値9,442＝558

③ 決算整理後試算表 （単位：円）

貸付金	10,000	貸倒引当金	558
		受取利息	500

(3) **×3年3月31日**

① 利息の受取及び貸倒引当金の取崩

現金預金	200	受取利息	472
貸倒引当金	272		

※ （貸付金10,000－貸倒引当金558）×5％＝472（四捨五入）

② 決算整理後試算表 （単位：円）

貸付金	10,000	貸倒引当金	286
		受取利息	472

(8) 前期に貸倒れとして処理した売掛金が当期に回収された場合

貸倒れの処理とその回収が異なる会計期間で行われた場合、回収金額は、**償却債権取立益勘定**で処理する。

◆例題◆

前期に貸倒れとして処理したB商店に対する売掛金の一部500円を、同商店振出の小切手で受け取った。

【解答】

現金	500	償却債権取立益	500

3．賞与引当金

わが国の企業では、６月と12月に従業員に賞与を支払うのが一般的である。

例えば、ある会社の決算日が３月31日であるとする。翌期の６月に支給する賞与の支給対象期間が当期の12月１日から翌期の５月31日までの６か月分であるとすれば、12月１日から３月31日までの４か月分については、当期の費用として計上しなければならない。

◆例題◆

(1)　×12年３月31日　決算に際し、×12年６月に支給される夏期賞与の支給見込額のうち当期負担額を月割で賞与引当金に計上する。６月賞与の支給対象期間は12月から５月までであり、６月賞与の支給見込額は600円である。

(2)　×12年６月15日　夏期賞与600円を現金で支払った（源泉所得税等は無視する）。

【解答・解説】

(1)	賞与引当金繰入	400	賞与引当金	※ 400
(2)	賞与引当金	400	現金	600
	賞与	200		

※　$600\times\frac{4月}{6月}=400$

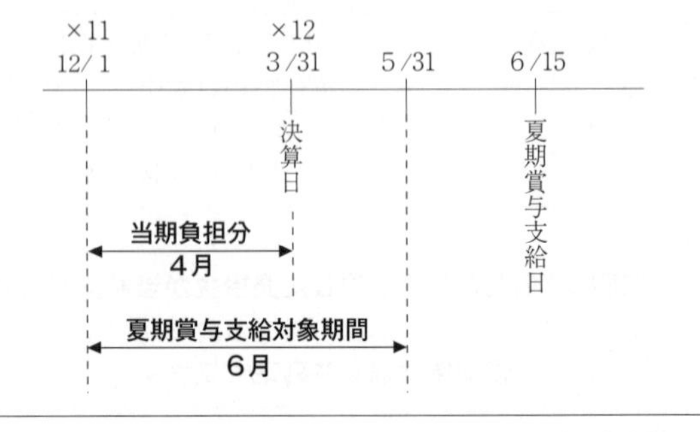

4．退職給付引当金

(1) 退職給付制度

退職給付とは、退職以降に従業員に支給される給付のことをいう。退職給付制度には、**退職一時金制度**と**企業年金制度**がある。

① 退職一時金制度（社内積立）

財源を社内で積み立て、退職時に会社から給付する。

② 企業年金制度（外部積立）

財源を外部で積み立て、退職後に年金資産から給付する。なお、企業年金制度には、確定給付型と確定拠出型がある。退職給付会計では、確定給付型を対象とし、確定拠出型は対象外となる。

(2) 会計処理

① 退職給付費用の計上（期首）

退職給付費用	×××	退職給付引当金	×××

② 退職一時金の支給

退職給付引当金	×××	現金預金	×××

③ 年金資産への掛金拠出

退職給付引当金	×××	現金預金	×××

④ 年金資産からの給付

仕訳なし

⑤ 決算（数理計算上の差異を発生年から償却する場合）

(a) 不利差異の場合

退職給付費用	×××	退職給付引当金	×××

(b) 有利差異の場合

退職給付引当金	×××	退職給付費用	×××

(3) 退職給付引当金の算定

① 数理計算上の差異等がない場合

退職給付引当金の算定

年金資産の時価	退職給付債務
退職給付引当金	

10

引当金

② 数理計算上の差異等がある場合

退職給付引当金の算定

年金資産の時価	退職給付債務
未認識過去勤務費用(不利)	
退職給付引当金	未認識数理計算上の差異(有利)

※ 数理計算上の差異等は退職給付引当金の過不足となり、引当不足を不利差異、引当過大を有利差異という。また、費用処理されていないものを「未認識」という。

③ 退職給付債務

退職給付のうち、期末までに発生しているものをいい、割引計算により算定するが、通常資料に与えられる。なお、退職一時金制度と企業年金制度の２つを採用している場合は、両者の合計額となる。

④ 年金資産の時価

企業年金制度にもとづき、外部で積立てられている資産をいい、期末における時価により算定する。

⑤ 過去勤務費用

退職給付規定の改定に伴い生じた、改定前の退職給付債務と改定後の退職給付債務の差額をいう。

退職給付債務の増加→不利差異

退職給付債務の減少→有利差異

⑥ 数理計算上の差異

年金資産及び退職給付債務の見積額と実際額との差額をいい、次のものがある。

(a) 年金資産の期待運用収益と実際運用収益との差額

期待運用収益＞実際運用収益→不利差異

期待運用収益＜実際運用収益→有利差異

(b) 退職給付債務の見積額と実際額との差額

見積額＞実際額→有利差異

見積額＜実際額→不利差異

⑦ 退職給付債務の見積額の算定方法

退職給付債務

退職一時金支給額	期首退職給付債務(実際)
年金資産からの給付額	
期末退職給付債務(見積)	勤務費用
	利息費用

(4) 退職給付費用の算定方法

退職給付費用の算定

借方	貸方
勤務費用	期待運用収益
利息費用	数理計算上の差異（有利）償却額
過去勤務費用（不利）償却額	退職給付費用

① 勤務費用

一期間の労働の対価として発生したと認められる退職給付をいう。通常、資料に与えられる。

② 利息費用

期首の退職給付債務について、期末までの時の経過により発生する計算上の利息をいい、次の算式により計算する。

期首の退職給付債務×割引率

③ 期待運用収益

期首の年金資産の運用により生じると期待される運用収益をいい、次の算式により計算する。

期首の年金資産の時価×長期期待運用収益率

④ 数理計算上の差異等の費用処理（償却計算）

	過去勤務費用	数理計算上の差異
償却開始	発生年から	①発生年から ②発生年の翌年から
償却年数	平均残存勤務期間内	
償却方法	①定額法（未認識額÷残存年数） ②定率法（未認識額×償却率）	

⑸ 数理計算上の差異の算定

◆例題◆

⑴ 当社は、退職一時金制度と企業年金制度を採用しており、「退職給付に関する会計基準」による原則法を採用している。

⑵ 期首における退職給付引当金残高は20,000円であり、未認識数理計算上の差異はない。

⑶ 期首における退職給付債務は50,000円である。なお、割引率は4％である。

⑷ 期首における年金資産の時価は30,000円である。なお、長期期待運用収益率は3％である。

⑸ 当期における勤務費用は3,000円である。

⑹ 定年退職者に対し、当社からの直接支給として1,000円の退職一時金が支払われている。

⑺ 当社が年金掛金として支払った金額は2,000円である。

⑻ 期末における退職給付債務の見込額は54,000円、実際額は56,000円である。

⑼ 当期の年金資産の実際運用収益は1,400円である。

⑽ 数理計算上の差異の費用処理は発生年度から5年で定額法により実施する。

【解答・解説】

⑴ 期首における退職給付費用の計上

退職給付費用	4,100	退職給付引当金	4,100

勤務費用	3,000
利息費用	50,000×4％＝2,000
期待運用収益	30,000×3％＝900（△）
合計	4,100

⑵ 退職一時金の支払

退職給付引当金	1,000	現金預金	1,000

⑶ 年金掛金支払

退職給付引当金	2,000	現金預金	2,000

⑷ 期末における数理計算上の差異の償却

退職給付費用	300	退職給付引当金	300

※1　年金資産から生じた数理計算上の差異
実際運用収益1,400－期待運用収益900＝500（有利差異）
※2　退職給付債務から生じた数理計算上の差異
実際額56,000－見込額54,000＝2,000（不利差異）
※3　数理計算上の差異の当期発生額
不利差異2,000－有利差異500＝不利差異1,500（純額）
※4　数理計算上の差異の当期償却額
1,500÷5年＝300

(5)　決算整理後残高試算表

決算整理後残高試算表　（単位：円）

退職給付費用	4,400	退職給付引当金	21,400

(6)　退職給付費用の算定

退職給付費用

勤務費用 3,000	**期待運用収益** 900
利息費用 2,000	**退職給付費用** 4,400
数理計算上の差異（不利）償却額 300	

(7)　退職給付引当金の算定

退職給付引当金

退職一時金 1,000	**当期首残高** 20,000
年金拠出掛金 2,000	
当期末残高 21,400	**退職給付費用** 4,400

10
引当金

⑹　数理計算上の差異及び過去勤務費用の償却

◆例題◆

⑴　当期は×５年４月１日から×６年３月31日

⑵　決算整理前残高試算表

決算整理前残高試算表　　（単位：円）

仮払金	1,600	退職給付引当金	(各自計算)

⑶　退職金制度として退職一時金制度と企業年金制度を採用している。数理計算上の差異は発生年度の翌年から５年の定額法、過去勤務費用は発生年度から10年の定額法で償却している。決算整理前残高試算表の退職給付引当金は当期首の残高で、当期に支払った退職一時金及び拠出掛金は仮払金に計上されている。

①	期首退職給付債務	30,000円
②	期首年金資産の時価	20,000円
③	期首未認識数理計算上の差異	500円
④	期首未認識過去勤務費用	1,600円
⑤	当期勤務費用	1,500円
⑥	年金拠出掛金	900円
⑦	退職一時金	700円
⑧	割引率	年４％
⑨	長期期待運用収益率	年３％

⑷　期首未認識数理計算上の差異は、×５年３月期に年金資産の実際運用収益が期待運用収益を上回ったため発生したものである。

⑸　期首未認識過去勤務費用は、×３年４月に退職金規程を改訂し、退職給付額を引上げたことにより発生したものであり、前期末まで適正に償却済みである。

【解答・解説】

⑴　期首退職給付引当金の算定

当　期　首

年金資産の時価 **20,000**	**退職給付債務** **30,000**
未認識過去勤務費用（不利） **1,600**	
退職給付引当金 **(8,900)**	**未認識数理計算上の差異（有利）** **500**

※1　数理計算上の差異
　　実際運用収益が期待運用収益を上回った→有利差異

※2　過去勤務費用
　　退職給付額を引上げた→不利差異

(2)　仮払金の修正

退職給付引当金	1,600	仮払金	1,600

(3)　退職給付費用の計上

退職給付費用	2,200	退職給付引当金	2,200

勤務費用	1,500
利息費用	30,000×4％＝1,200
期待運用収益	20,000×3％＝600(△)
数理計算上の差異償却	500÷5年＝100(△)
過去勤務費用償却	1,600÷残存年数8年＝200
合計	2,200

(4)　決算整理後残高試算表

決算整理後残高試算表　(単位：円)

退職給付費用	2,200	退職給付引当金	9,500

(5)　退職給付費用の算定

退職給付費用

借方	貸方
勤務費用 1,500	期待運用収益 600
利息費用 1,200	数理計算上の差異（有利）償却額 100
過去勤務費用（不利）償却額 200	退職給付費用 2,200

(6)　退職給付引当金の算定

退職給付引当金

借方	貸方
年金拠出掛金 900	当期首残高 8,900
退職一時金 700	
当期末残高 9,500	退職給付費用 2,200

10 引当金

(7) 年金資産の積立超過

① 前払年金費用の算定

企業年金制度において、年金資産の額が退職給付債務に未認識数理計算上の差異及び未認識過去勤務費用を加減した額を超える場合には、**前払年金費用**として資産に計上する。

前払年金費用の算定

借方	貸方
年金資産の時価	退職給付債務
	未認識数理計算上の差異(有利)
未認識過去勤務費用(不利)	前払年金費用

② 企業年金制度の会計処理

退職一時金制度と企業年金制度を併用している場合、企業年金制度において積立超過となり前払年金費用が生じても、退職一時金制度における退職給付債務から控除することはできない。この場合、前払年金費用（企業年金制度）と退職給付引当金（退職一時金制度）が**両建計上**されることになる。積立超過が生じた場合の企業年金制度の会計処理は以下のように行う。

(a) 退職給付費用の計上（期首）

退職給付費用	×××	退職給付引当金	×××

(b) 年金資産への掛金拠出

退職給付引当金	×××	現金預金	×××

(c) 年金資産からの給付

仕訳なし

(d) 決算

<退職給付引当金が借方残高の場合>

前払年金費用	×××	退職給付引当金	×××

<退職給付引当金が貸方残高の場合>

退職給付引当金	×××	前払年金費用	×××

◆例題◆

(1)　当社は企業年金制度のみを採用している。期首における状況は次のとおり。
退職給付債務　10,700円
年金資産　12,000円
未認識数理計算上の差異　110円
前払年金費用　1,190円

(2)　勤務費用450円、割引率２％、年金資産の長期期待運用収益率２％。

(3)　未認識数理計算上の差異は、前期に実際運用収益が期待運用収益を上回ったことにより発生したものであり、発生年度の翌年度より10年間の定率法（償却率0.2）により費用処理する。

(4)　年金掛金拠出額800円。

【解答・解説】

(1)　退職給付費用の計上

退職給付費用	402	退職給付引当金	402

※１　勤務費用：450
※２　利息費用：10,700×２％＝214
※３　期待運用収益：12,000×２％＝240
※４　数理差異の償却：110×0.2＝22
※５　退職給付費用：450＋214－240－22＝402

(2)　年金掛金拠出額

退職給付引当金	800	現金預金	800

(3)　決算整理

前払年金費用	398	退職給付引当金	398

※　掛金拠出額800－退職給付費用402＝398

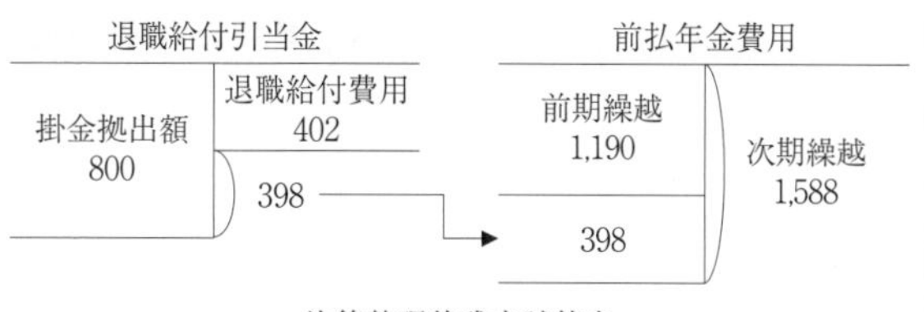

決算整理後残高試算表

前払年金費用	1,588	
退職給付費用	402	

(8) 小規模企業等における簡便法

① 意義

従業員が比較的少ない小規模企業等においては、簡便的に計算した退職給付債務により、退職給付引当金及び退職給付費用を計算することができる。

② 簡便法における退職給付債務の計算方法

簡便法における退職給付債務の計算方法はいくつかあるが、最も計算が簡便な方法は下記のとおりである。

(a) 退職一時金制度のみを採用している場合には、**期末自己都合要支給額を退職給付債務とする。**

(b) 企業年金制度のみを採用している場合には、**直近の年金財政計算上の数理債務を退職給付債務とする。**

(c) 退職一時金制度と企業年金制度を併用している場合には、**(a)と(b)の合計額を退職給付債務とする。**

③ 退職給付引当金の計算方法

次の算式により計算した額を退職給付引当金とする。

退職給付債務－年金資産＝退職給付引当金

④ 退職給付費用の計算方法

退職一時金制度と企業年金制度を併用している場合には、次の算式により計算した額を退職給付費用とする。

期末退職給付引当金－（期首退職給付引当金－退職一時金支給額－年金掛金拠出額）＝退職給付費用

⑤ 会計処理

(a) 退職一時金支給時及び年金掛金拠出時

退職給付引当金	×××	現金預金	×××

(b) 決算時

退職給付費用	×××	退職給付引当金	×××

◆**例題**◆

(1) 期首の金額

① 自己都合要支給額　15,000円

② 年金財政計算上の数理債務　10,000円

③ 年金資産の時価　8,000円

④ 退職給付引当金　17,000円

(2) 年金掛金拠出額　1,000円

(3) 退職一時金支給額　2,000円

(4) 企業年金からの支給額　500円

(5) 期末の金額

① 自己都合要支給額　16,000円

② 年金財政計算上の数理債務　11,000円

③ 年金資産の時価　9,000円

【解答・解説】

(1) 期首

仕訳なし			

(2) 年金掛金拠出時

退職給付引当金	1,000	現金預金	1,000

(3) 退職一時金支給時

退職給付引当金	2,000	現金預金	2,000

(4) 企業年金からの支給時

仕訳なし			

(5) 期末

退職給付費用	4,000	退職給付引当金	4,000

※1　期末退職給付引当金

要支給額16,000＋数理債務11,000－年金9,000＝18,000

※2　退職給付費用

期末18,000－(期首17,000－掛金1,000－一時金2,000)

＝4,000

10 引当金

学習度チェック

11　株式会社の純資産

重要度A ★★★

●学習のポイント●

1．募集株式の発行手続の会計処理をマスターする。
2．株主資本の計数の変動の会計処理をマスターする。
3．剰余金の配当の会計処理をマスターする。
4．自己株式の取得、処分及び消却の会計処理をマスターする。
5．新株予約権及び取締役の報酬に関する会計処理をマスターする。
6．分配可能額の算定をマスターする。

ポイント整理

1．貸借対照表の「純資産の部」

純　資　産　の　部

Ⅰ　株主資本		
1　資本金		×××
2　新株式申込証拠金		×××
3　資本剰余金		
(1)　資本準備金	×××	
(2)　その他資本剰余金	×××	
資本剰余金合計		×××
4　利益剰余金		
(1)　利益準備金	×××	
(2)　その他利益剰余金		
任意積立金	×××	
繰越利益剰余金	×××	
利益剰余金合計		×××
5　自己株式		△×××
6　自己株式申込証拠金		×××
株主資本合計		×××
Ⅱ　評価・換算差額等		
1　その他有価証券評価差額金		×××
2　繰延ヘッジ損益		×××
評価・換算差額等合計		×××
Ⅲ　株式引受権		×××
Ⅳ　新株予約権		×××
純資産合計		×××

2．資本金組入額及び資本準備金

(1) 原則

株式会社の資本金は、株式の発行に際して株主となる者から金銭による払込を受けた場合、**払込金額の総額を資本金として処理**する。

(2) 例外

払込金額の２分の１を超えない金額については、資本準備金として処理することができる。つまり、**払込金額の２分の１は最低資本金としなければならない**。

3．株式の募集

(1) 募集株式の発行

株式の発行と会社が保有する自己株式の処分とを総称して**募集株式の発行**という。会社は発行する株式又は処分する自己株式を引き受ける者の募集をするときは、その都度、募集株式について発行株式数、払込金額等の諸事項を定めなければならない。なお、募集株式とは、その募集に応じて株式の引受の申込をした者に対して割り当てる株式をいう。

(2) 新株発行の会計処理

① 申込日

申込に際して払い込まれた金額は別段預金と新株式申込証拠金で処理する。

別　段　預　金	×××	新株式申込証拠金	×××

② 割当日

割当日に、申込人のうち株式を割り当てる人を決定する。割り当てに漏れた申込人に対して申込証拠金を返金する。

新株式申込証拠金	×××	別　段　預　金	×××

③ 払込日

募集株式の発行では、申込人は**払込日から株主**になる。したがって、会社は払込日に資本金を計上する。また、別段預金を当座預金に振り替える。

新株式申込証拠金	×××	資　本　金	×××
		資本準備金	×××
当　座　預　金	×××	別　段　預　金	×××

◆例題◆

(1) 公募による募集株式の発行を行うこととし、下記の事項を決定した。申込日に60株の申込があり、各応募者から1株あたり100円を申込証拠金として受け取った。

① 発行株式数：普通株式50株

② 払込金額：1株あたり100円

③ 資本組入額：会社法に規定する最低額

(2) 株式の割当を行って、株式の引受人を確定した。割当もれの株式に対する申込証拠金を返金した。

(3) 払込日となった。

【解答・解説】

(1)	別段預金	6,000	新株式申込証拠金	6,000
(2)	新株式申込証拠金	1,000	別段預金	1,000
(3)	新株式申込証拠金	5,000	資本金	2,500
			資本準備金	2,500
	当座預金	5,000	別段預金	5,000

※1 申込日：@100×60株＝6,000

※2 割当日：@100×10株＝1,000

※3 払込日：@払込金額5,000÷2＝資本金2,500

4．株式分割

(1) 意義

株式分割とは、1株を複数に分割し発行済株式数を増加させる手続であり、既存の株主に対し分割割合に応じて株式が無償で交付される。

(2) 会計処理

株式分割は、発行済株式数が増加するものの純資産額には何ら変化はないため、**仕訳不要**である。

◆例題◆

当社は1株を3株とする株式分割を行う。株式分割前の発行済株式総数は100,000株である。

【解答】

(1) 会計処理

仕訳なし			

(2) 株式分割後の発行済株式総数

100,000株×3＝300,000株

5．払込資本の計数の変動

払込資本である、資本金、資本準備金及びその他資本剰余金は、それぞれ他の勘定に振り替えることができる。

(1) 資本金から資本準備金又はその他資本剰余金への振替

資本金	×××	資本準備金	×××
資本金	×××	その他資本剰余金	×××

(2) 資本準備金から資本金又はその他資本剰余金への振替

資本準備金	×××	資本金	×××
資本準備金	×××	その他資本剰余金	×××

(3) その他資本剰余金から資本金又は資本準備金への振替

その他資本剰余金	×××	資本金	×××
その他資本剰余金	×××	資本準備金	×××

◆例題◆

(1) 株主総会において決議されていた、資本準備金2,000円の取崩手続きが完了し、その他資本剰余金へ振り替えた。

(2) 株主総会において決議されていた、資本金10,000円及び資本準備金5,000円の減少、これに伴うその他資本剰余金の増加について、資本金及び資本準備金の減少の効力が発生した。

(3) 株主総会において、資本準備金7,000円及びその他資本剰余金3,000円の減少、これに伴う資本金の増加が決議され、直ちにその効力が発生した。

【解答・解説】

(1) 資本準備金からその他資本剰余金への振替

資本準備金	2,000	その他資本剰余金	2,000

(2) 資本金及び資本準備金からその他資本剰余金への振替

資本金	10,000	その他資本剰余金	15,000
資本準備金	5,000		

(3) 資本準備金及びその他資本剰余金から資本金への振替

資本準備金	7,000	資本金	10,000
その他資本剰余金	3,000		

6．留保利益の計数の変動

留保利益である、利益準備金、その他利益剰余金（任意積立金及び繰越利益剰余金）は、それぞれ他の勘定に振り替えることができる。

⑴　利益準備金から繰越利益剰余金への振替

利益準備金	×××	繰越利益剰余金	×××

⑵　繰越利益剰余金から利益準備金への振替

繰越利益剰余金	×××	利益準備金	×××

⑶　任意積立金の積立及び取崩

任意積立金とは、株主総会で決議された利益の社内留保額であり、配当平均積立金、新築積立金、別途積立金などがある。なお、圧縮積立金などの法令等の規定に基づく任意積立金の積立及び取崩は決算で行う。

①　積立時

繰越利益剰余金	×××	○○積立金	×××

②　取崩時

○○積立金	×××	繰越利益剰余金	×××

⑷　繰越利益剰余金の残高がマイナスの場合

繰越利益剰余金の残高がマイナス（借方残高）の場合は、その他資本剰余金で補てんすることができる。

その他資本剰余金	×××	繰越利益剰余金	×××

7．利益の資本組入

資本金を増加させる原資については、資本準備金及びその他資本剰余金に限らず、利益準備金及び繰越利益剰余金とすることができる。

⑴　利益準備金から資本金への振替

利益準備金	×××	資本金	×××

⑵　繰越利益剰余金から資本金への振替

繰越利益剰余金	×××	資本金	×××

◆例題◆

(1) 株主総会において決議されていた利益準備金3,000円の取崩手続きが完了し、繰越利益剰余金へ振り替えた。

(2) 定時株主総会を開催し、以下の事項が承認可決され、直ちに効力が発生した。

① 資本金10,000円及び資本準備金8,000円を減少し、その他資本剰余金に振り替える。

② 振り替えられたその他資本剰余金のうち15,000円を使用して、繰越利益剰余金のマイナス残高15,000円を解消しゼロとするとともに、その他資本剰余金の残額を使用して配当を実施する。

(3) 上記(2)①で計上したその他資本剰余金を取り崩して2,000円の配当を実施し、当座預金から支払った。なお、配当金の10分の１の資本準備金を積み立てた。

(4) 株主総会において、利益準備金4,000円及び繰越利益剰余金4,000円の減少、これに伴う資本金の増加が決議され、直ちにその効力が発生した。

【解答・解説】

(1) 利益準備金から繰越利益剰余金への振替

利益準備金	3,000	繰越利益剰余金	3,000

(2) 株主総会決議

① 資本金及び資本準備金の減少

資本金	10,000	その他資本剰余金	18,000
資本準備金	8,000		

② 繰越利益剰余金のマイナス残高の解消

その他資本剰余金	15,000	繰越利益剰余金	15,000

(3) 配当金支払

その他資本剰余金	2,000	当座預金	2,000
その他資本剰余金	200	資本準備金	200

(4) 利益の資本組入

利益準備金	4,000	資本金	8,000
繰越利益剰余金	4,000		

8．剰余金の配当と準備金の積立

株式会社は、株主総会等の決議により、株主に対して剰余金の配当を行うことができる。

剰余金の配当を行う場合には、配当効力発生日における準備金の額が資本金の4分の1に達するまで、配当金の10分の1を準備金として積み立てなければならない。したがって、次の①と②のいずれか少ない額が準備金積立額となる。

① 資本金の4分の1－準備金の額＝準備金積立限度額

② 配当金に10分の1を乗じた額

なお、財源がその他資本剰余金の場合には資本準備金を、その他利益剰余金の場合には利益準備金を積み立てる。また、その他資本剰余金の配当とその他利益剰余金の配当を同時に行う場合には、それぞれの配当割合を乗じて、資本準備金又は利益準備金の積立額を算定する。

(1) 配当金決議時

① その他資本剰余金の配当

その他資本剰余金	**×××**	**未払配当金**	**×××**
その他資本剰余金	**×××**	**資本準備金**	**×××**

② その他利益剰余金（繰越利益剰余金）の配当

繰越利益剰余金	**×××**	**未払配当金**	**×××**
繰越利益剰余金	**×××**	**利益準備金**	**×××**

(2) 配当金支払時

未払配当金	**×××**	**現金預金**	**×××**

◆例題◆

(1) ×5年3月31日の貸借対照表

貸借対照表 （単位：円）

		資本金	20,000
		資本準備金	3,000
		その他資本剰余金	4,000
		利益準備金	1,800
		別途積立金	8,000
		繰越利益剰余金	2,000

(2)　×5年6月30日の定時株主総会において、以下のとおり剰余金の処分をすることが決議された。なお、配当の効力発生日は×5年6月30日である。

① 別途積立金の取崩：2,000円
② その他資本剰余金からの配当：1,000円
③ 繰越利益剰余金からの配当：3,000円
④ 準備金の積立：会社法に規定する最低額

(3)　×5年7月1日に配当金4,000円を当座預金から支払った。

【解答・解説】

(1)　×5年6月30日（定時株主総会時）

① 別途積立金の取崩

借方科目	金額	貸方科目	金額
別途積立金	2,000	繰越利益剰余金	2,000

② その他資本剰余金からの配当

借方科目	金額	貸方科目	金額
その他資本剰余金	1,000	未払配当金	1,000
その他資本剰余金	50	資本準備金	50

③ 繰越利益剰余金からの配当

借方科目	金額	貸方科目	金額
繰越利益剰余金	3,000	未払配当金	3,000
繰越利益剰余金	150	利益準備金	150

※1　準備金の積立限度額

資本金20,000 $\times \frac{1}{4}-$（資準3,000＋利準1,800）＝200

※2　配当金の10分の1

$(1{,}000+3{,}000)\times\frac{1}{10}=400$

※3　準備金の積立額

※1と※2のいずれか少ない額　∴200

※4　資本準備金積立額

準備金の積立額200 $\times\frac{1{,}000}{1{,}000+3{,}000}=50$

※5　利益準備金積立額

準備金の積立額200 $\times\frac{3{,}000}{1{,}000+3{,}000}=150$

(2)　×5年7月1日（配当金支払時）

借方科目	金額	貸方科目	金額
未払配当金	4,000	当座預金	4,000

(3) **配当金を受取った株主側の処理**

① **配当財源がその他利益剰余金（繰越利益剰余金）の場合**

保有する有価証券について、その保有目的区分にかかわらず、収益として処理する。

現金預金	×××	受取配当金	×××

② **配当財源がその他資本剰余金の場合**

(a) **売買目的有価証券以外**

保有目的区分が売買目的有価証券以外の場合は、投資有価証券又は関係会社株式の帳簿価額を減額する。

＜その他有価証券の場合＞

現金預金	×××	投資有価証券	×××

＜子会社・関連会社株式の場合＞

現金預金	×××	関係会社株式	×××

(b) **売買目的有価証券**

保有目的区分が売買目的有価証券の場合は、収益として処理する。

現金預金	×××	受取配当金	×××

◆例題◆

当社はA社株式を保有しており、A社より、繰越利益剰余金の処分による配当1,000円とその他資本剰余金の処分による配当200円を受け取った。

(1) A社株式をその他有価証券として保有している場合。

(2) A社株式を売買目的有価証券として保有している場合。

【解答】

(1)	現金預金	1,200	受取配当金	1,000
			投資有価証券	200
(2)	現金預金	1,200	受取配当金	1,200

9．自己株式

(1) 取得

株主総会の決議によって、分配可能額の範囲内で、株主との合意により自己株式を取得することができる。

自己株式は、取得原価をもって自己株式勘定で処理する。

自己株式	×××	現金預金	×××

(2) 保有

① 期末評価

自己株式は時価評価を行わず、**取得原価で評価**する。

② 貸借対照表表示

期末に保有する自己株式は、取得原価をもって純資産の部の株主資本の末尾に控除する形式で表示する。

(3) 処分

① 募集株式の発行の手続による処分

自己株式は、取締役会決議をもって、募集株式の発行の手続により処分することができる。処分の対価と自己株式の帳簿価額との差額を自己株式処分差額という。自己株式処分差益は、その他資本剰余金に計上し、自己株式処分差損は、その他資本剰余金から減額する。

② 処分時の会計処理

(a) 自己株式処分差益が生じる場合

現金預金	×××	自己株式 その他資本剰余金	××× ×××

(b) 自己株式処分差損が生じる場合

現金預金 その他資本剰余金	××× ×××	自己株式	×××

◆例題◆

自己株式（帳簿価額3,000円）を募集株式の発行手続により処分した。

(1) 処分の対価が3,500円の場合。

(2) 処分の対価が2,800円の場合。

【解答】

(1)	現金預金	3,500	自己株式 その他資本剰余金	3,000 500
(2)	現金預金 その他資本剰余金	2,800 200	自己株式	3,000

⑷ 自己株式の処分と新株の発行を同時に行った場合

自己株式の処分と新株の発行を同時に行った場合、資本金及び資本準備金の増加限度額は、新株に対する払込金額から自己株式処分差損相当額を控除した金額とする。

① 自己株式処分差損が生じる場合

借方科目	金額	貸方科目	金額
現金預金	×××	自己株式	×××
		資本金	×××

② 自己株式処分差益が生じる場合

借方科目	金額	貸方科目	金額
現金預金	×××	自己株式	×××
		その他資本剰余金	×××
		資本金	×××

◆例題◆

(1) 株主総会で以下の事項が決議され、実行された。

① 募集株式の数 100株（うち新株の発行は90株、自己株式の処分は10株）

② 募集株式に関わる払込金額　2,000円

③ 処分する自己株式の帳簿価額　240円

④ 新株発行に対応する払込金額はすべて資本金とする

(2) 処分する自己株式の帳簿価額が150円の場合。

【解答・解説】

	借方科目	金額	貸方科目	金額
(1)	現金預金	2,000	自己株式	240
			資本金	1,760
(2)	現金預金	2,000	自己株式	150
			その他資本剰余金	50
			資本金	1,800

(1)の場合

① 新株発行の対価：払込金額2,000 $\times \frac{90株}{100株}$ = 1,800

② 自己株式処分の対価：払込金額2,000 $\times \frac{10株}{100株}$ = 200

③ 自己株式処分差損：帳簿価額240 − ② = 40

④ 資本金：① − ③ = 1,760

(2)の場合

① 新株発行の対価：1,800　全額資本金

② 自己株式処分の対価：200

③ 自己株式処分差益：② − 帳簿価額150 = 50

⑸ 消却

取締役会の決議等の会社の意思決定をもって、保有する自己株式を消却することができる。自己株式を消却した場合には、消却手続が完了したときに、自己株式の帳簿価額をその他資本剰余金から減額する。

その他資本剰余金	×××	自　己　株　式	×××

◆例題◆

自己株式（帳簿価額3,000円）を消却することが取締役会で決議され、消却手続が完了した。

【解答】

その他資本剰余金	3,000	自　己　株　式	3,000

⑹ その他資本剰余金の残高が負の値になった場合

処分、消却の会計処理の結果、その他資本剰余金の残高が負の値（借方残高）になった場合には、決算において、その他資本剰余金をゼロとし、当該負の値を繰越利益剰余金から減額する。

繰越利益剰余金	×××	その他資本剰余金	×××

◆例題◆

⑴　自己株式（帳簿価額4,000円）を消却した。なお、この時点におけるその他資本剰余金は1,000円の貸方残高である。

⑵　上記⑴で生じたその他資本剰余金の負の値について、決算において、繰越利益剰余金で補てんする。なお、補てん直前の繰越利益剰余金は20,000円の貸方残高である。

【解答・解説】

⑴　自己株式の消却

その他資本剰余金	4,000	自　己　株　式	4,000

⑵　その他資本剰余金の負の値の補てん

繰越利益剰余金	3,000	その他資本剰余金	3,000

※　その他資本剰余金の負の値

貸方残高1,000－消却4,000＝△3,000（借方残高）

(7) 取得、処分、消却に係る付随費用

自己株式の取得、処分及び消却に関する付随費用は、損益計算書の営業外費用に計上する。

① 取得

自己株式の取得に係る付随費用は、自己株式の取得原価に含めず、支払手数料として費用処理する。

自己株式	×××	現金預金	×××
支払手数料	×××		

② 処分

自己株式の処分に係る付随費用は、原則として、支出時に株式交付費として費用処理する。

現金預金	×××	自己株式	×××
		その他資本剰余金	×××
株式交付費	×××	現金預金	×××

③ 消却

自己株式の消却に係る付随費用は、支払手数料として費用処理する。

その他資本剰余金	×××	自己株式	×××
支払手数料	×××	現金預金	×××

◆例題◆

(1) 自己株式を5,000円で取得し、代金は購入手数料100円とともに現金で支払った。

(2) 自己株式（帳簿価額2,000円）を3,000円で処分し、代金は現金で受け取った。なお、処分費用200円は別途現金で支払った。

【解答・解説】

(1) 自己株式の取得

自己株式	5,000	現金	5,100
支払手数料	100		

(2) 自己株式の処分

現金	3,000	自己株式	2,000
		その他資本剰余金	1,000
株式交付費	200	現金	200

10. 新株予約権

(1) 意義

新株予約権とは、これを有する者（新株予約権者）が会社に対してこれを行使したときに、会社が新株予約権者に対し新株を発行し、又はこれに代えて会社の有する自己株式を交付する義務を負うものをいう。

(2) 権利行使に伴う交付株式数及び払込金額の算定

新株予約権者が会社に対して権利を行使したときに、会社が新株予約権者に対し交付する株式数及び権利行使に伴う払込金額は次のように計算する。

① 交付株式数

交付株式数＝1個あたりの交付株式数×権利行使を受けた個数

② 払込金額

払込金額＝交付株式数×権利行使価額

(3) 会計処理

① 発行時

新株予約権は、その発行に伴う払込金額をもって、純資産の部に「新株予約権」として計上する。

現金預金	×××	新株予約権	×××

② 権利行使時の会計処理

(a) 新株を発行する場合

新株発行の対価は、当該新株予約権の発行に伴う払込金額と新株予約権の行使に伴う払込金額の合計額とし、資本金又は資本金及び資本準備金に振り替える。

現金預金	×××	資本金	×××
新株予約権	×××	資本準備金	×××

(b) 自己株式を処分する場合

自己株式の処分の対価は、当該新株予約権の発行に伴う払込金額と新株予約権の行使に伴う払込金額との合計額とする。

現金預金	×××	自己株式	×××
新株予約権	×××	その他資本剰余金	×××

(c)　新株の発行と自己株式の処分を併用する場合

自己株式の処分と新株の発行を同時に行った場合、資本金及び資本準備金の増加限度額は、「自己株式の処分と新株の発行を同時に行った場合」に準じて行う。

③　権利行使期間満了時

新株予約権が行使されずに権利行使期間が満了し、当該新株予約権が失効したときは、当該失効に対応する額を失効が確定した事業年度の特別利益として処理する。

新株予約権	×××	新株予約権戻入益	×××

◆例題◆

(1)　以下の条件で新株予約権を発行した。

①　発行数：10個（新株予約権1個につき5株割当）

②　払込金額：新株予約権1個につき50円

③　権利行使に伴う払込金額：1株につき150円

④　資本金組入額：会社法に規定する最低額

⑤　権利行使期間：3年

(2)　新株予約権のうち5個が行使され新株を発行した。

(3)　新株予約権のうち3個が行使され自己株式（帳簿価額2,000円）を処分した。

(4)　権利行使期間が満了し、新株予約権のうち2個を消却した。

【解答・解説】

(1)	現金預金	500	新株予約権	500
(2)	現金預金	3,750	資本金	2,000
	新株予約権	250	資本準備金	2,000
(3)	現金預金	2,250	自己株式	2,000
	新株予約権	150	その他資本剰余金	400
(4)	新株予約権	100	新株予約権戻入益	100

(1)　払込金額：10個×@50＝500

(2)　①　権利行使に伴う払込金額：5個×5株×@150＝3,750

②　新株予約権：5個×@50＝250

③　資本組入額：(3,750＋250)÷2＝2,000

(3)　①　権利行使に伴う払込金額：3個×5株×@150＝2,250

②　新株予約権：3個×@50＝150

③　自己株式処分差益：(2,250＋150)－帳簿価額2,000＝400

(4)　未行使の新株予約権：2個×50＝100

(4) 取得者側の会計処理

① 取得時

新株予約権は取得原価をもって、その保有目的に応じ売買目的有価証券又はその他有価証券に区分する。

(a) 売買目的有価証券として保有した場合

有価証券	×××	現金預金	×××

(b) その他有価証券として保有した場合

投資有価証券	×××	現金預金	×××

② 権利行使時

新株予約権を行使し、株式を取得したときは、当該新株予約権の保有目的区分に応じて、売買目的有価証券の場合には権利行使時の時価で、その他有価証券の場合には帳簿価額で株式に振り替える。

(a) 新株予約権を売買目的有価証券として保有し、取得した株式を売買目的有価証券とした場合

有価証券	×××	現金預金	×××
		有価証券	×××
		有価証券評価損益	×××

(b) 新株予約権をその他有価証券として保有し、取得した株式をその他有価証券とした場合

投資有価証券	×××	現金預金	×××
		投資有価証券	×××

③ 権利行使期間満了時

新株予約権を行使せずに権利行使期間が満了し、当該新株予約権が失効したときは、当該新株予約権の帳簿価額を当期の損失として処理する。新株予約権をその他有価証券として保有していた場合は以下のように処理する。

新株予約権未行使損	×××	投資有価証券	×××

◆例題◆

(1) ×1年4月1日に以下の条件で発行された新株予約権2個を取得した。

① 発行数：10個（新株予約権1個につき5株割当）

② 払込価額：1個につき50円

③　権利行使に伴う払込金額：1株につき150円

④　資本金組入額：会社法に規定する最低額

⑤　権利行使期間：3年

(2)　×2年3月31日（決算日）における新株予約権の時価は1個につき60円であった。

(3)　×2年4月1日（期首）

(4)　×2年6月1日に新株予約権2個を行使し、当該行使により取得した株式はその他有価証券とした。当日の新株予約権の時価は70円であった。

【解答・解説】

(1)　新株予約権を売買目的有価証券（洗替方式）として保有した場合

	借方		貸方	
(1)	有価証券	100	現金預金	100
(2)	有価証券	20	有価証券評価損益	20
(3)	有価証券評価損益	20	有価証券	20
(4)	投資有価証券	1,640	現金預金	1,500
			有価証券	100
			有価証券評価損益	40

※　権利行使時

①　権利行使に伴う払込金額：2個×5株×@150＝1,500

②　新株予約権の時価：2個×@70＝140

③　株式の取得原価：①＋②＝1,640

④　有価証券評価損益：時価140－簿価100＝40

(2)　新株予約権をその他有価証券（全部純資産直入法、実効税率30％）として保有した場合

	借方		貸方	
(1)	投資有価証券	100	現金預金	100
(2)	投資有価証券	20	繰延税金負債	6
			その他有価証券評価差額金	14
(3)	繰延税金負債	6	投資有価証券	20
	その他有価証券評価差額金	14		
(4)	投資有価証券	1,600	現金預金	1,500
			投資有価証券	100

※　権利行使時

①　権利行使時の払込金額：2個×5株×@150＝1,500

②　新株予約権の簿価：100

③　株式の取得原価：①＋②＝1,600

11. ストック・オプション

⑴ 意義

ストック・オプションとは、自社株式オプションのうち、企業がその従業員等に報酬として付与するものをいう。一般的なストック・オプションの仕組みは以下のとおりである。

① 従業員等に対して新株予約権を無償で付与する。
② 権利行使期間内に従業員等は権利を行使する。
③ 会社は権利行使を受け、新株又は自己株式を交付する。

⑵ 権利確定条件

権利確定条件としては、勤務条件が一般的である。勤務条件とは、従業員等の一定期間の勤務に基づく条件をいう。

⑶ 権利確定日以前の会計処理

① ストック・オプション付与時

仕訳なし			

② 決算時・権利確定時

ストック・オプションを付与し、これに応じて企業が従業員等から取得するサービスは、その取得に応じて**株式報酬費用**として費用計上し、対応する金額を貸借対照表の純資産の部に**新株予約権**として計上する。

株式報酬費用	×××	新株予約権	×××

③ 費用計上額

各事業年度における費用計上額は、ストック・オプションの公正な評価額のうち、対象勤務期間を基礎とする方法に基づき当期に発生したと認められる額である。ストック・オプションの公正な評価額は、公正な評価単価にストック・オプション数（付与数）から失効見込数を控除した数を乗じて算定する。

$$\text{費用計上額}=\text{公正な評価単価}\times(\text{付与数}-\text{失効見込数})\times\frac{\text{対象勤務期間のうち当期末までの月数}}{\text{対象勤務期間}}-\text{既計上額}$$

（注１）公正な評価単価は、付与日現在で算定し、基本的にその後は見直さない。
（注２）対象勤務期間とは、ストック・オプション付与日から権利確定日までの期間をいう。
（注３）権利確定日には、ストック・オプション数を権利の確定したストック・オプション数と一致させる。

(4) 権利確定日後の会計処理

① ストック・オプションの権利行使

(a) 新株を発行した場合

現金預金	×××	資本金	×××
新株予約権	×××	資本準備金	×××

(b) 自己株式を処分した場合

現金預金	×××	自己株式	×××
新株予約権	×××	その他資本剰余金	×××

② 権利不行使による失効が生じた場合

新株予約権	×××	新株予約権戻入益	×××

◆例題◆

(1) 当社（決算日は3月末日）は、×1年6月開催の株主総会において、従業員55名に対し、以下の条件のストック・オプション（新株予約権）を付与することを決議し、×1年7月1日に付与した。

① ストック・オプションの数：従業員1名あたり1個（1個につき5株割当）

② ストック・オプションの行使により与えられる株式の数：合計275株

③ 権利確定条件：×1年7月1日から×3年6月30日まで在籍すること

④ 権利確定日：×3年6月30日

⑤ 権利行使時の払込金額：1株あたり80円

⑥ 権利行使期間：×3年7月1日～×5年6月30日

⑦ 付与日におけるストック・オプションの公正な評価単価：1個につき40円

⑧ 付与時点において×3年6月30日までに7名の退職による失効を見込んでいる。

⑨ 新株を発行する場合の資本組入額：会社法に規定する最低額

(2) ×2年3月31日（決算日)。当期に2名が退職した。なお、将来の失効見込に修正はない。

(3) ×3年3月31日（決算日)。当期に2名が退職した。なお、将来の累積失効見込を6名に修正した。

(4) ×3年6月30日（権利確定日)。×3年4月1日から×3年6月30日までに1名が退職した。この結果、×3年6

月30日までに実際に退職したのは5名であった。

(5) ×4年10月1日。新株予約権のうち40個が行使され、新株を発行した。

(6) ×5年6月30日。未行使の新株予約権は10個である。

【解答・解説】

(1) ×1年7月1日（付与日）

仕　訳　な　し			

(2) ×2年3月31日（決算日）

株式報酬費用	720	新株予約権	720

※　$@40\times1個\times(55名-7名)\times\frac{9月}{24月}=720$

(3) ×3年3月31日（決算日）

株式報酬費用	995	新株予約権	995

※　$@40\times1個\times(55名-6名)\times\frac{21月}{24月}-720=995$

(4) ×3年6月30日（権利確定日）

株式報酬費用	285	新株予約権	285

※　$@40\times1個\times(55名-5名)\times\frac{24月}{24月}-(720+995)=285$

(5) ×4年10月1日（権利行使日）

現金預金	16,000	資本金	8,800
新株予約権	1,600	資本準備金	8,800

※1　払込金額：$40個\times5株\times@80=16,000$

※2　新株予約権：$(720+995+285)\times\frac{40個}{50個}=1,600$

※3　資本金：$(16,000+1,600)\times\frac{1}{2}=8,800$

(6) ×5年6月30日

新株予約権	400	新株予約権戻入益	400

※　$(720+995+285)\times\frac{10個}{50個}=400$

12. 取締役への株式の無償交付

上場会社は、取締役への報酬等として自社の株式を無償で交付することができる。交付方法には**事前交付型**と**事後交付型**がある。なお、報酬費用はストック・オプションと同様に算定する。

(1)　事前交付型

対象勤務期間の開始直後に譲渡制限付株式を交付し、条件が達成された場合には譲渡制限が解除されるが、条件が達成されない場合には企業が無償で株式を没収する方式をいう。

①　新株を発行する場合

(a)　株式交付時

仕　訳　な　し			

(b)　決算時及び権利確定時

＜費用が計上される場合＞

報　酬　費　用	×××	資　本　金	×××
		資 本 準 備 金	×××

＜過年度に計上した費用を戻入れる場合＞

その他資本剰余金	×××	報　酬　費　用	×××

(c)　没収時

仕　訳　な　し			

②　自己株式を処分する場合

(a)　株式交付時

その他資本剰余金	×××	自　己　株　式	×××

(b)　決算時及び権利確定時

＜費用が計上される場合＞

報　酬　費　用	×××	その他資本剰余金	×××

＜過年度に計上した費用を戻入れる場合＞

その他資本剰余金	×××	報　酬　費　用	×××

(c)　没収時

自　己　株　式	×××	その他資本剰余金	×××

◆例題◆

(1)　×3年6月の株主総会において、取締役10名に対して報酬として株式を無償交付することを決議し、×3年7月1日に株式を割当てた。条件等は、次のとおりである。

①　割当てる株数は、取締役1名あたり50株である。

②　新株を発行する場合、増加資本は全額資本金とする。

③　交付する自己株式の帳簿価額は150円/株である。

④　対象勤務期間は、×3年7月1日から×5年6月30日であり、×5年7月1日に解除される譲渡制限を付した。

⑤ ×3年7月1日における株式の公正な評価単価は、200円/株である。

⑥ 付与時点において、×5年6月30日までに1名の退任による失効を見込んでいる。

(2) ×4年3月31日（決算日）。1名が退任し、株式50株を没収した。なお、失効見込に変更はない。

(3) ×5年3月31日（決算日）。1名が退任し（累計2名）、株式50株を没収した。なお、失効見込を2名に変更した。

(4) ×5年6月30日（権利確定日）。2名が自己都合により退任し（累計4名）、株式100株を没収した。

【解答・解説】

1 新株を発行する場合

(1) ×3年7月1日

仕訳なし			

(2) ×4年3月31日

① 報酬費用の計上

報酬費用	33,750	資本金	33,750

※ $@200 \times 50株 \times (10名 - 1名) \times \frac{9月}{24月} = 33,750$

② 没収

仕訳なし			

(3) ×5年3月31日

① 報酬費用の計上

報酬費用	36,250	資本金	36,250

※ $@200 \times 50株 \times (10名 - 2名) \times \frac{21月}{24月} - 33,750 = 36,250$

② 没収

仕訳なし			

(4) ×5年6月30日

① 報酬費用の戻入

その他資本剰余金	10,000	報酬費用	10,000

※ $@200 \times 50株 \times (10名 - 4名) - (33,750 + 36,250) = \triangle 10,000$

② 没収

仕訳なし			

2 自己株式を処分する場合

(1) ×3年7月1日

その他資本剰余金	75,000	自　己　株　式	75,000

※ @150×50株×10名＝75,000

(2) ×4年3月31日

① 報酬費用の計上

報　酬　費　用	33,750	その他資本剰余金	33,750

※ @200×50株×(10名－1名)×$\frac{9月}{24月}$＝33,750

② 没収

自　己　株　式	7,500	その他資本剰余金	7,500

※ @150×50株＝7,500

(3) ×5年3月31日

① 報酬費用の計上

報　酬　費　用	36,250	その他資本剰余金	36,250

※ @200×50株×(10名－2名)×$\frac{21月}{24月}$－33,750＝36,250

② 没収

自　己　株　式	7,500	その他資本剰余金	7,500

※ @150×50株＝7,500

(4) ×5年6月30日

① 報酬費用の戻入

その他資本剰余金	10,000	報　酬　費　用	10,000

※ @200×50株×(10名－4名)－(33,750＋36,250)＝△10,000

② 没収

自　己　株　式	15,000	その他資本剰余金	15,000

※ @150×100株＝15,000

(2) 事後交付型

ストック・オプションと同様に、条件が達成された場合に株式の交付が行われる方式である。

① 付与日

仕　訳　な　し			

② 決算時及び権利確定時

(a) 費用が計上される場合

報　酬　費　用	×××	株式引受権	×××

(b) 過年度に計上した費用を戻入れる場合

株式引受権	×××	報酬費用	×××

③ **株式交付時**

(a) 新株を発行する場合

株式引受権	×××	資本金	×××
		資本準備金	×××

(b) 自己株式を処分する場合

株式引受権	×××	自己株式	×××
		その他資本剰余金	×××

◆例題◆

(1) ×3年6月の株主総会において、取締役10名に対して報酬として株式を無償交付することを決議し、×3年7月1日に取締役と契約を締結した。条件等は、次のとおりである。

① 割当てる株数は、取締役1名あたり50株である。

② 権利確定条件は、×3年7月1日から×5年6月30日の間、取締役として業務を行うこと。

③ ×3年7月1日における株式の公正な評価単価は、200円/株であった。

④ 付与時点において、×5年6月30日までに1名の退任による失効を見込んでいる。

(2) ×4年3月31日（決算日）。1名が退任した。×5年6月30日までの失効見込に変更はない。

(3) ×5年3月31日（決算日）。1名が退任した（累計2名）。×5年6月30日までの失効見込を2名に変更した。

(4) ×5年6月30日（権利確定日）。2名が退任した（累計4名）。

(5) ×5年7月1日。権利確定した株式について、新株を発行した。なお、増加資本はすべて資本金とする。

【解答・解説】

(1) ×3年7月1日

仕訳なし			

(2) ×4年3月31日

報酬費用	33,750	株式引受権	33,750

※ $@200 \times 50株 \times (10名 - 1名) \times \frac{9月}{24月} = 33{,}750$

(3) ×5年3月31日

報酬費用	36,250	株式引受権	36,250

※ $@200 \times 50株 \times (10名 - 2名) \times \frac{21月}{24月} - 33{,}750 = 36{,}250$

(4)　×5年6月30日

株式引受権	10,000	報酬費用	10,000

※　@200×50株×(10名－4名)－(33,750＋36,250)＝△10,000

(5)　×5年7月1日

株式引受権	60,000	資本金	60,000

※　@200×50株×6名＝60,000

13. 分配可能額の算定

(1)　意義

株主に対する配当及び自己株式の有償取得を合わせて剰余金の配当等とし、統一的に財源規制をかけている。

(2)　分配可能額の算定方法

分配可能額の算定は以下の手順で行う。

①　決算日の剰余金の額（その他資本剰余金＋任意積立金＋繰越利益剰余金）を算定する。

②　決算日から配当の効力発生日までの剰余金の変動を加減し、効力発生日の剰余金の額を算定する。

③　効力発生日の剰余金の額から以下の(a)～(d)の金額を控除する。

(a)　効力発生日の自己株式の帳簿価額

(b)　決算日から配当の効力発生日までに自己株式を処分した場合の処分対価

(c)　決算日のその他有価証券評価差額金及び土地再評価差額金のマイナス残高（評価差損）

(d)　のれん等調整額

(3)　のれん等調整額の算定方法

①　のれんの2分の1＋繰延資産＜資本金＋資本準備金＋利益準備金の場合

→控除額ゼロ

②　のれんの2分の1＋繰延資産＞資本金＋資本準備金＋利益準備金の場合

→次の(a)と(b)のいずれか少ない額を控除

(a)　のれんの2分の1＋繰延資産－(資本金＋資本準備金＋利益準備金)

(b)　繰延資産＋その他資本剰余金

※　のれん、繰延資産、資本金、資本準備金、利益準備金、その他資本剰余金は決算日の金額である。

◆例題◆

(1)　決算日（×５年３月31日）の貸借対照表

貸　借　対　照　表　　（単位：千円）

の　れ　ん	90,000	資　本　金	50,000
繰延資産	35,000	資本準備金	16,000
		その他資本剰余金	30,000
		利益準備金	3,000
		別途積立金	40,000
		繰越利益剰余金	20,000
		自己株式	△2,000
		その他有価証券評価差額金	△3,000

(2)　決算日から配当の効力発生日（×５年６月25日）までの取引

①　自己株式の追加取得3,000千円

②　自己株式（帳簿価額1,500千円）の2,000千円での処分

【解答・解説】

(1)　決算日の剰余金の額

そ資30,000＋別積40,000＋繰利20,000＝90,000

(2)　効力発生日の剰余金の額

90,000＋そ資（自己株式処分差益）500＝90,500

(3)　分配可能額

効力発生日の剰余金の額	90,500
効力発生日の自己株式の帳簿価額	△ 3,500
自己株式の処分対価	△ 2,000
その他有価証券評価差額	△ 3,000
のれん等調整額	△11,000
分配可能額	71,000

※１　自己株式の帳簿価額　2,000＋3,000－1,500＝3,500

※２　のれん等調整額

①　のれ90,000×$\frac{1}{2}$＋繰資35,000＝80,000＞資本50,000＋資準16,000＋利準3,000＝69,000

②　のれ90,000×$\frac{1}{2}$＋繰資35,000－（資本50,000＋資準16,000＋利準3,000）＝11,000

③　繰資35,000＋そ資30,000＝65,000

④　②と③のいずれか少ない額→11,000

学習度チェック

12 社　　債

重要度B ★★

●学習のポイント●

1．普通社債に関する会計処理をマスターする。
2．普通社債の定時分割償還の会計処理をマスターする。
3．普通社債の買入消却の会計処理をマスターする。
4．新株予約権付社債に関する会計処理をマスターする。

ポイント整理

1．普通社債

(1) 普通社債

普通社債とは、長期資金を調達するために、不特定多数の投資家に対して発行する通常の社債をいい、一定の利息の支払と償還期限における元本の償還が約定されている。

(2) 普通社債の発行形態

社債の発行には、次の3つの形態がある。

① 平価発行：社債金額と等しい価額で発行
② 割引発行：社債金額より低い価額で発行
③ 打歩発行：社債金額より高い価額で発行

(3) 償却原価法

① **意義**

社債は、債務額（社債金額）をもって貸借対照表価額とする。ただし、債務額よりも低い価額または高い価額で発行した場合等、払込金額と債務額とが異なる場合には、**償却原価法に基づいて算定された価額をもって、貸借対照表価額としなければならない**。

償却原価法とは、社債を債務額と異なる金額で計上した場合において、当該差額に相当する金額を償還日に至るまで毎期一定の方法で社債の帳簿価額に加減する方法である。この場合、当該加減額は社債利息に含めて処理する。償却原価法には利息法と定額法があるが、**原則として利息法**による。

② **利息法による償却額の計算方法**

利息法とは、社債の帳簿価額に対し実効利子率を乗じた金額を、各期の利息配分額として計上し、これとクーポン利息支払額との差額（償却額）を社債の帳簿価額に加減する方法である。利息法の場合、**償却額の計上はクーポン利息支払時に行われる**。なお、償却額の算定は次のように行う。

(a) **社債の帳簿価額×実効利子率＝利息配分額**
(b) **社債金額×クーポン利子率＝利息支払額**
(c) **(a)－(b)＝償却額**

③ **定額法による償却額の計算方法**

定額法とは、社債の発行差額を、発行日から償還日までの期間に配分し、当該配分額を社債の帳簿価額に加減する方法である。定額法の場合、**償却額の計上は決算時に決算整理仕訳として行われる**。なお、償却額の算定は次のように行う。

(a) 割引発行の場合

$$(\text{社債金額}-\text{払込金額})\times\frac{\text{当期月数}}{\text{発行から償還までの月数}}=\text{償却額}$$

(b) 打歩発行の場合

$$(\text{払込金額}-\text{社債金額})\times\frac{\text{当期月数}}{\text{発行から償還までの月数}}=\text{償却額}$$

2．満期償還

(1) 発行時

払込金額をもって、社債勘定に計上する。

現　金　預　金	×××	社　　　　債	×××

(2) 利払時

社債のクーポン利息を支払ったときは、社債利息勘定で処理する。なお、クーポン利息の計算は次のように行う。

社債金額×クーポン利子率＝利息支払額

社　債　利　息	×××	現　金　預　金	×××

(3) 償却原価法の適用

償却原価法を適用した場合、償却額の計上は、利息法の場合はクーポン利息の計上と同時に行い、定額法の場合には決算時に行う。

① **割引発行の場合**

社債利息	×××	社債	×××

② **打歩発行の場合**

社債	×××	社債利息	×××

(4) **決算時**

利払日と決算日が一致しない場合には、クーポン利息の見越計上を行う。

社債利息	×××	未払社債利息	×××

(5) **満期償還時**

社債を満期償還したときは、社債金額を社債権者に返済する。

社債	×××	現金預金	×××

◆例題◆

×1年4月1日に、次の条件で普通社債を発行した。決算日は毎年3月31日。計算過程で端数が生じた場合は、円未満を四捨五入する。

社債金額：10,000円
払込金額：9,580円
償還期限：3年
クーポン利子率：年2％
実効利子率：年3.5％
利払日：毎年3月31日
償却原価法を適用する。

【解答・解説】

(1) **利息法**

① ×1年4月1日（発行時）

現金預金	9,580	社債	9,580

② ×2年3月31日（利払時）

社債利息	335	現金預金	200
		社債	135

※1 利息配分額：帳簿価額9,580×実効利子率3.5％＝335

※2 クーポン利息：社債金額10,000×クーポン利子率2％＝200

※3 償却額：335－200＝135

③　×３年３月31日（利払時）

社債利息	340	現金預金 社債	200 140

※１　利息配分額：帳簿価額9,715×実効利子率3.5％＝340
※２　クーポン利息：社債金額10,000×クーポン利子率２％
＝200
※３　償却額：340－200＝140

④　×４年３月31日（利払時）

社債利息	345	現金預金 社債	200 145

※１　利息配分額：帳簿価額9,855×実効利子率3.5％＝345
※２　クーポン利息：社債金額10,000×クーポン利子率２％
＝200
※３　償却額：345－200＝145

⑤　×４年３月31日（償還時）

社債	10,000	現金預金	10,000

⑥　利息及び償却原価の計算表

年月日	利息配分額	クーポン利息	償却額	帳簿価額
×１年４／１	－	－	－	9,580
×２年３／31	335	200	135	9,715
×３年３／31	340	200	140	9,855
×４年３／31	345	200	145	10,000
合計	1,020	600	420	－

(2)　定額法

①　×１年４月１日（発行時）

現金預金	9,580	社債	9,580

②　×２年３月31日（利払時）

社債利息	200	現金預金	200

※　クーポン利息：社債金額10,000×クーポン利子率２％＝200

③　×２年３月31日（決算時）

社債利息	140	社債	140

※　償却額：（社債金額10,000－払込金額9,580）×$\frac{12月}{36月}$＝140

④ ×3年3月31日（利払時）

社債利息	200	現金預金	200

※ クーポン利息：社債金額10,000×クーポン利子率2％＝200

⑤ ×3年3月31日（決算時）

社債利息	140	社債	140

※ 償却額：(社債金額10,000－払込金額9,580)×$\frac{12月}{36月}$＝140

⑥ ×4年3月31日（利払時）

社債利息	200	現金預金	200

※ クーポン利息：社債金額10,000×クーポン利子率2％＝200

⑦ ×4年3月31日（償還時）

社債利息	140	社債	140
社債	10,000	現金預金	10,000

※ 償却額：(社債金額10,000－払込金額9,580)×$\frac{12月}{36月}$＝140

3．買入消却

(1) 意義

買入消却とは、買入償還ともいい、満期償還の予定で社債を発行した会社が、資金的な余裕が生じたこと等により、財務政策上自社の発行した社債を市場から買入れて消却する方法である。

(2) 会計処理

① 社債の減額

買入消却した社債の帳簿価額を減額する。なお、期中に消却する場合には、**期首から消却時までの償却額を計上し、消却時の帳簿価額を算定する**。

② 社債消却損益の算定

買入消却した社債の消却時の帳簿価額と買入価額との差額を**社債消却損益**（または**社債償還損益**）で処理する。

社債消却損益＝社債の帳簿価額－社債の買入価額

③ 経過利息の支払

買入消却日の直近の利払日の翌日から買入消却日までの期間のクーポン利息（経過利息）を支払う。

◆例題◆

×１年４月１日に、次の条件で普通社債を発行したが、×２年９月30日に社債金額4,000円について3,950円（裸相場）で買入消却した。決算日は毎年３月31日である。なお、円未満の端数は四捨五入する。

社債金額：10,000円
払込金額：9,580円
償還期限：３年
クーポン利子率：年２％
実効利子率：年3.5％
利払日：毎年３月31日
償却原価法を適用する。

【解答・解説】

(1) **利息法**

借方	金額	貸方	金額
社債	3,886	現金預金	3,990
社債利息	68		
社債消却損益	36		

※１　１年目の処理
利息配分額：帳簿価額9,580×実効利子率3.5％＝335
クーポン利息：社債金額10,000×クーポン利子率２％
＝200
償却額：335－200＝135
社債の期末帳簿価額：9,580＋償却額135＝9,715

※２　買入消却社債の×２年４月１日の帳簿価額
$9,715 \times \frac{4,000円}{10,000円} = 3,886$

※３　利息配分額（×２年４月１日から×２年９月30日）
帳簿価額3,886×実行利子率3.5％×$\frac{6月}{12月}$＝68

※４　経過利息（×２年４月１日から×２年９月30日）
社債金額4,000×クーポン利子率２％×$\frac{6月}{12月}$＝40

※５　支払総額
買入価額3,950＋経過利息40＝3,990

※６　消却損益：差額

(2) **定額法**

借方	金額	貸方	金額
社債	3,888	現金預金	3,990
社債利息	68		
社債消却損益	34		

※１　１年目の処理
償却額：（社債金額10,000－払込金額9,580）×$\frac{12月}{36月}$＝140
社債の期末帳簿価額：9,580＋償却額140＝9,720

※2　買入消却社債の×2年4月1日の帳簿価額

$9,720 \times \frac{4,000円}{10,000円} = 3,888$

※3　償却額（×2年4月1日から×2年9月30日分）

$(社債金額4,000 - 帳簿価額3,888) \times \frac{6月}{36月 - 12月} = 28$

※4　経過利息

$社債金額4,000 \times クーポン利子率2\% \times \frac{6月}{12月} = 40$

※5　社債利息計上額

償却額28＋経過利息40＝68

※6　支払総額

買入価額3,950＋経過利息40＝3,990

※7　消却損益：差額

4．定時償還条項付社債

(1)　意義

定時償還条項付社債とは、満期日に至るまで一定期間ごとに分割して償還する方法である。

(2)　定時分割償還における償却原価法

定時分割償還における償却原価法には、利息法と定額法がある。

①　利息法による償却額の計算方法

(a)　社債の帳簿価額×実効利子率＝利息配分額
(b)　社債金額×クーポン利子率＝利息支払額
(c)　(a)−(b)＝償却額

②　定額法による償却額の計算方法

定時分割償還では一定期間ごとに分割して償還するため、社債の残高が一定期間ごとに減少する。そこで、社債の残高が減少する割合に応じて償却する。つまり、級数法的に償却する。

$$(社債金額 - 払込金額) \times \frac{当期項数}{総項数} = 償却額$$

◆例題◆

×1年4月1日に、次の条件で普通社債を発行した。決算日は毎年3月31日。なお、円未満の端数は四捨五入する。

社債金額：10,000円

払込金額：9,720円

償還期間：４年
償還方法：×２年３月31日から毎年３月末に2,500円ずつ
　　　　　分割償還する
クーポン利子率：年2.4%
実効利子率：年3.6%
利払日：毎年３月31日
償却原価法を適用する。

【解答・解説】

(1) 利息法

① ×１年４月１日（発行時）

現金預金	9,720	社債	9,720

② ×２年３月31日（利払時、償還時、決算時）

社債	2,390	現金預金	2,740
社債利息	350		

※１　利息配分額：帳簿価額9,720×実効利子率3.6%＝350
※２　クーポン利息：社債金額10,000×クーポン利子率2.4%
　　　＝240
※３　支払総額：社債2,500＋クーポン利息240＝2,740
※４　社債減少額：差額
※５　社債の期末帳簿価額：9,720－2,390＝7,330

③ ×３年３月31日（利払時、償還時、決算時）

社債	2,416	現金預金	2,680
社債利息	264		

※１　利息配分額：帳簿価額7,330×実効利子率3.6%＝264
※２　クーポン利息：社債金額7,500×クーポン利子率2.4%
　　　＝180
※３　支払総額：社債2,500＋クーポン利息180＝2,680
※４　社債減少額：差額
※５　社債の期末帳簿価額：7,330－2,416＝4,914

④ ×４年３月31日（利払時、償還時、決算時）

社債	2,443	現金預金	2,620
社債利息	177		

※１　利息配分額：帳簿価額4,914×実効利子率3.6%＝177
※２　クーポン利息：社債金額5,000×クーポン利子率2.4%
　　　＝120
※３　支払総額：社債2,500＋クーポン利息120＝2,620
※４　社債減少額：差額
※５　社債の期末帳簿価額：4,914－2,443＝2,471

⑤　×5年3月31日（利払時、償還時、決算時）

社　　　債	2,471	現　金　預　金	2,560
社　債　利　息	89		

※1　利息配分額：2,471×実効利子率3.6％＝89
※2　クーポン利息：社債金額2,500×クーポン利子率2.4％＝60
※3　支払総額：社債2,500＋クーポン利息60＝2,560
※4　社債減少額：期首帳簿価額2,471

(2)　定額法

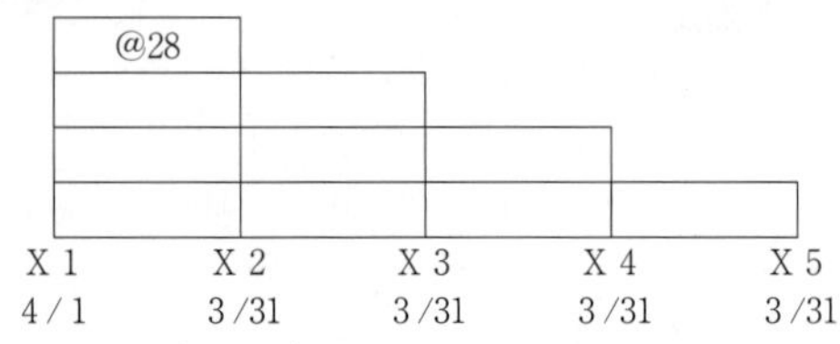

総項数：$\frac{4\times(4+1)}{2}=10$

1コマあたりの償却額：$(10{,}000-9{,}720)\times\frac{1}{10}=@28$

①　×1年4月1日（発行時）

現　金　預　金	9,720	社　　　債	9,720

②　×2年3月31日（利払時、償還時、決算時）

社　　　債	2,388	現　金　預　金	2,740
社　債　利　息	352		

※1　クーポン利息：社債金額10,000×クーポン利子率2.4％
＝240
※2　償却額：@28×4コマ＝112
※3　社債利息計上額：クーポン利息240＋償却額112＝352
※4　支払総額：社債2,500＋クーポン利息240＝2,740
※5　社債減少額：差額

③　×3年3月31日（利払時、償還時、決算時）

社　　　債	2,416	現　金　預　金	2,680
社　債　利　息	264		

※1　クーポン利息：社債金額7,500×クーポン利子率2.4％
＝180
※2　償却額：@28×3コマ＝84
※3　社債利息計上額：クーポン利息180＋償却額84＝264
※4　支払総額：社債2,500＋クーポン利息180＝2,680
※5　社債減少額：差額

④　×4年3月31日（利払時、償還時、決算時）

社　　　債	2,444	現　金　預　金	2,620
社　債　利　息	176		

※1　クーポン利息：社債金額5,000×クーポン利子率2.4%
=120
※2　償却額：@28×2コマ=56
※3　社債利息計上額：クーポン利息120+償却額56=176
※4　支払総額：社債2,500+クーポン利息120=2,620
※5　社債減少額：差額

⑤　×5年3月31日（利払時、償還時、決算時）

社　　　債	2,472	現　金　預　金	2,560
社　債　利　息	88		

※1　クーポン利息：社債金額2,500×クーポン利子率2.4%=60
※2　償却額：@28×1コマ=28
※3　社債利息計上額：クーポン利息60+償却額28=88
※4　支払総額：社債2,500+クーポン利息60=2,560
※5　社債減少額：差額

5．新株予約権付社債

⑴　意義

新株予約権付社債とは、新株予約権が付された社債である。

⑵　種類

①　転換社債型新株予約権付社債

転換社債型新株予約権付社債とは、募集事項において、下記の2つの要件をあらかじめ明確にしている新株予約権付社債で、会社法の規定に基づき発行されたものをいう。

(a)　社債と新株予約権がそれぞれ単独で存在し得ないこと
(b)　新株予約権が付された社債を当該新株予約権行使時における出資の目的とすること

②　転換社債型以外の新株予約権付社債

転換社債型以外の新株予約権付社債とは、転換社債型新株予約権付社債の要件を満たさない新株予約権付社債をいう。

⑶　会計処理

新株予約権付社債の会計処理には、区分法と一括法がある。新株予約権付社債の種類に応じて、以下のように適用する。

	発行者側	取得者側
転換社債型新株予約権付社債	区分法又は一括法	一括法
転換社債型以外の新株予約権付社債	区分法	区分法

(4) 一括法の会計処理

① 発行時

社債と新株予約権のそれぞれの払込金額を一括して、普通社債の発行に準じて処理する。

現　金　預　金	×××	社　　　　債	×××

② 権利行使時

(a) 新株を発行する場合

転換社債型新株予約権付社債の帳簿価額を、資本金又は資本金及び資本準備金に振り替える。

社　　　　債	×××	資　本　金	×××
		資本準備金	×××

(b) 自己株式を処分する場合

自己株式を処分する場合の自己株式処分差額の会計処理は、自己株式を募集株式の発行等の手続により処分する場合に準じて取り扱う。なお、自己株式処分差額を計算する際の自己株式の処分の対価については、転換社債型新株予約権付社債の帳簿価額とする。

社　　　　債	×××	自　己　株　式	×××
		その他資本剰余金	×××

(c) 新株発行と自己株式の処分を併用する場合

資本金及び資本準備金の増加限度額は、「自己株式の処分と新株の発行を同時に行った場合」に準じる。

③ 権利行使期間満了時

仕　訳　な　し			

④ 償還時

社　　　　債	×××	現　金　預　金	×××

◆例題◆

(1) 下記の条件で転換社債型新株予約権付社債を発行した。

① 社債金額：5,000円

② 払込金額：4,500円（新株予約権は無償）

③ 期間：×1年4月1日から×6年3月31日（5年間）

④ クーポン利子率：0％

⑤ 権利行使価額：1株あたり50円

⑥　権利行使に伴う払込金額：社債を出資するものとする
⑦　資本金組入額：会社法規定の最低額
⑧　償却原価法の適用：定額法

(2)　×２年３月31日。

(3)　×３年３月31日。

(4)　×３年４月１日に、上記転換社債型新株予約権付社債の80％について新株予約権の行使の請求があり、新株を発行した場合。

(5)　×３年４月１日に、上記転換社債型新株予約権付社債の80％について新株予約権の行使の請求があり、自己株式（帳簿価額3,000円）を処分した場合。

【解答・解説】

(1)	現金預金	4,500	社債	4,500
(2)	社債利息	100	社債	100
(3)	社債利息	100	社債	100
(4)	社債	3,760	資本金	1,880
			資本準備金	1,880
(5)	社債	3,760	自己株式	3,000
			その他資本剰余金	760

※１　償却額：（社債金額5,000－払込金額4,500）÷５年＝100

※２　社債の帳簿価額：（4,500＋100＋100）×80％＝3,760

(5)　区分法の会計処理

①　発行時

新株予約権付社債の発行に伴う払込金額を、社債の対価部分と新株予約権の対価部分に区分したうえで、社債の対価部分は、普通社債の発行に準じて処理し、新株予約権の対価部分は、新株予約権の発行者側の会計処理に準じて処理する。

現金預金	×××	社債	×××
		新株予約権	×××

②　権利行使時（権利行使価額を金銭で払い込む場合）

(a)　新株を発行する場合

新株予約権の行使に伴う払込金額（権利行使価額）と新株予約権の対価部分の合計額を、資本金又は資本金及び資本準備金に振り替える。

現金預金	×××	資本金	×××
新株予約権	×××	資本準備金	×××

(b) 自己株式を処分する場合

新株予約権の行使に伴う払込金額（権利行使価額）と新株予約権の対価部分の合計額を、自己株式の処分の対価とする。

現金預金	×××	自己株式	×××
新株予約権	×××	その他資本剰余金	×××

③ 権利行使時（権利行使価額を社債で払い込む場合）

(a) 新株を発行する場合

社債の対価部分（帳簿価額）と新株予約権の対価部分の合計額を、資本金又は資本金及び資本準備金に振り替える。

社債	×××	資本金	×××
新株予約権	×××	資本準備金	×××

(b) 自己株式を処分する場合

社債の対価部分（帳簿価額）と新株予約権の対価部分の合計額を、自己株式の処分の対価とする。

社債	×××	自己株式	×××
新株予約権	×××	その他資本剰余金	×××

④ 権利行使期間満了時

新株予約権が行使されずに権利行使期間が満了し、当該新株予約権が失効したときは、当該失効に対応する額を失効が確定した会計期間の特別利益として処理する。

新株予約権	×××	新株予約権戻入益	×××

⑤ 償還時

社債	×××	現金預金	×××

◆例題◆

(1) 下記の条件で新株予約権付社債を発行した。

① 社債金額：5,000円

② 払込金額：5,000円（うち社債部分は4,500円、新株予約権部分は500円）

③ 期間：×1年4月1日から×6年3月31日（5年間）

④ クーポン利子率：0％

⑤　権利行使に伴う払込金額：１株あたり50円
⑥　社債金額に対する新株予約権の付与割合：100%
⑦　資本金組入額：会社法規定の最低額
⑧　償却原価法の適用：定額法

(2)　×２年３月31日。
(3)　×３年３月31日。
(4)　×３年４月１日に、新株予約権の80%について権利行使があり、現金による払込を受け、新株を発行した場合。
(5)　×３年４月１日に、新株予約権の80%について権利行使があり、現金による払込を受け、自己株式（帳簿価額3,000円）を処分した場合。
(6)　×３年４月１日に、新株予約権の80%について権利行使があり、社債による払込を受け、新株を発行した場合。
(7)　×３年４月１日に、新株予約権の80%について権利行使があり、社債による払込を受け、自己株式（帳簿価額3,000円）を処分した場合。

【解答・解説】

	借方	金額	貸方	金額
(1)	現金預金	5,000	社債	4,500
			新株予約権	500
(2)	社債利息	100	社債	100
(3)	社債利息	100	社債	100
(4)	現金預金	4,000	資本金	2,200
	新株予約権	400	資本準備金	2,200
(5)	現金預金	4,000	自己株式	3,000
	新株予約権	400	その他資本剰余金	1,400
(6)	社債	3,760	資本金	2,080
	新株予約権	400	資本準備金	2,080
(7)	社債	3,760	自己株式	3,000
	新株予約権	400	その他資本剰余金	1,160

(2)及び(3)

※　償却額：(社債金額5,000－払込金額4,500)÷５年＝100

(4)及び(5)

※１　現金預金：社債金額5,000×80%＝4,000

※２　新株予約権：500×80%＝400

(6)及び(7)

※１　社債の帳簿価額：(4,500＋100＋100)×80%＝3,760

※２　新株予約権：500×80%＝400

(6) 取得者側の会計処理

① 一括法の会計処理

会社法による転換社債型新株予約権付社債の取得価額は、社債の対価部分と新株予約権の対価部分に区分せず、普通社債の取得に準じて処理し、権利を行使したときは株式に振り替える。

(a) 取得時

原則として、その他有価証券に区分する。

投資有価証券	×××	現金預金	×××

(b) 権利行使時

株式の保有目的に従って、売買目的有価証券又はその他有価証券に区分する。

有価証券	×××	投資有価証券	×××

(c) 権利行使期間満了時

仕訳なし			

② 区分法の会計処理

会社法に基づき発行された転換社債型以外の新株予約権付社債の取得価額は、社債の対価部分と新株予約権の対価部分に区分する。社債の対価部分は、普通社債の取得に準じて処理し、新株予約権の対価部分は、新株予約権の取得者側の会計処理に準じて処理する。

(a) 取得時

投資有価証券 投資有価証券	××× ×××	現金預金	×××

(b) 権利行使時

投資有価証券	×××	現金預金 投資有価証券	××× ×××

(c) 権利行使期間満了時

新株予約権未行使損	×××	投資有価証券	×××

◆例題◆

(1)　×1年4月1日に、下記の条件で発行された新株予約権付社債（転換社債型ではない）のうち、社債金額1,000円分を購入した。なお、社債の対価部分及び新株予約権の対価部分のいずれもその他有価証券に区分する。

①　社債金額：5,000円

②　払込金額：5,000円（うち社債の対価部分は4,500円、新株予約権の対価部分は500円）

③　期間：×1年4月1日から×6年3月31日（5年間）

④　クーポン利子率：0％

⑤　権利行使価額：1株あたり50円

⑥　社債金額に対する新株予約権の付与割合：100％

(2)　×1年10月31日に権利を行使し、払込金額1,000円を支払った。取得した株式は売買目的有価証券に区分する。

【解答】

(1)	投資有価証券 投資有価証券	900 100	現金預金	1,000
(2)	有価証券	1,100	現金預金 投資有価証券	1,000 100

学習度チェック

13　外貨建取引

重要度A ★★★

●学習のポイント●

1．外貨建取引の取引発生時、金銭債権・債務の決済時及び決算時における会計処理をマスターする。
2．外貨建有価証券の期末評価の考え方をマスターする。
3．外貨建金銭債権・債務について為替予約を付した場合の会計処理のパターンをマスターする。
4．外貨建転換社債型新株予約権付社債の会計処理をマスターする。
5．在外支店の財務諸表項目の換算方法をマスターする。

ポイント整理

1．外貨建取引

外貨建取引とは、取引価額が外国通貨で表示されている取引をいう。外貨建取引を会計帳簿に記録するにあたり、外貨で表示されている金額を円貨の金額に変更しなければならない。これを換算といい、次のように計算する。

円貨の金額＝外貨の金額×為替相場（レート）

現在、為替相場は変動相場制が採用されていることから、次の時点においてどの為替相場を適用するかが問題となる。

(1)　外貨建取引発生時
(2)　外貨建金銭債権・債務の決済時
(3)　決算時

2．取引発生時及び代金決済時

(1)　取引発生時

当該取引発生時の為替相場により換算する。

(2)　決済時

外貨建金銭債権・債務の決済による収入・支出は、**決済時の為替相場**により換算する。

なお、取引発生時と代金決済時の為替相場の差額は、為替差損益（為替差益または為替差損）として処理し、損益計算書の営業外収益または営業外費用の区分に純額で表示する。

(3) 略号

① ＨＲ（Historical Rate）：取引発生時レート
② ＣＲ（Current Rate）：決算時レート
③ ＡＲ（Average Rate）：期中平均レート
④ ＦＲ（Forward Rate）：予約レート
⑤ ＳＲ（Spot Rate）：直物レート
⑥ ＨＣ（Historical Cost）：外貨による取得原価
⑦ ＣＣ（Current Cost）：外貨による期末時価

◆例題◆

(1) 商品10ドルを輸出し代金は掛とした。輸出時の為替相場は１ドル130円である。
(2) 上記(1)の掛代金を現金で回収した。決済時の為替相場は１ドル140円である。

【解答・解説】

(1)	売掛金	1,300	売上	1,300
(2)	現金	1,400	売掛金	1,300
			為替差益	100

※１　売掛金・売上　10ドル×ＳＲ130＝1,300
※２　現金　10ドル×ＳＲ140＝1,400

◆例題◆

(1) 商品10ドルを輸入し代金は掛とした。輸入時の為替相場は１ドル120円である。
(2) 上記(1)の掛代金を現金で支払った。決済時の為替相場は１ドル130円である。

【解答・解説】

(1)	仕入	1,200	買掛金	1,200
(2)	買掛金	1,200	現金	1,300
	為替差損	100		

※１　仕入・買掛金　10ドル×ＳＲ120＝1,200
※２　現金　10ドル×ＳＲ130＝1,300

(4) 前渡金・前受金の処理

① 支払時（受取時）
前渡金・前受金 ──▸**支払時（受取時）の為替相場**

② 輸入時（輸出時）
前渡金（前受金）──▸**支払時（受取時）の為替相場**
買掛金（売掛金）──▸**輸入時（輸出時）の為替相場**

◆例題◆

(1)　2か月後に商品10ドルを売り渡す契約を結び、手付金として5ドルを現金で受け取った。契約時の為替相場は1ドル130円である。

(2)　上記(1)の契約に従い、商品を売り渡し、手付金を差し引いた残額は掛とした。輸出時の為替相場は1ドル120円である。

【解答・解説】

(1)	現金	650	前受金	650
(2)	前受金 売掛金	650 600	売上	1,250

※1　前受金　5ドル×SR130＝650

※2　売上　前受金650＋売掛金5ドル×SR120＝1,250

◆例題◆

(1)　商品10ドルを買い付ける契約を結び、内金として5ドルを現金で支払った。契約時の為替相場は1ドル120円である。

(2)　上記(1)の商品が到着し、内金を差し引いた残額は掛とした。輸入時の為替相場は1ドル130円である。

【解答・解説】

(1)	前渡金	600	現金	600
(2)	仕入	1,250	前渡金 買掛金	600 650

※1　前渡金　5ドル×SR120＝600

※2　仕入　前渡金600＋買掛金5ドル×SR130＝1,250

3．決算時の処理

(1)　換算替

外貨建資産・負債は、決算にあたって、帳簿価額を決算時の為替相場による円換算額に修正する場合がある。これを**換算替**という。なお、換算替によって生じた差額は、「為替差損益」として処理される。

(2)　換算替の対象となる項目

決算において換算替の対象となる外貨建資産・負債は、**外国通貨及び外貨建金銭債権・債務**である。

上記以外の外貨建資産・負債は、換算替の対象とはならない。したがって、固定資産、前渡金、前受金等については、取引発生時の為替相場による円換算額のままで据え置くことになる。

◆例題◆

1　決算整理前試算表　（単位：円）

売掛金	87,500	支払手形	64,200
前渡金	3,960	長期借入金	66,000

2　決算整理事項等

⑴　売掛金のうち12,500円は外貨建のもので、取引発生時のレート１ドル＝125円で換算したものである。

⑵　前渡金はすべて翌期に仕入れることになっている商品の手付金30ドルである。

⑶　支払手形のうち7,200円は外貨建のもので、手形振出日のレート１ドル＝120円で換算している。

⑷　長期借入金はすべて外貨建のもので、借入日のレート１ドル＝132円で換算したものである。この長期借入金の決済は、翌々期に行われる。なお、３か月分の利息について、見越処理を行う（利率：年６％）。

⑸　決算日のレートは１ドル＝130円である。

【解答・解説】

⑴

売掛金	500	為替差損益	500

①　外貨ベースの金額：12,500÷125＝100ドル

②　帳簿価額：12,500
　　ＣＲ換算額：100ドル×130＝13,000　＋500（修正）

⑵

仕訳なし			

※　前渡金は、金銭債権・債務には該当しないため、換算替は行わない。

⑶

為替差損益	600	支払手形	600

①　外貨ベースの金額：7,200÷120＝60ドル

②　帳簿価額：7,200
　　ＣＲ換算額：60ドル×130＝7,800　＋600（修正）

⑷

長期借入金	1,000	為替差損益	1,000
支払利息	975	未払利息	975

①　借入金の外貨ベースの金額：66,000÷132＝500ドル

②　帳簿価額：66,000
　　ＣＲ換算額：500ドル×130＝65,000　△1,000（修正）

③　見越額：500ドル×６％×$\frac{3月}{12月}$×130＝975

⑸　決算整理後試算表　（単位：円）

売掛金	88,000	支払手形	64,800
前渡金	3,960	長期借入金	65,000
支払利息	975	未払利息	975
		為替差損益	900

4．外貨建有価証券

(1) 売買目的有価証券

売買目的有価証券は、**外貨による時価を決算時の為替相場により換算した額で評価**し、評価差額は「有価証券評価損益」として処理する。

◆例題◆

(1)

決算整理前試算表　（単位：円）

有価証券	14,400		

(2) 有価証券は、期中においてＡ社株式（取得原価100ドル、取得時レート１ドル＝144円）を売買目的で取得した際に計上したものである。

(3) Ａ社株式の期末時価は120ドル、期末日レートは１ドル＝125円である。

【解答・解説】

(1) 決算整理

有価証券	※600	有価証券評価損益	600

※　円貨時価15,000（＝120ドル×ＣＲ125）－円貨取得原価14,400＝600

(2)

決算整理後試算表　（単位：円）

有価証券	15,000	有価証券評価損益	600

(2) 満期保有目的の債券

満期保有目的の債券は、**外貨による取得原価または外貨による償却原価を決算時の為替相場により換算した額で評価**し、評価差額（換算差額）は「為替差損益」として処理する。なお、償却原価法を適用する場合、償却額は外貨建償却額に期中平均相場を乗じて換算する。

◆例題◆

(1)

決算整理前試算表　（単位：円）

投資有価証券	32,400		

(2) 当社は、×１年４月１日にＡ社社債（償還期日：×４年３月31日）を満期保有の目的で取得した。額面金額と取得原価との差額は金利調整差額であることが認められる。なお、クーポン利息は考慮外とする。

銘柄	市場価格	額面金額	取得原価	期末簿価
Ａ社社債	あり	300ドル	270ドル	32,400円

(3) 償却原価法は、定額法により行う。
(4) 決算日の為替相場は1ドル＝130円、期中平均相場は1ドル＝125円である。

【解答・解説】

(1) 決算整理

① 金利調整差額の償却

投資有価証券	1,250	有価証券利息	1,250

(a) 外貨償却額：(300ドル－270ドル)×$\frac{12月}{36月}$＝10ドル

(b) 円貨償却額：10ドル×ＡＲ125＝1,250

② 期末換算

投資有価証券	2,750	為替差損益	2,750

(a) 外貨償却原価：ＨＣ270ドル＋外貨償却額10ドル＝280ドル

(b) 評価額：280ドル×ＣＲ130＝36,400

(c) 為替差損益：評価額36,400－(円貨取得原価32,400＋円貨償却額1,250)＝2,750

(2) 決算整理後試算表 (単位：円)

投資有価証券	36,400	有価証券利息	1,250
		為替差損益	2,750

(3) 子会社株式及び関連会社株式

子会社株式及び関連会社株式は、**外貨による取得原価を取得時の為替相場により換算した額で評価**する。

◆例題◆

(1) 決算整理前試算表 (単位：円)

関係会社株式	9,600		

(2) 関係会社株式は、期中においてＣ社株式（取得原価80ドル、取得時レート1ドル＝120円）を取得した際に計上したものである。
(3) Ｃ社株式の期末時価は70ドル、期末日レートは1ドル＝125円である。

【解答】

(1) 決算整理

仕訳なし			

(2) 決算整理後試算表 (単位：円)

関係会社株式	9,600		

(4) その他有価証券

① 市場価格のない株式等以外のもの

市場価格のない株式等以外のものは、**外貨による時価を決算時の為替相場により換算した額で評価**し、評価差額は税効果会計を適用したうえで「その他有価証券評価差額金」として処理する。

② 市場価格のない株式等

市場価格のない株式等は、**外貨による取得原価を決算時の為替相場により換算した額で評価**し、評価差額は税効果会計を適用したうえで「その他有価証券評価差額金」として処理する。

◆例題◆

(1) 決算整理前試算表 (単位：円)

投資有価証券 45,000	

(2) 期末に保有する有価証券は、以下のとおりであり、すべて「その他有価証券」の区分に分類している。

銘柄	市場価格	帳簿価額	取得原価	期末時価
A社株式	あり	18,000円	150ドル	160ドル
B社株式	なし	27,000円	200ドル	―

(3) 全部純資産直入法により処理を行う。

(4) 決算日の為替相場は1ドル＝130円である。

(5) その他有価証券評価差額金について税効果を認識する。なお、法定実効税率は30％である。

【解答・解説】

(1) 決算整理

① A社株式（評価差益）

投資有価証券	※1 2,800	繰延税金負債	※2 840
		その他有価証券評価差額金	※3 1,960

※1 円貨時価20,800（＝160ドル×CR130）－帳簿価額18,000＝2,800

※2 評価差額2,800×30％＝840

※3 差額

② B社株式（評価差損）

繰延税金資産	※2 300	投資有価証券	※1 1,000
その他有価証券評価差額金	※3 700		

※1 HC200ドル×CR130－帳簿価額27,000＝△1,000

※2 評価差額1,000×30％＝300

※3 差額

(2)

決算整理後試算表 (単位：円)

投資有価証券	46,800	繰延税金負債	840
繰延税金資産	300	その他有価証券評価差額金	1,260

(5) 減損処理

外貨建有価証券について、時価の著しい下落または実質価額の著しい低下により帳簿価額の切下げが求められる場合、当該外貨建有価証券は、**外貨による時価又は実質価額を決算時の為替相場により換算した額で評価**し、評価差額は「評価損」として処理する。なお、**時価（実価）の著しい下落（低下）は外貨ベースで判断する。**

◆例題◆

(1)

決算整理前試算表 (単位：円)

投資有価証券	12,000		

(2) 投資有価証券は、期中において取得したＤ社株式（取得原価100ドル、取得時レート１ドル120円）であり、「その他有価証券」の区分に分類している。

(3) Ｄ社株式の期末時価は40ドル、期末日レートは１ドル＝125円である。なお、この時価の下落幅は著しく、回復可能性もないと判断して、減損処理を行うこととした。

【解答・解説】

(1) 決算整理

投資有価証券評価損	7,000	投資有価証券	※7,000

※ 円貨時価5,000（＝40ドル×ＣＲ125）－円貨取得原価12,000 ＝△7,000

(2)

決算整理後試算表 (単位：円)

投資有価証券	5,000		
投資有価証券評価損	7,000		

◆例題◆

(1) 決算整理前試算表 (単位：円)

関係会社株式 33,600	

(2) 関係会社株式は、期中においてＥ社株式（取得原価280ドル、取得時レート１ドル＝120円、市場価格なし）を取得した際に計上したものである。

(3) 期末におけるＥ社の財政状態は次のとおりであり、１株あたりの純資産額は著しく低下していると認められる。なお、当社はＥ社発行済株式100株のうち40株を所有している。

貸借対照表 (単位：ドル)

借方	金額	貸方	金額
諸資産	840	諸負債	500
		純資産	340
	840		840

(4) 期末日の為替相場は１ドル＝125円である。

【解答・解説】

(1) 決算整理

借方	金額	貸方	金額
関係会社株式評価損	16,600	関係会社株式	16,600

① 実質価額：$\frac{340ドル}{100株}$ ×40株＝136ドル

② 円貨実質価額17,000（＝136ドル×ＣＲ125）－取得原価33,600
＝△16,600

(2) 決算整理後試算表 (単位：円)

関係会社株式 17,000	
関係会社株式評価損 16,600	

5．為替予約

(1) ヘッジ目的の為替予約

ヘッジ目的の為替予約とは、外貨建金銭債権・債務について、為替変動から生じる影響を中和化すること（為替変動リスクのヘッジ）を目的として締結する為替予約をいう。

(2) 会計処理方法

ヘッジ目的の為替予約の会計処理方法には、**独立処理と振当処理**の２つがある。

① 独立処理（原則）

独立処理とは、ヘッジ対象物である外貨建金銭債権・債務とヘッジ手段である為替予約を**それぞれ独立した取引と捉え**て会計処理を行う方法である。結局、外貨建金銭債権・

債務については、為替予約が付されない場合と同じ処理となる。

② **振当処理（特例）**

振当処理とは、ヘッジ手段である為替予約をヘッジ対象物である外貨建金銭債権・債務に振り当て、**両者を一体の取引と捉え**て会計処理を行う方法である。為替予約により確定する将来の円貨キャッシュ・フローにより外貨建取引及び外貨建金銭債権・債務を換算し、直物為替相場との差額は期間配分することとなる。

(3) **独立処理**

独立処理では、決算時にヘッジ対象物である外貨建金銭債権・債務を決算時の直物為替相場により換算替し、換算差額を「為替差損益」として処理する。一方、ヘッジ手段である為替予約を、時価によって評価し、評価差額を「為替差損益」として処理する。

◆例題◆

(1) 当社（３月決算）は、×１年１月31日に原材料10ドルのドル建輸入取引を行った。当該輸入取引は掛で行われ、買掛金の決済日は×１年５月31日である。

(2) ×１年２月28日に、上記(1)の輸入取引によって生じた買掛金の決済金額の増加をヘッジする目的で、×１年５月31日を決済期日とする為替予約10ドルを行った。

(3) ×１年５月31日に買掛金及び為替予約が決済された。

(4) 直物レート及び×１年５月31日を決済日とする予約レートは、次のとおりである。

日付	直物レート	予約レート
×１年１月31日(取引日)	130円	127円
×１年２月28日(予約日)	134円	128円
×１年３月31日(決算日)	137円	135円
×１年５月31日(決済日)	145円	－

【解答・解説】

(1) ×１年１月31日（取引日）

仕入	1,300	買掛金	※1,300

※ 10ドル×ＳＲ130＝1,300

(2) ×１年２月28日（予約日）

仕訳なし			

(3)　×1年3月31日（決算日）

①　買掛金の換算替

為替差損益	70	買掛金	※ 70

※　10ドル×(決算日ＳＲ137－取引日ＳＲ130)＝70

②　為替予約の時価評価

為替予約	※ 70	為替差損益	70

※　10ドル×(決算日ＦＲ135－予約日ＦＲ128)＝70

(4)　×1年5月31日（決済日）

①　買掛金の決済

買掛金 為替差損益	1,370 80	現金預金	※ 1,450

※　10ドル×ＳＲ145＝1,450

②　為替予約の決済

現金預金	※ 170	為替予約 為替差損益	70 100

※　10ドル×(ＳＲ145－予約日ＦＲ128)＝170

(4)　振当処理

①　為替予約締結時

(a)　外貨建金銭債権・債務について、取引発生時の直物為替相場による円換算額と予約レートによる円換算額との差額を認識する。

(b)　上記(a)の差額を次の２つの内容に分解する。

ⓐ　直々差額

取引発生時の直物為替相場による円換算額と為替予約締結時の直物為替相場による円換算額との差額

ⓑ　直先差額

為替予約締結時の直物為替相場による円換算額と予約レートによる円換算額との差額

(c)　直々差額は、為替予約締結時までに生じている為替相場の変動による差額であるため、「為替差損益」として処理する。

(d)　直先差額は、予約日の属する期から決済日の属する期までの期間にわたって合理的な方法により配分する。したがって、為替予約締結時においては「経過勘定項目」で処理する。

②　決算時

直先差額のうち当期の負担に属する金額を「為替差損益」として処理する。なお、直先差額は、償却原価法に準じて利息法又は定額法により配分され、**利息に加減処理するこ**

ともできる。

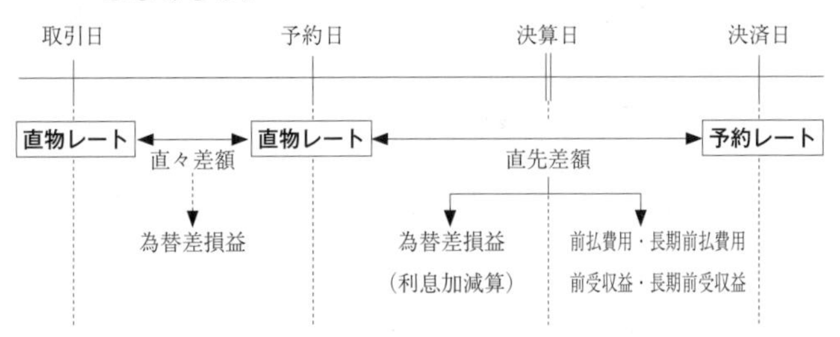

◆例題◆

(1) 当社（3月決算）は、×1年1月31日に原材料10ドルのドル建輸入取引を行った。当該輸入取引は掛で行われ、買掛金の決済日は×1年5月31日である。

(2) ×1年2月28日に、上記(1)の輸入取引によって生じた買掛金の決済金額の増加をヘッジする目的で、×1年5月31日を決済期日とする為替予約10ドルを行った。

(3) ×1年5月31日に買掛金及び為替予約が決済された。

(4) 直物レート及び×1年5月31日を決済日とする予約レートは、次のとおりである。

日付	直物レート	予約レート
×1年1月31日(取引日)	130円	127円
×1年2月28日(予約日)	134円	128円
×1年3月31日(決算日)	137円	135円
×1年5月31日(決済日)	145円	－

【解答・解説】

(1) ×1年1月31日（取引日）

仕入	1,300	買掛金	※ 1,300

※ 10ドル×ＳＲ130＝1,300

(2) ×1年2月28日（予約日）

① 直々差額

為替差損益	40	買掛金	※ 40

※ 10ドル×(予約日ＳＲ134－取引日ＳＲ130)＝40

② 直先差額

買掛金	※ 60	前受収益	60

※ 10ドル×(予約日ＳＲ134－予約日ＦＲ128)＝60

(3) ×1年3月31日（決算日）

前受収益	20	為替差損益	※ 20

※ 直先差額60×$\frac{1月}{3月}$＝20

(4)　×1年5月31日（決済日）

買　掛　金	1,280	現　金　預　金	※1 1,280
前　受　収　益	40	為　替　差　損　益	※2　40

※1　10ドル×ＦＲ128＝1,280

※2　直先差額60×$\frac{2月}{3月}$＝40

(5)　為替予約の状況

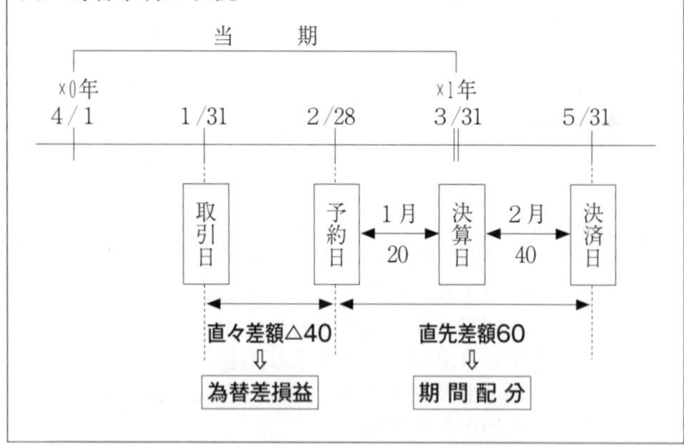

(5)　振当処理（直先差額を利息に加減する場合）

◆例題◆

(1)　当期は×1年4月1日から×2年3月31日。

(2)

決算整理前試算表　（単位：千円）

	短　期　借　入　金	39,000

(3)　決算整理事項

短期借入金39,000千円（返済日は×2年4月30日。利率年6％、利息は返済日に一括後払い）は、×2年2月1日に調達したドル建のインパクトローン300千ドルを同日の為替相場により換算したものである。

この短期借入金については、借入と同時に元利総額について為替予約（予約レートは1ドル＝129円）を行ったが、予約に関する処理は行われていない。

【解答・解説】

(1)　為替予約に係る修正（直先差額の認識）

短　期　借　入　金	※300	前　受　収　益	300

※　帳簿価額（発生時レートによる円換算額）：39,000 ─┐△300

予約レートによる円換算額：300千ドル×ＦＲ129＝38,700

(2) 直先差額のうち当期負担分を支払利息に加減

前受収益	200	支払利息	※ 200

※ $300 \times \frac{2月}{3月} = 200$

(3) 支払利息の見越

支払利息	387	未払費用	※ 387

※ $300千ドル \times 6\% \times \frac{2月}{12月} \times FR129 = 387$

(4) 決算整理後試算表 (単位：千円)

支払利息	187	短期借入金	38,700
		前受収益	100
		未払費用	387

(6) 振当処理（非資金取引について取引発生時に為替予約した場合）

非資金取引について取引発生時に為替予約を締結した場合、実務上の煩雑性を考慮して、外貨建取引及び外貨建金銭債権・債務に予約レートによる円換算額を付すことができる。

◆例題◆

(1) ×1年12月1日　商品100ドルを輸出し、代金は掛とした（代金の決済は6か月後）。この掛代金については輸出と同時に1ドル＝130円で為替予約を付した。当日の直物レートは1ドル＝135円。

(2) ×2年3月31日　決算日となる。当日の直物レートは1ドル＝131円。

(3) ×2年5月31日　(1)の掛代金を現金で受け取った。当日の直物レートは1ドル＝125円。

【解答・解説】

(1) ×1年12月1日（取引発生日・為替予約締結日）

売掛金	※13,000	売上	13,000

※ 100ドル×FR130＝13,000

(2) ×2年3月31日（決算日）

仕訳なし			

(3) ×2年5月31日（決済日）

現金預金	13,000	売掛金	13,000

6．外貨建転換社債型新株予約権付社債

外貨建転換社債型新株予約権付社債について、発行時に一括法を採用している場合の円換算の処理は次のように行う。

(1) 発行時

発行時の円貨への換算は、発行時の為替相場による。

現金預金	×××	社債	×××

(2) 決算時

決算時の円貨への換算は、決算時の為替相場による。これによって生じた換算差額は、当期の為替差損益とする。

① 為替差益が生じる場合

社債	×××	為替差損益	×××

② 為替差損が生じる場合

為替差損益	×××	社債	×××

(3) 新株予約権行使時

新株予約権行使時に資本金又は資本金及び資本準備金に振り替える額の円貨への換算は、当該権利行使時の為替相場による。また、権利行使時の換算によって生じた換算差額は当該権利行使時の属する会計期間の為替差損益とする。

① 為替差益が生じる場合

社債	×××	資本金	×××
		為替差損益	×××

② 為替差損が生じる場合

社債	×××	資本金	×××
為替差損益	×××		

(4) 交付株式数の算定

新株予約権の行使により交付される株式数は、次の算式により算定する。

社債の額面金額×固定レート÷転換価額＝交付株式数

◆例題◆

(1) A社（決算日は3月末日）は、×1年4月1日に、以下の外貨建転換社債型新株予約権付社債を発行した。

① 発行額面総額：500千ドル（平価発行）

② 期間：×1年4月1日から×4年3月31日
③ 利率：0％
④ 一括法により処理する。
⑤ 新株予約権の行使に際して出資をなすべき1株当たりの転換価額は60千円とする。なお、新株予約権の行使により交付される株式数は、社債の額面金額を1ドル＝120円の固定レートで換算した金額を転換価額で除した数とする。新株の発行時に出資された金額は、すべて資本金とする。

(2) ×2年3月31日。決算日となった。
(3) ×2年10月1日。100千ドル分の新株予約権の行使請求があり、新株を発行した。

《為替レート》
×1年4月1日　1ドル＝130円
×2年3月31日　1ドル＝125円
×2年10月1日　1ドル＝135円

【解答・解説】

(1) ×1年4月1日

現金預金	65,000	社債	65,000

※ 500千ドル×ＳＲ130＝65,000

(2) ×2年3月31日

社債	2,500	為替差損益	2,500

※ 500千ドル×ＣＲ125－65,000＝△2,500

(3) ×2年10月1日

社債	12,500	資本金	13,500
為替差損益	1,000		

※1 社債　100千ドル×ＣＲ125＝12,500
※2 資本金　100千ドル×ＳＲ135＝13,500
※3 為替差損益　差額
※4 交付株式数　100千ドル×固定120÷60千円＝200株

7．在外支店の財務諸表項目の換算

在外支店では通常、外貨で記帳を行っている。そこで、本店では、在外支店の資産・負債・収益・費用及び本店勘定を、外貨建取引等会計処理基準に基づき円換算することになる。

⑴ 在外支店の主要な勘定の換算レート

決算整理後試算表

借方科目	換算レート	貸方科目	換算レート
現金	CR	金銭債務	CR
金銭債権	CR	その他の負債	HR
その他の資産	HR	本店勘定	HR
固定資産	HR		
減価償却費	HR	収益	HR（AR）
その他の費用	HR（AR）		

⑵ 換算の手順

① 決算整理後残高試算表におけるすべての項目を、各換算レートに従って円換算する。ただし、本店勘定については、個々の本支店間取引について取引発生時のレートで円換算した金額（＝本店における支店勘定の金額）を付す。

② ①の円換算後の決算整理後残高試算表において、為替差損益を貸借差額で算定する。

◆例題◆

次の資料により、在外支店の円貨額による貸借対照表と損益計算書を完成させなさい。

決算整理後残高試算表　（単位：ドル）

借方		貸方	
現金預金	10	前受金	10
売掛金	20	本店	60
繰越商品	10	売上	100
備品	40		
本店仕入	60		
営業費	20		
減価償却費	10		
	170		170

(1) 商品の評価は先入先出法によっている。

① 期首商品は20ドルであり、すべて前期の10月1日（当日の直物レートは1ドル120円）に取得したものである。

② 本店仕入高は50ドルであり、当期の2月1日（当日の直物レートは1ドル140円）に取得したものである。

③ 期末商品棚卸高は10ドルである。

(2) 本店における支店勘定の残高は7,800円である。
(3) 上記以外で換算に必要な1ドルあたりの為替相場は、次のとおりである。なお、売上及び営業費の円換算は、期中平均レートを用いる。

備品購入時	140円	前受金受取時	120円
期中平均	135円	当期末	130円

【解答・解説】

支店貸借対照表 (単位：円)

現金預金	1,300	前受金	1,200
売掛金	2,600	本店	7,800
商品	1,400	当期純利益	1,900
備品	5,600		
	10,900		10,900

支店損益計算書 (単位：円)

期首商品	2,400	売上	13,500
本店仕入	7,000	期末商品	1,400
営業費	2,700	為替差益	500
減価償却費	1,400		
当期純利益	1,900		
	15,400		15,400

借方科目	ドル	換算レート	円	貸方科目	ドル	換算レート	円
現金預金	10	130	1,300	前受金	10	120	1,200
売掛金	20	130	2,600	本店	60	＊1	7,800
繰越商品	10	140	1,400	売上	100	135	13,500
備品	40	140	5,600	為替差益	(貸借差額)		500
本店仕入	60	＊2	8,000				
営業費	20	135	2,700				
減価償却費	10	140	1,400				
合計	170	–	23,000	合計	170	–	23,000

＊1 本店における支店勘定の残高 7,800

＊2 売上原価の算定

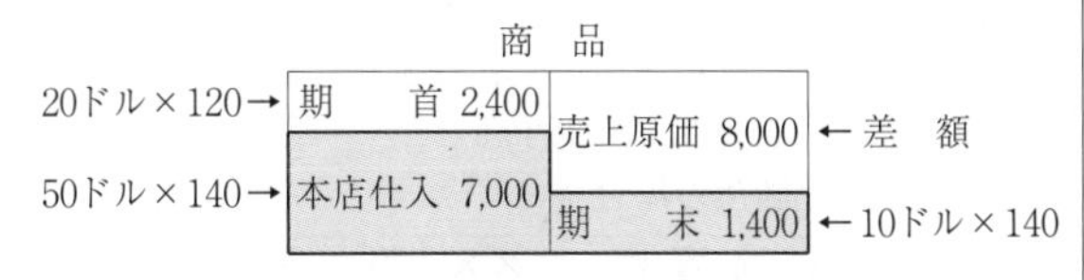

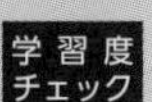

14　ヘッジ会計

重要度B
★★

●学習のポイント●

1．予定取引に係る為替予約の処理をマスターする。
2．金利スワップの処理をマスターする。

ポイント整理

1．予定取引に係る為替予約

⑴　予定取引

予定取引とは、取引は成立していないが、主要な取引条件が合理的に予測可能であり、かつ、それが実行される可能性が極めて高い取引をいう。このような予定取引にはヘッジ会計を適用することができる。

⑵　ヘッジ会計

ヘッジ会計とは、ヘッジ目的の為替予約のうち一定の要件を満たすものについて、ヘッジ対象に係る損益とヘッジ手段に係る損益を同一の事業年度に認識し、ヘッジの効果を会計に反映させるための会計処理をいう。

⑶　会計処理方法

予定取引に係るヘッジ会計では、**繰延ヘッジ**（原則）と**振当処理**（例外）の２つの会計処理方法がある。

⑷　繰延ヘッジ（原則）

①　意義

繰延ヘッジとは、時価評価されているヘッジ手段に係る損益（繰延ヘッジ損益）を、ヘッジ対象に係る損益が認識されるまで純資産の部において繰延べる方法である。

②　決算時における会計処理

繰延ヘッジ損益を純資産の部に計上するにあたっては、税効果会計が適用され、繰延税金資産又は繰延税金負債を控除した金額で計上する。

(a)　評価損の場合

借方	金額	貸方	金額
繰延税金資産	×××	為替予約	×××
繰延ヘッジ損益	×××		

(b) 評価益の場合

為替予約	×××	繰延税金負債 繰延ヘッジ損益	××× ×××

③ **予定取引実行時における繰延ヘッジ損益の会計処理**

繰延べられた繰延ヘッジ損益は、予定取引の実行時において次のように処理する。

(a) 予定取引が売上や利息など損益が直ちに発生するものであれば、繰延ヘッジ損益はこれらのヘッジ対象の損益科目（売上、支払利息など）として処理する。

(b) 予定取引が商品や有形固定資産であれば、繰延ヘッジ損益はこれらの資産の取得原価に加減する。

(5) 振当処理（例外）

① **意義**

予定取引を振当処理で行う場合は、実務上の煩雑さを考慮し、簡便的な処理を行うことができる。

② **決算時における会計処理**

予定取引の場合、振当の対象となる外貨建金銭債権債務は存在しないため、為替予約を振当てることはできない。しかし、為替予約をオフバランスにすれば為替予約が財務諸表に反映されないことになってしまうため、決算日に時価評価し、繰延ヘッジ損益を純資産の部において繰延べる。なお、時価評価した為替予約については、翌期首に洗替処理を行い、一時的な時価評価の処理を終えることとなる。

(a) 評価損の場合

繰延税金資産 繰延ヘッジ損益	××× ×××	為替予約	×××

(b) 評価益の場合

為替予約	×××	繰延税金負債 繰延ヘッジ損益	××× ×××

③ **予定取引実行時における会計処理**

予定取引の実行時において、外貨建取引を予約レートにより換算する簡便的な処理を行う。

◆例題◆

(1)　×1年3月1日（予約日）

×1年4月30日に予定されている商品50ドルの輸入取引について、為替リスクをヘッジする目的で、決済予定日である×1年5月31日を決済期日とする50ドルの為替予約（買予約）を行った。なお、当該輸入取引は実行される可能性が極めて高く、ヘッジ会計の要件も満たしている。

(2)　×1年3月31日（決算日）

(3)　×1年4月1日（期首）

(4)　×1年4月30日（取引日）

商品50ドルを掛により仕入れた。

(5)　×1年5月31日（決済日）

買掛金と為替予約を決済した。

(6)　為替レートは次のとおりである。

年　月　日	直物レート	先物レート
×1年3月1日(予約日)	134円	130円
×1年3月31日(決算日)	137円	135円
×1年4月30日(取引日)	140円	138円
×1年5月31日(決済日)	145円	−

(7)　繰延ヘッジ損益には税効果会計を適用する。法定実効税率は30%である。

【解答・解説】

1．繰延ヘッジ（原則）による処理

(1)　×1年3月1日（予約日）

仕　訳　な　し			

(2)　×1年3月31日（決算日）

為　替　予　約	250	繰延税金負債	75
		繰延ヘッジ損益	175

※　50ドル×(決算日ＦＲ135－予約日ＦＲ130)＝250

(3)　×1年4月1日（期首）

仕　訳　な　し			

(4)　×1年4月30日（取引日）

①　仕入取引

仕　　　入	7,000	買　　掛　　金	7,000

※　50ドル×ＳＲ140＝7,000

② 為替予約の時価評価（決算日から取引日まで）

為替予約	150	繰延税金負債 繰延ヘッジ損益	45 105

※ 50ドル×(取引日FR138－決算日FR135)＝150

③ 繰延ヘッジ損益（累計）を仕入に加減

繰延税金負債 繰延ヘッジ損益	120 280	仕入	400

※1 繰延税金負債：75＋45＝120

※2 繰延ヘッジ損益：175＋105＝280

(5) ×1年5月31日（決済日）

① 買掛金の決済

買掛金 為替差損益	7,000 250	現金預金	7,250

※ 現金預金：50ドル×SR145＝7,250

② 為替予約の決済

現金預金	750	為替予約 為替差損益	400 350

※ 現金預金：50ドル×(SR145－予約日FR130)＝750

2．振当処理（例外）による処理

(1) ×1年3月1日（予約日）

仕訳なし			

(2) ×1年3月31日（決算日）

為替予約	250	繰延税金負債 繰延ヘッジ損益	75 175

※ 50ドル×(決算日FR135－予約日FR130)＝250

(3) ×1年4月1日（期首）

繰延税金負債 繰延ヘッジ損益	75 175	為替予約	250

(4) ×1年4月30日（取引日）

仕入	6,500	買掛金	6,500

※ 50ドル×予約日FR130＝6,500

(5) ×1年5月31日（決済日）

買掛金	6,500	現金預金	6,500

2．金利スワップ

金利スワップとは、同一通貨間で異なる金利を交換する取引をいう。最も一般的なのは固定金利と変動金利の交換である。金利スワップでは、想定元本で取引され、実際に動かすのは交換する金利の金額（純額）だけである。金利スワップの会計処理には、**繰延ヘッジ**と**特例処理**の２つがある。

(1) 繰延ヘッジ（原則）

① 借入時

現金預金	×××	借入金	×××

② 利払時（スワップ金利受取の場合）

ヘッジ対象の借入金の利息を支払うとともに、金利スワップの純受払額を借入金の支払利息に加減する。

支払利息	×××	現金預金	×××
現金預金	×××	支払利息	×××

③ 決算時（金利スワップの時価評価・評価益の場合）

金利スワップ	×××	繰延税金負債	×××
		繰延ヘッジ損益	×××

(2) 特例処理

金利スワップの想定元本、利息の受払条件等がヘッジ対象とほぼ同一である場合には、金利スワップの時価評価を行わない特例処理が認められる。

① 借入時

現金預金	×××	借入金	×××

② 利払時（スワップ金利受取の場合）

ヘッジ対象の借入金の利息を支払うとともに、金利スワップの純受払額を借入金の支払利息に加減する。

支払利息	×××	現金預金	×××
現金預金	×××	支払利息	×××

③ 決算時

仕訳なし

◆例題◆

(1)　×1年4月1日に、期間3年、変動金利による借入れを行った。借入と同時に変動金利を固定金利に変換するため、期間3年のスワップ契約を締結した。

	借　入　金	金利スワップ
契　約　日	×1年4月1日	×1年4月1日
(想定)元本	10,000円	10,000円
金　　利	変動	(受取) 変動 (支払) 固定2.0%
金利支払日	毎年3月31日(後払い)	毎年3月31日(後払い)

(2)　×2年3月31日に適用される変動金利は、借入金1.8%、金利スワップ1.6%で、金利スワップの×2年3月31日の時価は150円 (評価益) である。繰延ヘッジ損益について、法定実効税率を30%として税効果を認識する。

【解答・解説】

(1)　繰延ヘッジ

①　借入時

現　金　預　金	10,000	借　　入　　金	10,000

②　利払時

支　払　利　息	180	現　金　預　金	180
支　払　利　息	40	現　金　預　金	40

※1　借入金金利　10,000×1.8%=180

※2　金利スワップ金利　10,000×(2.0%-1.6%)=40

③　決算時

金利スワップ	150	繰延税金負債	45
		繰延ヘッジ損益	105

(2)　特例処理

①　借入時

現　金　預　金	10,000	借　　入　　金	10,000

②　利払時

支　払　利　息	180	現　金　預　金	180
支　払　利　息	40	現　金　預　金	40

③　決算時

仕　訳　な　し

学習度チェック

15　税金・税効果会計

重要度A ★★★

●学習のポイント●

1．法人税等に関する会計処理をマスターする。
2．税効果会計の対象となる差異を覚える。
3．税効果会計の会計処理方法をマスターする。
4．消費税の会計処理をマスターする。

ポイント整理

1．株式会社の税金

⑴　法人税・住民税・事業税

法人税・住民税・事業税は利益の控除として処理される税金であり、その会計処理には次の２つの方法がある。

①　第１法（中間納付額を**仮払法人税等勘定**で処理する方法）
②　第２法（中間納付額を**法人税等勘定**で処理する方法）

◆例題◆

⑴　11月30日　甲株式会社（事業年度は４月１日から３月31日）は法人税等の中間申告を行い、300円を現金で納付した。
⑵　３月31日　当期の法人税等として500円（年税額）を計上する。
⑶　５月31日　確定申告を行い、法人税等を現金で納付した。

【解答】

１．第１法

⑴	仮払法人税等	300	現金	300
⑵	法人税等	500	仮払法人税等	300
			未払法人税等	200
⑶	未払法人税等	200	現金	200

２．第２法

⑴	法人税等	300	現金	300
⑵	法人税等	200	未払法人税等	200
⑶	未払法人税等	200	現金	200

(2) **租税公課**

固定資産税、印紙税（収入印紙）、自動車税、重量税などは費用となる税金であり、**租税公課勘定**で処理する。

◆例題◆

(1)　4月10日　固定資産税400円の納税通知書を受け取った。

(2)　4月30日　固定資産税の第1期分100円を現金で納付した。

【解答】

(1)	租税公課	400	未払税金	400
(2)	未払税金	100	現金	100

2．税務調整

法人税等は、会計上の利益に一定の調整を行って、課税所得を算定し、これに税率を乗じて算定する。

この課税所得を算定するために、会計上の利益に対して行う調整のことを税務調整という。税務調整は、会計上の利益に対して加減算の調整を行うものであり、具体的調整手続は次に示すとおりである。なお、税務上の費用にあたるものを**損金**といい、税務上の収益にあたるものを**益金**という。

(1) **益金算入**（例：売上高の計上漏れ）

収益ではないが益金となるものをいう。加算調整を行う。

(2) **損金不算入**（例：商品評価損、交際費）

費用であるが損金とならないものをいう。加算調整を行う。

(3) **益金不算入**（例：受取配当金）

収益であるが益金とならないものをいう。減算調整を行う。

(4) **損金算入**（例：売上原価の計上漏れ）

費用ではないが損金となるものをいう。減算調整を行う。

3．一時差異

税務調整により生じる会計と税務の金額的なズレを**差異**というが、このうち、将来において税務調整が再び行われ、差異がなくなるものを**一時差異**という。

なお、将来において減算調整が行われる一時差異を**将来減算一時差異**といい、将来において加算調整が行われる一時差異を**将来加算一時差異**という。

⑴ 将来減算一時差異

① 棚卸資産評価損

税務上、棚卸資産評価損は、一定の場合を除いて、加算調整（損金不算入）が行われる。そして、棚卸資産が売却又は廃棄された年度に減算調整（損金算入）が行われる。

② 減価償却限度超過額

税務上、損金計上できる減価償却費には限度額があり、これを超える金額については、加算調整（損金不算入）が行われる。そして、減価償却資産が売却または除却された年度に減算調整（損金算入）が行われる。

③ 引当金繰入限度超過額

税務上、損金計上できる引当金繰入額には限度額があり、これを超える金額については、加算調整（損金不算入）が行われる。そして、翌期以降における引当金の取崩条件に従い、減算調整（損金算入）が行われる。

⑵ 将来加算一時差異（積立金方式による圧縮記帳）

税務上、圧縮積立金積立額は損金算入（減算調整）され、圧縮積立金取崩額は益金算入（加算調整）される。

⑶ 永久差異

将来の法人税等を増減させない差異を永久差異といい、次に示すものがある。これらは税効果会計の対象とはならない。

① 受取配当等の益金不算入額
② 交際費等・寄附金の損金不算入額
③ 損金不算入の罰科金

4．税効果会計

⑴ 意義

税効果会計とは、一時差異に係る法人税等の金額を適切に期間配分することにより、税引前当期純利益の金額と法人税等の金額を合理的に対応させるための会計手続である。

⑵ 税効果会計の処理方法

税効果会計の処理方法には資産負債法と繰延法の２つの方法があるが、現行の会計制度は資産負債法を採用している。

資産負債法とは、一時差異を会計上の資産・負債の金額と税務上の資産・負債の金額との差額として把握し、当該一時差異が解消される年度に、法人税等を減少又は増加させる効果がある場合に、当該一時差異の発生年度にそれに対する**繰延税金資産**又は**繰延税金負債**を計上する方法をいう。

(3) 繰延税金資産

将来減算一時差異は、将来において減算調整（課税所得は減少）が行われ、それにより法人税等が減少するため、その効果を**繰延税金資産**（前払税金としての性格）として計上する。繰延税金資産は次のように算定する。

繰延税金資産＝将来減算一時差異×法定実効税率

(4) 繰延税金負債

将来加算一時差異は、将来において加算調整（課税所得は増加）が行われ、それにより法人税等が増加するため、その効果を**繰延税金負債**（未払税金としての性格）として計上する。繰延税金負債は次のように算定する。

繰延税金負債＝将来加算一時差異×法定実効税率

(5) 法定実効税率

法定実効税率とは、課税所得に対する法人税、住民税、事業税の税率に基づく総合的な税率をいう。

(6) 法定実効税率の変更

資産負債法では一時差異が解消される将来の年度の税率が適用されるため、税率が変更され、それが決算日までに確定している場合には、変更後の税率を適用する。

(7) 繰延税金資産の回収可能性

繰延税金資産は、将来における法人税等を減額させる効果（回収可能性）がある場合にのみ計上が認められる。したがって、課税所得が見込まれることが条件となる。

(8) 会計処理

繰延税金資産及び繰延税金負債は決算日ごとに評価し、相手勘定を**法人税等調整額**として差額補充法（前期末と当期末の差額）により処理を行う。

① **繰延税金資産の場合**

繰延税金資産	×××	法人税等調整額	×××

② **繰延税金負債の場合**

法人税等調整額	×××	繰延税金負債	×××

(9) 法人税等調整額の損益計算書表示

法人税等調整は、損益計算書において法人税等に加減する。借方残高の場合は加算し、貸方残高の場合は減算する。

損　益　計　算　書

税引前当期純利益		×××
法　人　税　等	×××	
法人税等調整額	(±)×××	×××
当　期　純　利　益		×××

◆例題◆

(1) 将来減算一時差異は次のとおりである。

内　　訳	×1年度末	×2年度末
商品評価損の損金不算入額	200円	100円
貸倒引当金繰入限度超過額	300円	400円
減価償却限度超過額	500円	1,000円
合　　計	1,000円	1,500円

(2) 税効果会計の処理方法は、資産負債法を採用している。

(3) 繰延税金資産の回収可能性に問題はない。

(4) 法定実効税率は、×1年度末が40%、×2年度末が30%である。

【解答・解説】

(1) ×1年度末

① 決算整理仕訳

繰延税金資産	400	法人税等調整額	400

※ 将来減算一時差異合計1,000×税率40%＝400

② 決算整理後残高試算表

決算整理後残高試算表　(単位：円)

繰延税金資産	400	法人税等調整額	400

(2) ×2年度末

① 決算整理仕訳

繰延税金資産	50	法人税等調整額	50

※1 ×2年度末繰延税金資産

将来減算一時差異合計1,500×税率30%＝450

※2 繰入額

450－×1年度末繰延税金資産400＝50

② 決算整理後残高試算表

決算整理後残高試算表　(単位：円)

繰延税金資産	450	法人税等調整額	50

⑽ **積立金方式による圧縮記帳**

① **圧縮積立金の計上額**

積立金方式による圧縮記帳を行う場合、圧縮積立金の計上額は、税効果相当額を控除した金額とする。

② **会計処理**

(a) 圧縮積立金の計上

法人税等調整額	**×××**	**繰延税金負債**	**×××**
繰越利益剰余金	**×××**	**圧縮積立金**	**×××**

(b) 圧縮積立金の取崩

繰延税金負債	**×××**	**法人税等調整額**	**×××**
圧縮積立金	**×××**	**繰越利益剰余金**	**×××**

◆例題◆

(1) ×1年4月1日に、国庫補助金1,000円の交付を受けた。

(2) ×1年10月1日に、機械3,000円を現金で購入した。

(3) ×2年3月31日の決算において、国庫補助金相当額について積立金方式により圧縮記帳を行う。機械は、耐用年数5年、残存価額0円、定額法（直接法）により減価償却を行う。なお、圧縮積立金については税効果を認識する。法定実効税率は30%である。

(4) ×3年3月31日の決算を迎えた。なお、法定実効税率は30%である。

【解答・解説】

(1) **×1年4月1日（国庫補助金受取）**

現金預金	1,000	国庫補助金収入	1,000

(2) **×1年10月1日（機械取得）**

機械	3,000	現金預金	3,000

(3) **×2年3月31日（決算）**

① 減価償却

減価償却費	300	機械	300

※ $3{,}000 \div 5年 \times \frac{6月}{12月} = 300$

② 税効果会計

法人税等調整額	270	繰延税金負債	270

※ $(1{,}000-1{,}000\div 5\text{年}\times\frac{6\text{月}}{12\text{月}})\times$税率30%＝270

③ 圧縮積立金の積立と取崩

繰越利益剰余金	700	圧縮積立金	700
圧縮積立金	70	繰越利益剰余金	70

※1 積立 1,000×(1－税率30%)＝700

※2 取崩 $(1{,}000\div 5\text{年}\times\frac{6\text{月}}{12\text{月}})\times(1-$税率30%$)=70$

④ 決算整理後残高試算表

決算整理後残高試算表 (単位：円)

機械	2,700	繰延税金負債	270
減価償却費	300	圧縮積立金	630
法人税等調整額	270	国庫補助金収入	1,000

(4) ×3年3月31日(決算)

① 減価償却

減価償却費	600	機械	600

※ 3,000÷5年＝600

② 税効果会計

繰延税金負債	60	法人税等調整額	60

※ 1,000÷5年×税率30%＝60

③ 圧縮積立金の取崩

圧縮積立金	140	繰越利益剰余金	140

※ 1,000÷5年×(1－税率30%)＝140

④ 決算整理後残高試算表

決算整理後残高試算表 (単位：円)

機械	2,100	繰延税金負債	210
減価償却費	600	圧縮積立金	490
		法人税等調整額	60

5．消費税等

(1) 意義

消費税等とは、国内における商品の販売、サービスの提供等に対して課税される間接税であり、国税である消費税と地方消費税の総称である。

(2) 会計処理方法

消費税等の会計処理方法には、**税抜方式**と**税込方式**の２つの方法があるが、「収益認識に関する会計基準」では税込方式は認められないこととなった。

(3) 税抜方式の会計処理

税抜方式では、得意先等から受け取った消費税等は**仮受消費税等**で、仕入先等に支払った消費税等は**仮払消費税等**で処理し、決算において両者を相殺し、差額を**未払消費税等**（納付の場合）又は**未収消費税等**（還付の場合）で処理する。

① 商品掛仕入時

仕入	×××	買掛金	×××
仮払消費税等	×××		

② 商品掛売上時

売掛金	×××	売上	×××
		仮受消費税等	×××

③ 貸倒時（前期発生売掛金の場合）

仮受消費税等	×××	売掛金	×××
貸倒引当金	×××		

④ 営業費支払時

営業費	×××	現金	×××
仮払消費税等	×××		

⑤ 車両買換時（売却益の場合）

減価償却累計額	×××	車両	×××
減価償却費	×××	現金	×××
車両	×××	仮受消費税等	×××
仮払消費税等	×××	車両売却益	×××

⑥ 決算時（納付の場合）

仮受消費税等	×××	仮払消費税等	×××
		未払消費税等	×××

◆例題◆

(1) 商品4,400円（税込）を仕入れ、代金は掛とした。なお、消費税等の会計処理は税抜方式を採用しており、（税込）とある取引には消費税等10%が含まれている（以下同じ）。

(2) 商品220円（税込）を返品した。

(3) 商品7,700円（税込）を売り上げ、代金は掛とした。

(4) 前期発生売掛金330円（税込）が貸倒れた。

(5) 営業費660円（税込）を現金で支払った。

(6) 消費税等の中間納付額として40円を現金で支払った。

(7) 旧車両（取得原価800円、期首減価償却累計額500円）を220円（税込）で下取りに出し新車両1,100円（税込）を購入し、残金880円は現金で支払った。旧車両の期首から買換日までの減価償却費は70円である。

(8) 決算において、上記(1)から(7)の仮払消費税等580円と仮受消費税等690円を相殺し、その差額を未払消費税等として計上する。

【解答】

	借方	金額	貸方	金額
(1)	仕入 仮払消費税等	4,000 400	買掛金	4,400
(2)	買掛金	220	仕入 仮払消費税等	200 20
(3)	売掛金	7,700	売上 仮受消費税等	7,000 700
(4)	仮受消費税等 貸倒引当金	30 300	売掛金	330
(5)	営業費 仮払消費税等	600 60	現金	660
(6)	仮払消費税等	40	現金	40
(7)	減価償却累計額 減価償却費 車両 仮払消費税等 車両売却損	500 70 1,000 100 30	車両 現金 仮受消費税等	800 880 20
(8)	仮受消費税等	690	仮払消費税等 未払消費税等	580 110

MEMO

学習度チェック

16　一般商品売買

重要度A ★★★

●学習のポイント●

1．仕入・売上の計上基準を覚える。
2．返品・値引・割戻・割引の会計処理をマスターする。
3．分記法、総記法、売上原価対立法、二分法、三分法、七分法の会計処理をマスターする。

ポイント整理

1．仕入の計上基準

仕入の計上基準には次の2つがある。

(1)　着荷基準（商品の着荷時に仕入を計上する）
(2)　検収基準（商品の検収完了時に仕入を計上する）

2．売上の計上基準

売上の計上基準には次の3つがある。

(1)　出荷基準（当社の出荷時に売上を計上する）
(2)　着荷基準（顧客の着荷時に売上を計上する）
(3)　検収基準（顧客の検収完了時に売上を計上する）
　原則として顧客の検収完了時に売上を計上する。ただし、国内販売で出荷から検収までの期間が数日程度である場合には、出荷時や着荷時に売上を認識することが認められている。

3．仕入の返品・値引・割戻

返品とは品違い等による返却、値引とは品質不良等による代金の一部免除、割戻とは一定期間の売買金額が基準額以上に達した場合の代金の一部免除をいう。仕入取引については、商品仕入時はその全額を仕入に計上し、返品・値引・割戻があったときは、そのつど仕入を取消す会計処理を行う。

4．売上の返品・値引・割戻

(1)　変動対価に該当する場合

顧客と約束した対価のうち変動する可能性のある部分を変動対価という。具体的には、返品権付き販売、交渉中の売上値引、売上割戻契約などが該当する。変動対価を含む取引は、変動部分を考慮して会計処理を行う。詳しくは「収益認識基準」の項で説明する。

(2) **変動対価に該当しない場合**

品違い等による返品、品質不良等による値引など、偶発的な返品・値引・割戻は変動対価には該当しないため、商品販売時はその全額を売上に計上し、返品があったときはその都度売上を取消す会計処理を行う。

5．割引

割引とは、掛代金を決済予定日より前に早期決済された場合の代金の一部免除をいう。

(1) **仕入割引**

営業外収益として処理する。

買掛金	×××	現金預金	×××
		仕入割引	×××

(2) **売上割引**

変動対価として、変動部分を考慮して会計処理を行う。

6．分記法

(1) **分記法とは**

分記法とは、商品の売買取引を記帳する勘定として、**商品勘定・商品販売益勘定**の２つの勘定で処理する方法である。

(2) **分記法の特徴**

① 商品勘定は、常に借方残高であり、商品の現在有高を示す。

② 売上の都度、売上原価を算定し、売価との差額は商品販売益とする。

③ 当期の商品販売益・期末商品有高がともに勘定上明らかとなっているため、決算整理は不要である。

◆例題◆

当期の商品売買取引は次のとおりである。なお、変動対価に該当するものはない。

(1) 期首商品棚卸高　50円

(2) 商品500円を掛で仕入れた。

(3) 上記(2)で仕入れた商品のうち50円を返品した。

(4) 上記(2)で仕入れた商品のうち50円の値引を受けた。

(5) 原価400円の商品を500円で掛販売した。

(6) 上記(5)で売り上げた商品のうち50円（原価40円）の返品を受けた。

16 一般商品売買

(7) 上記(5)で売り上げた商品について50円の値引をした。
(8) 期末商品棚卸高　90円

【解答・解説】

1．期首試算表

期首試算表

商品	50		

2．期中取引

(2)	商品	500	買掛金	500
(3)	買掛金	50	商品	50
(4)	買掛金	50	商品	50
(5)	売掛金	500	商品	400
			商品販売益	100
(6)	商品	40	売掛金	50
	商品販売益	10		
(7)	商品販売益	50	売掛金	50

3．決算整理前試算表

決算整理前試算表

商品	90	商品販売益	40

4．決算整理仕訳

仕訳なし			

5．決算整理後試算表

決算整理後試算表

商品	90	商品販売益	40

7．総記法

(1) 総記法とは

総記法とは、商品の売買取引を記帳する勘定として、**商品勘定・商品販売益勘定**の2つの勘定で処理する方法である。なお、期中は商品勘定のみで処理し、決算整理で商品販売益を計上する。

(2) 総記法の特徴

① 商品仕入時は、商品勘定の借方に原価で記入し、商品販売時は、商品勘定の貸方に売価で記帳する。

② 決算整理前における商品勘定は、借方残高の場合もあり、貸方残高の場合もある。

③　決算整理を必要とする。すなわち、商品販売益を算定して、商品勘定を期末棚卸高に修正する。

◆例題◆

当期の商品売買取引は次のとおりである。なお、変動対価に該当するものはない。

(1)　期首商品棚卸高　50円
(2)　商品500円を掛で仕入れた。
(3)　上記(2)で仕入れた商品のうち50円を返品した。
(4)　上記(2)で仕入れた商品のうち50円の値引を受けた。
(5)　原価400円の商品を500円で掛販売した。
(6)　上記(5)で売り上げた商品のうち50円（原価40円）の返品を受けた。
(7)　上記(5)で売り上げた商品について50円の値引をした。
(8)　期末商品棚卸高　90円

【解答・解説】

1．期首試算表

期首試算表

商品	50		

2．期中取引

(2)	商品	500	買掛金	500
(3)	買掛金	50	商品	50
(4)	買掛金	50	商品	50
(5)	売掛金	500	商品	500
(6)	商品	50	売掛金	50
(7)	商品	50	売掛金	50

3．決算整理前試算表

決算整理前試算表

商品	50		

4．決算整理仕訳

商品	40	商品販売益	40

5．決算整理後試算表

決算整理後試算表

商品	90	商品販売益	40

8．売上原価対立法

⑴　売上原価対立法とは

売上原価対立法とは、商品の売買取引を記帳する勘定として、**商品勘定・売上原価勘定・売上勘定**の3つの勘定を用いて処理する方法である。

⑵　売上原価対立法の特徴

①　商品勘定は、常に借方残高であり、商品の現在有高を示す。
②　売上の都度、売上原価を算定する。
③　売上高、売上原価、期末商品有高がすべて勘定上明らかとなっているため、決算整理は不要である。

◆例題◆

当期の商品売買取引は次のとおりである。なお、変動対価に該当するものはない。

⑴　期首商品棚卸高　50円
⑵　商品500円を掛で仕入れた。
⑶　上記⑵で仕入れた商品のうち50円を返品した。
⑷　上記⑵で仕入れた商品のうち50円の値引を受けた。
⑸　原価400円の商品を500円で掛販売した。
⑹　上記⑸で売り上げた商品のうち50円（原価40円）の返品を受けた。
⑺　上記⑸で売り上げた商品について50円の値引をした。
⑻　期末商品棚卸高　90円

【解答・解説】

1．期首試算表

期首試算表

商品	50		

2．期中取引

⑵	商品	500	買掛金	500
⑶	買掛金	50	商品	50
⑷	買掛金	50	商品	50
⑸	売掛金 売上原価	500 400	売上 商品	500 400
⑹	売上 商品	50 40	売掛金 売上原価	50 40
⑺	売上	50	売掛金	50

3．決算整理前試算表

決算整理前試算表

商　　　　　品	90	売　　　　　上	400
売　上　原　価	360		

4．決算整理仕訳

仕　訳　な　し			

5．決算整理後試算表

決算整理後試算表

商　　　　　品	90	売　　　　　上	400
売　上　原　価	360		

9．二分法

(1) 二分法とは

二分法とは、商品の売買取引を記帳する勘定として、**商品勘定・売上原価勘定・売上勘定**の３つの勘定を用いて処理する方法である。なお、期中は商品勘定と売上勘定のみで処理し、決算整理で売上原価を計上する。

(2) 二分法の特徴

① 商品勘定の決算整理前における残高は、期首商品と当期純仕入高の合計額を示す。

② 決算整理を必要とする。すなわち、売上原価を計算して、商品勘定から売上原価勘定に振り替える。

なお、売上原価は次の算式により計算される。

売上原価＝期首商品棚卸高＋当期純仕入高－期末商品棚卸高

◆例題◆

当期の商品売買取引は次のとおりである。なお、変動対価に該当するものはない。

(1) 期首商品棚卸高　50円

(2) 商品500円を掛で仕入れた。

(3) 上記(2)で仕入れた商品のうち50円を返品した。

(4) 上記(2)で仕入れた商品のうち50円の値引を受けた。

(5) 原価400円の商品を500円で掛販売した。

(6) 上記(5)で売り上げた商品のうち50円（原価40円）の返品を受けた。

(7) 上記(5)で売り上げた商品について50円の値引をした。

(8) 期末商品棚卸高　90円

【解答・解説】

1．期首試算表

期首試算表

商品	50		

2．期中取引

(2)	商品	500	買掛金	500
(3)	買掛金	50	商品	50
(4)	買掛金	50	商品	50
(5)	売掛金	500	売上	500
(6)	売上	50	売掛金	50
(7)	売上	50	売掛金	50

3．決算整理前試算表

決算整理前試算表

商品	450	売上	400

4．決算整理仕訳

売上原価	360	商品	360

5．決算整理後試算表

決算整理後試算表

商品	90	売上	400
売上原価	360		

10. 三分法

(1) 三分法とは

三分法とは、商品の売買取引を記帳する勘定として、**繰越商品勘定・仕入勘定・売上勘定**の３つの勘定を用いて処理する方法である。

(2) 三分法の特徴

① 繰越商品勘定の決算整理前における残高は、商品の期首有高を示す。

② 仕入勘定の決算整理前における残高は、当期純仕入高を示す。

③ 売上勘定の決算整理前における残高は、当期純売上高を示す。

④ 決算整理を必要とする。すなわち、仕入勘定（又は売上原価勘定）で売上原価を計算するとともに、繰越商品勘定を商品の期末有高に修正する。

(3) 売上原価の算定方法

① 仕入勘定で売上原価を算定する方法

仕　　入	××	繰越商品	××	←期首商品
繰越商品	××	仕　　入	××	←期末商品

② 売上原価勘定で売上原価を算定する方法

売上原価	××	繰越商品	××	←期首商品
売上原価	××	仕　　入	××	←当期純仕入高
繰越商品	××	売上原価	××	←期末商品

◆例題◆

当期の商品売買取引は次のとおりである。なお、変動対価に該当するものはない。

(1) 期首商品棚卸高　50円
(2) 商品500円を掛で仕入れた。
(3) 上記(2)で仕入れた商品のうち50円を返品した。
(4) 上記(2)で仕入れた商品のうち50円の値引を受けた。
(5) 原価400円の商品を500円で掛販売した。
(6) 上記(5)で売り上げた商品のうち50円（原価40円）の返品を受けた。
(7) 上記(5)で売り上げた商品について50円の値引をした。
(8) 期末商品棚卸高　90円

【解答・解説】

1．期首試算表

期首試算表

繰越商品	50		

2．期中取引

(2)	仕　　入	500	買 掛 金	500
(3)	買 掛 金	50	仕　　入	50
(4)	買 掛 金	50	仕　　入	50
(5)	売 掛 金	500	売　　上	500
(6)	売　　上	50	売 掛 金	50
(7)	売　　上	50	売 掛 金	50

3．決算整理前試算表

決算整理前試算表

繰越商品	50	売　　上	400
仕　　入	400		

16 一般商品売買

4．決算整理仕訳（仕入勘定で売上原価を算定する）

仕入	50	繰越商品	50
繰越商品	90	仕入	90

5．決算整理後試算表

決算整理後試算表

借方		貸方	
繰越商品	90	売上	400
仕入	360		

11. 七分法

⑴ 七分法とは

七分法とは、**三分法の発展型**であり、仕入・売上に係る返品・値引・割戻について、仕入勘定・売上勘定から直接減額しないで、**仕入戻し勘定**、**仕入値引割戻勘定**および**売上戻り勘定**、**売上値引割戻勘定**で処理する方法である。

⑵ 七分法の特徴

① 決算整理前の仕入勘定・売上勘定の金額は、総仕入高・総売上高を示す。

② 決算整理で、返品・値引・割戻に関する勘定を売上勘定・仕入勘定と相殺する。

◆例題◆

当期の商品売買取引は次のとおりである。なお、変動対価に該当するものはない。

⑴ 期首商品棚卸高　50円

⑵ 商品500円を掛で仕入れた。

⑶ 上記⑵で仕入れた商品のうち50円を返品した。

⑷ 上記⑵で仕入れた商品のうち50円の値引を受けた。

⑸ 原価400円の商品を500円で掛販売した。

⑹ 上記⑸で売り上げた商品のうち50円（原価40円）の返品を受けた。

⑺ 上記⑸で売り上げた商品について50円の値引をした。

⑻ 期末商品棚卸高　90円

【解答・解説】

1．期首試算表

期首試算表

借方		貸方	
繰越商品	50		

2．期中取引

(2)	仕入	500	買掛金	500
(3)	買掛金	50	仕入戻し	50
(4)	買掛金	50	仕入値引割戻	50
(5)	売掛金	500	売上	500
(6)	売上戻り	50	売掛金	50
(7)	売上値引割戻	50	売掛金	50

3．決算整理前試算表

決算整理前試算表

繰越商品	50	売上	500
仕入	500	仕入戻し	50
売上戻り	50	仕入値引割戻	50
売上値引割戻	50		

4．決算整理仕訳（仕入勘定で売上原価を算定する）

仕入戻し	50	仕入	50
仕入値引割戻	50	仕入	50
売上	50	売上戻り	50
売上	50	売上値引割戻	50
仕入	50	繰越商品	50
繰越商品	90	仕入	90

5．決算整理後試算表

決算整理後試算表

繰越商品	90	売上	400
仕入	360		

学習度チェック

17　期末商品の評価

重要度A ★★★

●学習のポイント●

1．商品の取得原価及び先入先出法等の評価方法をマスターする。
2．期末評価における正味売却価額の算定方法をマスターする。
3．期末評価について、棚卸減耗及び商品評価損の算定をマスターする。
4．商品評価損に関する切放法及び洗替法の会計処理をマスターする。
5．売価還元法について、原則と特例による期末評価をマスターする。

ポイント整理

1．商品の取得原価

商品については、原則として購入代価に付随費用を加算して取得原価とする。なお、付随費用には、引取運賃、買入手数料、保険料、関税などがある。

取得原価＝購入代価＋付随費用

2．商品の評価方法

次の評価方法の中から選択した方法を適用して売上原価等の払出原価と期末棚卸資産の価額を算定する。

⑴　**個別法**

取得原価の異なる商品を区別して記録し、その個々の実際原価によって期末棚卸商品の価額を算定する方法。

個別法は、個別性の高い商品の評価に適した方法である。

⑵　**先入先出法**

最も古く取得されたものから順次払出しが行われ、期末棚卸商品は最も新しく取得されたものからなるとみなして期末棚卸商品の価額を算定する方法。

⑶　**平均原価法**

取得した商品の平均原価を算出し、この平均原価によって期末棚卸商品の価額を算定する方法。なお、平均原価は、**総平均法**又は**移動平均法**によって算出する。

(4) 売価還元法

値入率等の類似性に基づく商品のグループごとの期末の売価合計額に、原価率を乗じて求めた金額を期末棚卸商品の価額とする方法。売価還元法は、取扱品種のきわめて多い小売業等の業種における商品の評価に適用される。

◆例題◆

(1) 当期中のA商品の受払記録は以下のとおりである。

日　付	摘要	数量	単価	金額	数量
4月1日	期首	100個	400円	40,000円	
6月1日	仕入	300個	480円	144,000円	
8月1日	売上				300個
10月1日	仕入	400個	500円	200,000円	
2月1日	売上				380個
合　計		800個		384,000円	680個

(2) 棚卸減耗は生じていない。

【解答・解説】

(1) 先入先出法

① 期末棚卸数量（以下同じ） 800個－680個＝120個
② 期末商品の単価 @500
③ 期末商品原価 120個×@500＝60,000
④ 売上原価 384,000－60,000＝324,000

(2) 総平均法

① 期末商品の単価 384,000÷800個＝@480
② 期末商品原価 120個×@480＝57,600
③ 売上原価 384,000－57,600＝326,400

(3) 移動平均法

① 期末商品の単価及び期末商品原価

期首	100個	@400	40,000
仕入	300個	@480	144,000
合計	400個	@460	184,000
売上	△300個	@460	△138,000
残高	100個	@460	46,000
仕入	400個	@500	200,000
合計	500個	@492	246,000
売上	△380個	@492	△186,960
残高	120個	@492	59,040

② 売上原価 384,000－59,040＝324,960

3．棚卸減耗

決算において、商品の実地棚卸を行った結果、帳簿棚卸数量より実地棚卸数量が減少している場合、この減少部分を棚卸減耗といい、これに払出単価を乗じた金額を棚卸減耗損として処理する。なお、先入先出法において、帳簿棚卸高に単価の異なる商品がある場合には、先に仕入れたものから棚卸減耗が生じると考える。

棚 卸 減 耗 損	×××	繰 越 商 品	×××

4．商品の評価基準

⑴ 収益性の低下に基づく簿価切下げ

商品は、取得原価をもって貸借対照表価額とするが、期末における正味売却価額が取得原価よりも下落している場合、つまり商品の収益性が低下している場合には、簿価を切下げ、当該正味売却価額をもって貸借対照表価額とする。この場合において、取得原価と当該正味売却価額との差額は当期の費用として処理する。

なお、収益性が低下する原因としては次のものがある。

① 市場の需給変化による時価の下落

② 損傷等による物理的な劣化

③ 流行遅れ等による経済的な劣化

⑵ 正味売却価額

正味売却価額とは、売価（購買市場と売却市場とが区別される場合における売却市場の時価）から見積販売直接経費を控除したものをいう。なお、「購買市場」とは当該資産を購入する場合に企業が参加する市場をいい、「売却市場」とは当該資産を売却する場合に企業が参加する市場をいう。

正味売却価額＝売価－見積販売直接経費

⑶ 評価の適用単位

収益性の低下の有無に係る判断及び簿価切下げは、原則として個別品目ごとに行う。ただし、複数の商品を一括りとした単位で行うことが適切と判断されるときには、その方法による。したがって、以下の３つの方法がある。

① 個別品目ごとに適用する方法

② 各品目を適当なグループにまとめ、グループごとに適用する方法

③ 全品目を一括して適用する方法

(4) 会計処理方法

取得原価と当該正味売却価額との差額は**商品評価損**として処理する。この場合、当期に計上した簿価切下額の戻入れに関しては、次期に戻入れを行う方法（洗替法）と行わない方法（切放法）のいずれかの方法を選択適用できる。

① **切放法**

切放法とは、簿価切下げ後の帳簿価額を次期の取得原価とみなし、次期以降は簿価切下げ後の帳簿価額と正味売却価額とを比較する方法である。

(a) 当期

商品評価損益	×××	繰越商品	×××

(b) 次期

仕訳なし			

② **洗替法**

洗替法とは、簿価切下げ前の帳簿価額（原始取得原価）を次期の取得原価とし、次期以降も原始取得原価と正味売却価額とを比較する方法である。

(a) 当期

商品評価損益	×××	繰越商品	×××

(b) 次期

繰越商品	×××	商品評価損益	×××

◆例題◆

(1) 期首商品　原価14,000円（正味売却価額13,900円）
(2) 当期仕入高　128,000円
(3) 当期売上高　170,000円
(4) 期末商品
　① 帳簿棚卸高：原価15,700円
　② 実地棚卸高：原価15,500円（売価16,000円）
　③ 正味売却価額の算定にあたって控除すべき見積販売直接経費は、売価の５％とする。
(5) 棚卸減耗は棚卸減耗損として、収益性低下による評価損は商品評価損益として計上する。なお、損益計算書ではいずれも売上原価の内訳科目として表示する。
(6) 期首商品の洗替処理は決算時に行うものとする。

【解答・解説】

(1) 切放法

① 決算整理前残高試算表

決算整理前残高試算表

繰越商品	13,900	売上	170,000
仕入	128,000		

② 決算整理仕訳

仕入	13,900	繰越商品	13,900
繰越商品	15,700	仕入	15,700
棚卸減耗損	200	繰越商品	500
商品評価損益	300		

※1 棚卸減耗損

帳簿原価15,700－実地原価15,500＝200

※2 商品評価損

正味売却価額　売価16,000－売価16,000×5％＝15,200

評価損　実地原価15,500－正味売却価額15,200＝300

③ 決算整理後残高試算表

決算整理後残高試算表

繰越商品	15,200	売上	170,000
仕入	126,200		
棚卸減耗損	200		
商品評価損益	300		

④ 損益計算書

損益計算書

Ⅰ 売上高		170,000
Ⅱ 売上原価		
1 期首商品棚卸高	13,900	
2 当期商品仕入高	128,000	
合計	141,900	
3 期末商品棚卸高	15,700	
差引	126,200	
4 棚卸減耗損	200	
5 商品評価損	300	126,700
売上総利益		43,300

(2) **洗替法**

① 決算整理前残高試算表

決算整理前残高試算表

繰越商品	13,900	売上	170,000
仕入	128,000		

② 決算整理仕訳

繰越商品	100	商品評価損益	100
仕入	14,000	繰越商品	14,000
繰越商品	15,700	仕入	15,700
棚卸減耗損	200	繰越商品	500
商品評価損益	300		

※ 期首商品 13,900＋100＝14,000

③ 決算整理後残高試算表

決算整理後残高試算表

繰越商品	15,200	売上	170,000
仕入	126,300		
棚卸減耗損	200		
商品評価損益	200		

※ 商品評価損益の残高は、前期に計上した評価損と、当期に計上した評価損の差額であり、借方残高の場合は評価損、貸方残高の場合は評価益となる。

商品評価損益

当期末評価損 300	前期末評価損 100
	200

④ 損益計算書

損益計算書

Ⅰ 売上高		170,000
Ⅱ 売上原価		
1 期首商品棚卸高	14,000	
2 当期商品仕入高	128,000	
合計	142,000	
3 期末商品棚卸高	15,700	
差引	126,300	
4 棚卸減耗損	200	
5 商品評価損	200	126,700
売上総利益		43,300

5．売価還元法

(1) 売価還元法による期末棚卸高の算定

売価還元法とは、期末商品の売価に原価率を乗じて期末商品の原価を算定する方法である。この方法は、取扱商品がきわめて多い小売業や卸売業に適用される。

期末商品原価＝期末商品売価×原価率

(2) 原価率の算定方法

売価還元法の原価率は、次に示す「連続意見書第四」に定める売価還元平均原価法の原価率による。

$$\text{原価率}=\frac{\text{期首商品原価}+\text{当期仕入原価}}{\text{期首商品売価}+\underset{(※1)}{\text{当期仕入売価}}+\underset{(※2)}{\text{純値上額}}-\underset{(※3)}{\text{純値下額}}}$$

（※１）当期仕入売価＝当期仕入原価＋原始値入額

（※２）純値上額＝値上額－値上取消額

（※３）純値下額＝値下額－値下取消額

(注) 原始値入額とは、当期仕入原価に最初に付加した利益額をいい、売価を設定する際に最初に予定した利益額である。また、値上額及び値下額とは、売価の変更額であり、原始値入額の修正額となる。

(3) 棚卸減耗費の算定

期末帳簿売価は、期首商品及び当期仕入商品の売価合計額（原価率算定の分母）から売上高を控除して算定する。そして、期末帳簿売価と期末実地売価の差額を棚卸減耗売価として把握し、棚卸減耗売価に原価率を乗じて棚卸減耗費（原価）を算定する。

① 期末商品帳簿売価＝売価合計額－売上高
② 棚卸減耗売価＝期末商品帳簿売価－期末商品実地売価
③ 棚卸減耗費＝棚卸減耗売価×原価率

(4) 期末評価

① 原則

売価還元法を採用している場合においても、期末における正味売却価額が帳簿価額よりも下落している場合には、当該正味売却価額をもって貸借対照表価額とする。

◆例題◆

(1)

決算整理前残高試算表

繰越商品	3,420	売上	27,200
仕入	24,300		

(2) 商品は売価還元法により評価する。

① 期首商品売価 3,600円

② 原始値入額 2,430円

③ 値上額 1,170円

④ 値下額 700円

(3) 期末商品帳簿売価 (各自推定) 円

(4) 期末商品実地売価 3,500円 (正味売却価額は3,100円)

(5) 棚卸減耗損及び商品評価損は原価外処理する。

【解答・解説】

(1) 原価率の算定

$$\frac{3{,}420 + 24{,}300}{3{,}600 + 24{,}300 + 2{,}430 + 1{,}170 - 700} = 0.9$$

(2) 期末商品帳簿売価の算定

$(3{,}600 + 24{,}300 + 2{,}430 + 1{,}170 - 700) - 27{,}200 = 3{,}600$

(3) 棚卸減耗売価の算定

帳簿売価3,600－実地売価3,500＝100

(4) 決算整理仕訳

仕入	3,420	繰越商品	3,420
繰越商品	3,240	仕入	3,240
棚卸減耗損	90	繰越商品	140
商品評価損	50		

※1 期末商品帳簿原価 3,600×0.9＝3,240

※2 棚卸減耗損 100×0.9＝90

※3 期末商品実地原価 3,500×0.9＝3,150

※4 商品評価損 実地原価3,150－正味売却価額3,100＝50

(5) 決算整理後残高試算表

決算整理後残高試算表

繰越商品	3,100	売上	27,200
仕入	24,480		
棚卸減耗損	90		
商品評価損	50		

② **特例**

値下額等が売価合計額に適切に反映されている場合には、次に示す値下額及び値下取消額を除外した「連続意見書第四」に定める売価還元低価法の原価率により求められた期末棚卸商品の帳簿価額は、収益性の低下に基づく簿価切下額を反映したものとみなすことができる。

$$\textbf{原価率} = \frac{\textbf{期首商品原価}+\textbf{当期仕入原価}}{\textbf{期首商品売価}+\textbf{当期仕入売価}+\textbf{純値上額}}$$

◆例題◆

(1)

決算整理前残高試算表

繰越商品	3,420	売上	27,200
仕入	24,300		

(2) 商品は売価還元法により評価する。ただし、収益性低下評価損の算定については、売価還元低価法を採用する。

① 期首商品売価 3,600円

② 原始値入額 2,430円

③ 値上額 1,170円

④ 値下額 700円

(3) 期末商品帳簿売価 (各自推定)円

(4) 期末商品実地売価 3,500円

(5) 棚卸減耗損及び商品評価損は原価外処理する。

【解答・解説】

(1) 原価率の算定

① 売価還元平均原価法

$$\frac{3{,}420+24{,}300}{3{,}600+24{,}300+2{,}430+1{,}170-700}=0.9$$

② 売価還元低価法

$$\frac{3{,}420+24{,}300}{3{,}600+24{,}300+2{,}430+1{,}170}=0.88$$

(2) 期末商品帳簿売価の算定

$(3{,}600+24{,}300+2{,}430+1{,}170-700)-27{,}200=3{,}600$

(3) 棚卸減耗売価の算定

帳簿売価3,600－実地売価3,500＝100

(4) **決算整理仕訳**

借方	金額	貸方	金額
仕入	3,420	繰越商品	3,420
繰越商品	3,240	仕入	3,240
棚卸減耗損	90	繰越商品	160
商品評価損	70		

※1　期末商品帳簿原価　3,600×0.9＝3,240

※2　棚卸減耗損　100×0.9＝90

※3　期末商品実地原価　3,500×0.9＝3,150

※4　期末商品実地評価額　3,500×0.88＝3,080

※5　商品評価損　実地原価　3,150－実地評価額3,080＝70

(5) **決算整理後残高試算表**

決算整理後残高試算表

借方	金額	貸方	金額
繰越商品	3,080	売上	27,200
仕入	24,480		
棚卸減耗損	90		
商品評価損	70		

学習度チェック

18　仕入諸掛

重要度B ★★

●学習のポイント●

1．仕入諸掛の会計処理と財務諸表の表示をマスターする。
2．仕入諸掛について、売上原価と期末商品への按分計算をマスターする。

ポイント整理

1．会計処理

引取運賃、手数料、荷役費、保険料、関税などの仕入諸掛を支払った場合には、これらは仕入商品に係る付随費用であるため、仕入商品の取得原価に加算しなければならない。

仕入諸掛を支払ったときの会計処理には、次の2つの方法がある。

⑴　第一法：**仕入勘定**又は**商品勘定**に直接加算する。
⑵　第二法：**仕入諸掛費勘定**で処理する。
（注1）第一法を原則とする。
（注2）第二法で処理した場合には、決算時に当期の仕入諸掛を売上原価と期末棚卸高とに配分（いずれか一方を計算すれば他は自動的に算出される）し、期末棚卸高に配分する金額は、繰延仕入諸掛勘定で次期に繰り越す。

2．財務諸表の表示方法

⑴　損益計算書の期首商品棚卸高、当期商品仕入高、期末商品棚卸高に仕入諸掛を加算して表示する。
⑵　貸借対照表の商品に仕入諸掛を加算して表示する。

したがって、帳簿上の処理を第一法で行おうと第二法で行おうと、**公表用財務諸表はまったく同じ**になる。

◆例題◆

⑴　期首商品棚卸高　500円、期首商品仕入諸掛　50円
⑵　当期商品仕入高　3,000円（掛）、
引取運賃　300円（現金払）
⑶　期末商品棚卸高　600円、期末商品仕入諸掛　60円

【解答・解説】

1．会計処理

	第一法	第二法
期首T/B	繰越商品 550 ｜	繰越商品 500 ｜ 繰延仕入諸掛 50 ｜
仕入時	仕　入 3,300 ／買掛金 3,000 　　　　　　 ／現　金 300	仕　入 3,000 ／買掛金 3,000 仕入諸掛費 300 ／現　金 300
整理前T/B	繰越商品 550 ｜売　上 7,000 仕　入 3,300 ｜	繰越商品 500 ｜売　上 7,000 繰延仕入諸掛 50 ｜ 仕　入 3,000 ｜ 仕入諸掛費 300 ｜
整理仕訳	仕　入 550／繰越商品 550 繰越商品 660／仕　入 660	仕　入 500／繰越商品 500 繰越商品 600／仕　入 600 仕入諸掛費 50／繰延仕入諸掛 50 繰延仕入諸掛 60／仕入諸掛費 60 仕　入 290／仕入諸掛費 290
整理後T/B	繰越商品 660 ｜売　上 7,000 仕　入 3,190 ｜	繰越商品 600 ｜売　上 7,000 繰延仕入諸掛 60 ｜ 仕　入 3,190 ｜

2．財務諸表

損益計算書

Ⅰ 売上高		7,000
Ⅱ 売上原価		
1 期首商品棚卸高	550	
2 当期商品仕入高	3,300	
合計	3,850	
3 期末商品棚卸高	660	3,190
売上総利益		3,810

貸借対照表

商品	660	

3．按分計算

仕入諸掛の売上原価と期末商品への按分計算は、商品の評価方法に準じて行う。

⑴　**総平均法**

$$(\text{期首仕入諸掛}+\text{当期仕入諸掛})\times\frac{\text{期末商品}}{\text{期首商品}+\text{当期仕入}}$$

$$=\text{期末仕入諸掛}$$

⑵　**先入先出法**

$$\text{当期仕入諸掛}\times\frac{\text{期末商品}}{\text{当期仕入}}=\text{期末仕入諸掛}$$

◆例題◆

次の資料により、期末商品に按分される仕入諸掛の金額を各方法により計算しなさい。

(1)　決算整理前試算表　（単位：円）

繰越商品	500	
繰延仕入諸掛	30	
仕入	3,000	
仕入諸掛費	600	

(2)　期末商品棚卸高600円（諸掛は含まれていない）。

【解答・解説】

総平均法	108　円
先入先出法	120　円

※1　総平均法

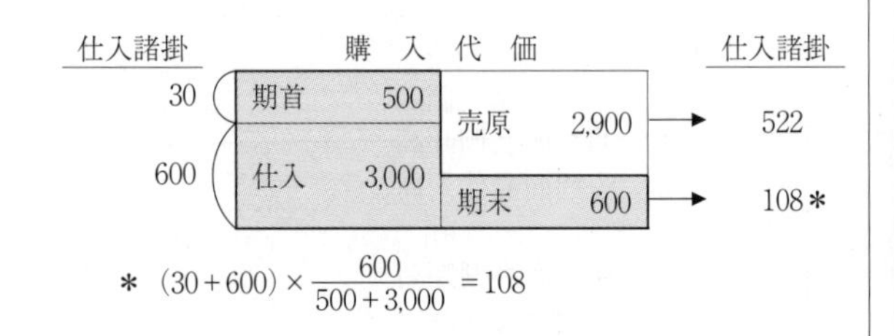

$$＊\ (30+600)\times\frac{600}{500+3,000}=108$$

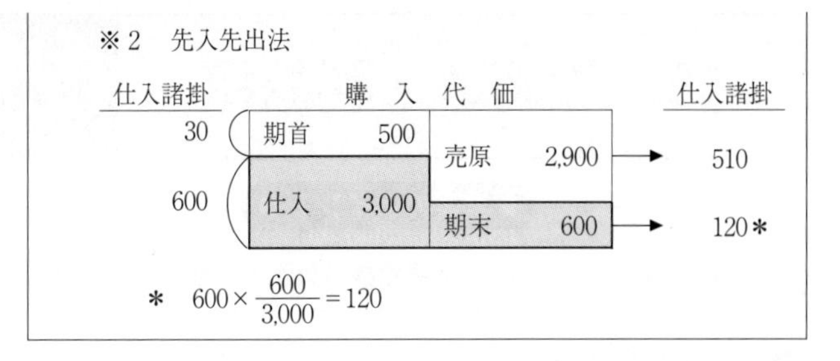
※2　先入先出法
仕入諸掛
購　入　代　価
仕入諸掛
30
期首　500
売原　2,900
510
600
仕入　3,000
期末　600
120＊
＊　600×600/3,000＝120

学習度チェック

19　原価率・利益率

重要度B ★★

●学習のポイント●

原価率、利益率を用いた不明金額の算定方法をマスターする。

ポイント整理

1．原価率・利益率

販売前に商品の売価を設定するにあたり、利益をどれくらい付すか決定するときの、売価に占める原価の割合を原価率といい、売価に占める利益の割合を利益率という。

$$原価率=\frac{原価}{売価}$$

$$利益率=\frac{利益}{売価}$$

2．原価率・利益率を使用した計算

(1)　売上原価の算定＝売上高×原価率

(2)　売上総利益の算定＝売上高×利益率

(3)　売上高の算定＝売上原価÷原価率
＝売上総利益÷利益率

3．利益加算率

利益加算率とは、原価にその何％の利益を上乗せして売価を設定するかという、利益の上乗せ率をいう。

$$利益加算率=\frac{利益}{原価}$$

(1)　利益加算率における原価率・利益率の関係

①　$原価率=\frac{原価}{売価}=\frac{1}{1+利益加算率}$

または$\frac{100\%}{100\%+利益加算率}$

②　$利益率=\frac{利益}{売価}=\frac{利益加算率}{1+利益加算率}$

または$\frac{利益加算率}{100\%+利益加算率}$

(2) **利益加算率を使用した計算**

$$売上原価の算定 = 売上高 \times \frac{1}{1 + 利益加算率}$$

$$売上総利益の算定 = 売上高 \times \frac{利益加算率}{1 + 利益加算率}$$

$$売上高の算定 = 売上原価 \div \frac{1}{1 + 利益加算率}$$

$$= 売上総利益 \div \frac{利益加算率}{1 + 利益加算率}$$

◆例題◆

次の資料により、損益計算書（一部）を作成しなさい。

(1) 決算整理前試算表 （単位：円）

繰越商品	200	売上	1,000
仕入	800		

(2) 決算整理事項

① 期末商品棚卸高 ［各自推定］ 円

② 商品の売価は、売価の30％が利益になるように設定されている。

【解答・解説】

損益計算書 （単位：円）

Ⅰ 売上高		1,000
Ⅱ 売上原価		
1 期首商品棚卸高	200	
2 当期商品仕入高	800	
合計	1,000	
3 期末商品棚卸高	300	700
売上総利益		300

※ 期末商品の算定

商品

期首	200	売上原価	700
純仕入	800	期末	300

売上原価 700 ←売上1,000×70％

期末 300 ←差額で求める

4．事前原価率と事後原価率

⑴　事前原価率と事後原価率の違い

原価率が最初に算定されるのは、仕入れた商品に対して売価を決定した時点であり、この当初の原価率を事前原価率という。

これに対して、売上値引・割戻後の売上に基づく最終の原価率を事後原価率という。

たとえば、原価7,000円の商品を10,000円で販売した場合、事前原価率は70％である。

販売した商品のうち10％が返品されたとする。売上も売上原価も10％減少して、売上は9,000円、売上原価は6,300円となるが事前原価率70％は変わらない。

さらに、売上値引・割戻が250円あったとする。売上は8,750円となるが、売上原価6,300円は変わらない。原価率は6,300÷8,750＝0.72（72％）となる。これが事後原価率である。

簿記論の問題において、原価率を算定する場合、あるいは資料に与えられる原価率は、通常、事前原価率である。

⑵　原価率の算定

売上戻り及び売上値引・割戻があった場合の原価率の算定は次のように行う。

①　事前原価率の計算式

$$\text{事前原価率}=\frac{\text{売上原価}}{\text{総売上高}-\text{売上戻り}}$$

②　事後原価率の計算式

$$\text{事後原価率}=\frac{\text{売上原価}}{\text{総売上高}-\text{売上戻り}-\text{売上値引・割戻}}$$

⑶　事前原価率を用いた売上原価の算定

事前原価率が与えられた場合の売上原価の算定は次のように行う。

（総売上高－売上戻り）×事前原価率＝売上原価
または
（純売上高＋売上値引・割戻）×事前原価率＝売上原価

◆例題◆

(1)

決算整理前残高試算表　(単位：円)

借方	金額	貸方	金額
繰越商品	6,700	売上	30,000
仕入	24,900		

(2) 仕入24,900円は、仕入戻し300円、仕入値引70円及び仕入割戻30円を控除した差額である。

(3) 売上30,000円は、売上戻り510円、売上値引750円を控除した差額である。なお、売上戻り及び売上値引は、変動対価には該当しない。

(4) 商品の売価は、当初において売価の20%が利益となるように設定している。

(5) 商品期末棚卸高（各自推定）円

【解答・解説】

(1) **決算整理仕訳**

借方	金額	貸方	金額
仕入	6,700	繰越商品	6,700
繰越商品	7,000	仕入	7,000

※1　売上原価

(純売上30,000＋値引750)×事前原価率80%＝24,600

※2　期末商品

期首6,700＋純仕入24,900－売上原価24,600＝7,000

(2) **決算整理後残高試算表**

決算整理後残高試算表　(単位：円)

借方	金額	貸方	金額
繰越商品	7,000	売上	30,000
仕入	24,600		

(3) **事後原価率**

$$\frac{\text{売上原価}24,600}{\text{純売上}30,000}=0.82$$

19 原価率・利益率

学習度チェック

20　他勘定振替高

●学習のポイント●

販売以外の商品の減少取引について、帳簿上の処理と損益計算書上の表示の違いを理解する。

ポイント整理

1．他勘定振替

他勘定振替とは、損益計算書の「当期商品仕入高」が正味の購買活動（外部からの当期商品仕入高）を明示するようにするため、販売以外の商品の減少高を当期商品仕入高から直接控除するのではなく、他勘定振替高を用いて間接的にマイナスするとともに、その減少高を該当する区分へ表示するための損益計算書における表示技術のことをいう。

2．会計処理（三分法）

⑴　火災による商品減少高

火災損失	×××	仕入	×××

⑵　自家消費による商品減少高（備品として使用した場合）

備品	×××	仕入	×××

⑶　盗難による商品減少高

商品盗難損	×××	仕入	×××

⑷　見本品提供による商品減少高

見本品費	×××	仕入	×××

⑸　廃棄による商品減少高

商品廃棄損	×××	仕入	×××

◆例題◆

(1) 期首商品棚卸高　50円

(2) 当期商品仕入高　500円

(3) 30円の商品が火災により焼失した。なお、保険金は付していない。

(4) 期末商品棚卸高　60円

【解答・解説】

1．期首試算表

期首試算表

繰越商品	50		

2．期中取引

仕入	500	買掛金	500
火災損失	30	仕入	30

3．決算整理前試算表

決算整理前試算表

繰越商品	50	売上	1,000
仕入	470		
火災損失	30		

4．決算整理仕訳

仕入	50	繰越商品	50
繰越商品	60	仕入	60

5．損益計算書

損益計算書

Ⅰ 売上高		1,000
Ⅱ 売上原価		
1 期首商品棚卸高	50	
2 当期商品仕入高	500	
合計	550	
3 火災損失振替高	30	
4 期末商品棚卸高	60	460
売上総利益		540
⋮		
Ⅵ 特別損失		
1 火災損失		30

学習度チェック

21　収益認識基準

重要度A ★★★

●学習のポイント●

1．収益認識の基本原則と5つのステップを理解する。
2．自社ポイント付与の会計処理をマスターする。
3．最頻値法及び期待値法による変動対価の見積りをマスターする。
4．割戻・返品等の変動対価の会計処理をマスターする。
5．重要な金融要素の会計処理をマスターする。
6．各販売形態における収益の認識時点をマスターする。

ポイント整理

1．収益認識に関する会計基準の概要

(1)　収益認識基準の開発経緯

我が国では、これまで収益認識に関する包括的な会計基準は存在せず、企業会計原則の「実現主義」により収益の計上を行ってきた。一方、国際財務報告基準（IFRS）では、包括的な収益認識基準である「顧客との契約から生じる収益」が適用されている。そこで我が国でも、国際的な調和を図るために、国際財務報告基準（IFRS）の基準を基本的に全て取り入れた「**収益認識に関する会計基準**」が開発された。

(2)　収益認識基準の適用時期

2021年4月1日以後開始する事業年度より適用される。

(3)　収益認識基準の適用対象

監査対象法人は、連結財務諸表及び個別財務諸表のいずれも適用する。なお、中小企業については任意適用とし、引き続き企業会計原則による会計処理も認められる。

(4)　収益認識基準の適用範囲

顧客との契約から生じる収益に関する会計処理について適用される。ただし、①金融商品会計基準の範囲に含まれる金融商品に係る取引、②リース会計基準の範囲に含まれるリース取引、③事業用固定資産の売却取引などについては適用範囲から除外されている。

2．収益認識の基本原則と５つのステップ

(1) 収益認識の基本原則

収益認識基準では、売上などの収益を、財又はサービスに対する支配が顧客に移転し、企業が契約上の履行義務を充足した時又は充足するにつれて収益を認識する。なお、履行義務とは収益認識基準において新たに導入された概念であり、財又はサービスを顧客に移転する約束をいう。

(2) 収益認識の５つのステップ

基本原則に従って収益を認識するため、次の５つのステップを適用する。

ステップ１…顧客との契約を識別する
ステップ２…契約における履行義務を識別する
ステップ３…取引価格を算定する
ステップ４…契約における履行義務に取引価格を配分する
ステップ５…履行義務を充足した時又は充足するにつれて収益を認識する

◆例題◆

(1) ×10年４月１日、当社はＡ社との間で、商品Ｘの販売を行い、あわせて２年間の保守サービスを提供する契約を締結した。当社は商品ＸをＡ社に引き渡し、契約書に記載された対価の額11,400円は現金で受け取った。なお、商品Ｘの独立販売価格は10,000円、２年間の保守サービスの独立販売価格は2,000円である。

(2) ×11年３月31日（決算日）となった。

(3) ×12年３月31日（決算日）となった。

【解答・解説】

(1) ５つのステップの適用

ステップ１：顧客との契約を識別する

顧客と「商品Ｘの販売と２年間の保守サービスの提供」を契約した。なお、書面だけでなく、口頭、取引慣行も契約とする。

ステップ２：契約における履行義務を識別する

「商品Ｘの販売」と「２年間の保守サービスの提供」を履行義務として識別する。ステップ５で履行義務が充足されると収益が計上されるが、その計上単位をステップ２で識別する。

ステップ３：取引価格を算定する

履行義務と交換に、顧客から対価をいくら得ることができるのか（取引価格）を算定する。なお、値引、リベート、返金等、取引の対価に変動性のある金額が含まれる場合は、その変動部分の金額を見積り、その部分を増減して取引価格を算定する。例題では契約書に記載された11,400円となる。

ステップ４：契約における履行義務に取引価格を配分する

ステップ３で算定した取引価格をステップ２で識別した履行義務に配分する。対価となる取引価格は総額で11,400円であるが、これをそれぞれの独立販売価格の比率で按分する。独立販売価格とは、財又はサービスを単独で販売する場合の価格をいう。

商品X　$11{,}400 \times \frac{10{,}000}{10{,}000 + 2{,}000} = 9{,}500$

保守サービス　$11{,}400 \times \frac{2{,}000}{10{,}000 + 2{,}000} = 1{,}900$

ステップ５：履行義務を充足した時に又は充足するにつれて収益を認識する

ステップ２で識別した履行義務ごとに、財又はサービスに対する支配を顧客が獲得した時点で収益を認識する。例題では、商品Xは一時点で履行義務を充足するため、商品を引渡した時点で収益を認識する。保守サービスは、一定期間にわたり履行義務を充足するため、契約期間である２年にわたり収益を認識する。

(2)　会計処理

①　×10年４月１日

借方	金額	貸方	金額
現金	11,400	売上	9,500
		契約負債	1,900

※　履行義務を充足していない保守サービスは契約負債とする。

②　×11年３月31日

借方	金額	貸方	金額
契約負債	950	売上	950

※　1,900÷２年＝950

③　×12年３月31日

借方	金額	貸方	金額
契約負債	950	売上	950

※　1,900÷２年＝950

3．契約の識別

ステップ1では、顧客との契約を識別する。契約とは、法的な強制力のある権利及び義務を生じさせる取決めをいい、次のすべての要件を満たす必要がある。

(1) 当事者が契約を承認し義務の履行を約束していること
(2) 当事者の権利と支払条件を識別できること
(3) 契約に経済的実質があること
(4) 企業が受け取る権利を有する対価の回収可能性が高いこと

4．履行義務の識別

ステップ2では、どのような財又はサービスを顧客に移転することになるのかという履行義務を識別する。

(1) 履行義務の識別にあたり考慮すべき事項

① 履行義務が複数なのか単独なのかの区別
② 本人と代理人の区別

(2) 自社ポイントの付与

小売店のポイント制度では、商品の販売に加えて、顧客が将来利用可能なポイントを付与する。商品の販売とポイントの付与は別個の履行義務として識別し、取引価格を商品とポイントの独立販売価格の比率で按分する。ポイントに配分された額は**契約負債**に計上し、顧客のポイント使用時に収益を認識する。

◆例題◆

(1) ×12年5月1日、当社は商品10,000円（独立販売価格）を現金で販売し、1,000ポイントを顧客に付与した。当社は100円の購入につき10ポイントを付与しており、顧客は1ポイント1円として商品と交換することができる。当社は、商品の販売時点で付与したポイントの90%が使用されると見積もり、1ポイント当たりの独立販売価格は0.9円とした。なお、端数が生じた場合は円未満四捨五入とする。
(2) ×12年7月1日、600円の商品販売時に600ポイントが使用された。

【解答・解説】

(1) ×12年5月1日

借方	金額	貸方	金額
現金	10,000	売上	9,174
		契約負債	826

※1　ポイントの独立販売価格　1,000×0.9＝900

※2　独立販売価格合計　商品10,000＋ポイント900＝10,900

※3　売上　$10{,}000\times\frac{10{,}000}{10{,}900}=9{,}174$（四捨五入）

※4　契約負債　$10{,}000\times\frac{900}{10{,}900}=826$（四捨五入）

⑵　**×12年７月１日**

契約負債	551	売上	551

※　契約負債$826\times\frac{600\text{ポイント}}{900\text{ポイント}}=551$（四捨五入）

⑶　**本人と代理人の区別**

顧客への財又はサービスの提供について、企業自ら提供する履行義務である場合には、企業は「**本人**」に該当し、企業が**権利を得ると見込む対価の総額**を収益として認識する。

一方、他の当事者が提供されるように企業が手配する履行義務である場合は、企業は「**代理人**」に該当し、他の当事者が提供するように手配することと交換に企業が**権利を得ると見込む手数料の金額**（顧客から受取る額から他の当事者に支払う額を控除した**純額**）を収益として認識する。

デパート等において、顧客へ商品を販売すると同時にテナントから商品を仕入れる「消化仕入」では、純額を**手数料収入**として計上する。

◆例題◆

当社は、Ｂ社より商品を仕入れ、店舗に陳列し、顧客に対し販売を行っている。

Ｂ社との契約は、通常の商品売買契約（買取仕入契約）のほか、消化仕入契約がある。消化仕入契約では、当社は、店舗への商品納品時には検収を行わず、店舗にある商品の法的所有権はＢ社が保有している。また、商品に関する保管管理責任及び商品に関するリスクもＢ社が有している。

当社は、消化仕入契約の対象の商品を20,000円で顧客に現金で販売した。同時に、商品の仕入先Ｂ社との消化仕入契約に基づき買掛金19,000円を計上した。

【解答・解説】

現金	20,000	買掛金	19,000
		手数料収入	1,000

※　当社は代理人に該当するため、手数料部分を収益とする。

5．取引価格の算定

ステップ3では、ステップ2で識別した履行義務についての取引価格を決定する。取引価格とは、財又はサービスを顧客に移転するのと交換に、企業が権利を得ると見込む対価の額をいう。

(1) 取引価格の算定にあたり考慮すべき事項

取引価格の算定にあたっては、以下の4項目に関する影響を考慮する。これらの影響を考慮すると、取引価格と契約書の金額は必ずしも一致しない場合がある。

① 変動対価

変動対価とは、顧客と約束した対価のうち変動する可能性のある部分をいう。具体的には、返品権付き販売、交渉中の売上値引、売上割戻契約のような金額の減額だけではなく、インセンティブ、業績に基づく割増金のような金額の割増しも該当する。変動対価を含む取引は、変動部分の金額を見積り、見積額は**返金負債**に計上する。なお、見積額は各決算時に金額の見直しを行う。

② 重要な金融要素

顧客との契約に重要な金融要素が含まれる場合は、取引価格から金利相当分を控除した額で売上収益を計上する。

③ 現金以外の対価

契約において顧客が現金以外の対価（例えば材料、設備、労務など）の提供を約束している場合には、取引価格の算定においては、当該対価を時価により算定する。

④ 顧客に支払われる対価

顧客に支払われる対価とは、企業が財又はサービスを購入する顧客に対して支払う金額をいい、メーカーが顧客である小売店に支払う商品棚の補償費用等が該当する。顧客に支払われる対価は、取引価格から減額する。

(2) 変動対価の見積り

変動対価の見積りに際しては、**最頻値**（最も発生の可能性が高い単一の金額）による方法と、**期待値**（発生の可能性がある対価額を確率で加重平均した金額）による方法のうち、企業が権利を得ることとなる対価額をより適切に予測できる方法を選択する。

◆例題◆

×10年４月１日、当社はＹ社に対して商品15個を１個400円で掛販売した。Ｙ社とは、×10年４月１日から×11年３月31日の１年間に購入する数量に応じて、以下のリベートが当社から支払われる契約になっている。販売個数、リベート率、過去の販売実績に基づく発生確率は以下のとおりである。リベート率は全仕入分に適用されるものとする。

販売個数	リベート率	発生確率
100個～	10%	５%
75個～99個	５%	15%
50個～74個	２%	45%
０個～49個	０%	35%

【解答・解説】

(1)　**最頻値による方法**

売掛金	6,000	売上 返金負債	5,880 120

※　発生確率が最も高い45%のリベート率２%を採用する。
売掛金　@400円×販売数量15個＝6,000
返金負債　@400円×販売数量15個×リベート率２%＝120
売上　6,000－120＝5,880

(2)　**期待値による方法**

売掛金	6,000	売上 返金負債	5,871 129

※　加重平均値として算出されたリベート率2.15%を採用する。

販売個数	①リベート率	②発生確率	①×②
100個～	10%	５%	0.50%
75個～99個	５%	15%	0.75%
50個～74個	２%	45%	0.90%
０個～49個	０%	35%	0.00%
合計（加重平均値）			2.15%

売掛金　@400円×販売数量15個＝6,000
返金負債　@400円×販売数量15個×リベート率2.15%＝129
売上　6,000－129＝5,871

(3) 売上割戻契約（リベート契約）

売上割戻契約とは、一定期間の売買金額が基準額以上に達した場合において、代金の一部を免除する契約をいう。将来、売上割戻を行うと予想される部分については、収益を認識せず、**返金負債**を計上する。

◆例題◆

(1) ×12年5月1日、当社は、B社へ商品Zを200個販売し、代金20,000円は現金で受け取った。B社とは商品Zの販売について次の売上割戻契約を締結している。

① 商品Zの1個当たりの販売価格は100円である。

② B社への年間販売数量が300個に達したときは1個当たり10円、1,000個に達したときは1個当たり20円の割戻金を当社がB社に支払う。

なお、当期におけるB社への販売数量は400個になると予想している。

(2) ×12年9月1日、当社は、B社へ商品Zを200個販売し、代金20,000円は現金で受け取った。

(3) ×12年10月15日、当社は、B社へ割戻金4,000円を現金で支払った。

【解答・解説】

(1) ×12年5月1日

借方科目	金額	貸方科目	金額
現金	20,000	売上	18,000
		返金負債	2,000

※1 売上 (@100－リベート見込@10)×200個＝18,000

※2 返金負債 リベート見込@10×200個＝2,000

(2) ×12年9月1日

借方科目	金額	貸方科目	金額
現金	20,000	売上	18,000
		返金負債	2,000

※1 売上 (@100－リベート見込@10)×200個＝18,000

※2 返金負債 リベート見込@10×200個＝2,000

(3) ×12年10月15日

借方科目	金額	貸方科目	金額
返金負債	4,000	現金	4,000

※ (1)と(2)で計上した返金負債を精算する。

⑷　返品権付き販売

将来返品されると見込まれる部分については、収益を認識せず、**返金負債**を計上する。また、顧客から商品を回収する権利について**返品資産**を計上する。

◆例題◆

(1)　×12年６月１日、当社は、Ｃ社へ商品Ｘを400個販売し、代金80,000円は現金で受け取った。商品Ｘの売価は@200円、原価は@120円である。契約により、未使用の商品を１ヶ月以内に返品した場合は全額の返金が行われるが、返品は20個と予想した。なお、売上原価対立法により会計処理を行う。

(2)　×12年６月25日、Ｃ社より商品Ｘが20個返品された。

【解答・解説】

⑴　×12年６月１日

借方	金額	貸方	金額
現金	80,000	売上 返金負債	76,000 4,000
売上原価 返品資産	45,600 2,400	商品	48,000

※１　売上　売価@200×（400個－返品見込20個）＝76,000

※２　返金負債　売価@200×返品見込20個＝4,000

※３　商品　原価@120×400個＝48,000

※４　売上原価　原価@120×（400個－返品見込20個）＝45,600

※５　返品資産　原価@120×返品見込20個＝2,400

⑵　×12年６月25日

借方	金額	貸方	金額
返金負債	4,000	現金	4,000
商品	2,400	返品資産	2,400

※１　返金負債　売価@200×返品見込20個＝4,000

※２　返品資産　原価@120×返品見込20個＝2,400

(5) 重要な金融要素

対価額の回収が長期にわたる場合などは、取引価格に金融要素が含まれるため、取引価格から金利相当分を控除した額で売上収益を計上する。金利相当分は償却原価法で受取利息として計上するのが適切である。

◆例題◆

(1) ×1年4月1日に特注品を販売し、代金として×3年3月31日を期日とする額面金額35,280円の手形を受取った。当該額面金額には、現金販売価格32,000円に年利5％（年複利）による2年間の金利相当額が加算されている。この取引については、受取手形に含まれる金利相当額を別処理することとする。なお、金利相当額については償却原価法（利息法）を適用する。

(2) ×2年3月31日。決算日となった。

(3) ×3年3月31日。手形金額が当座預金で決済された。

【解答・解説】

(1) ×1年4月1日

受取手形	32,000	売上	32,000

※ 受取手形・売上は現金販売価格で計上する。

(2) ×2年3月31日

受取手形	1,600	受取利息	1,600

※ 受取利息 32,000×5％＝1,600

(3) ×3年3月31日

当座預金	35,280	受取手形	33,600
		受取利息	1,680

※ 受取利息 35,280－33,600＝1,680

6．履行義務への取引価格の配分

ステップ4では、ステップ2で契約の中に複数の履行義務が識別された場合に、それぞれの履行義務についてステップ3で算定した取引価格のうちいくらを配分するのかを決定する。

(1) 取引価格の算定にあたり考慮すべき事項

履行義務が1つの契約であっても、契約を結合した結果、履行義務が複数識別されるような場合には、独立販売価格等により取引価格の配分が必要となる。

(2) 値引きの配分

契約における独立販売価格の合計額が当該契約の取引価格を超える場合には、顧客に値引きを行っているものとして、当該値引き分を契約におけるすべての履行義務に対して比例的に配分する。

◆例題◆

製品A、B、Cを取引価格25,000千円で販売し、代金は掛とした。

独立販売価格の合計は、30,000千円（製品A15,000千円、製品B9,000千円、製品C6,000千円）である。

全体の値引き額5,000千円は、どの製品が値引きの対象となっているのかについて不明であるため、各製品に比例的に配分する。

【解答・解説】

借方科目	金額	貸方科目	金額
売掛金	25,000	売上(製品A)	12,500
		売上(製品B)	7,500
		売上(製品C)	5,000

※1 製品A $15{,}000-\text{値引}5{,}000\times\frac{15{,}000}{30{,}000}=12{,}500$

※2 製品B $9{,}000-\text{値引}5{,}000\times\frac{9{,}000}{30{,}000}=7{,}500$

※3 製品C $6{,}000-\text{値引}5{,}000\times\frac{6{,}000}{30{,}000}=5{,}000$

7．履行義務の充足による収益の認識

ステップ5では、いつ収益を認識するのかを判定する。

(1) 収益の認識にあたり考慮すべき事項

履行義務が、一時点で充足されるものか、一定の期間にわたり充足されるものかを契約開始時に判断する。

(2) 一時点での収益認識

① 通常の販売

原則として、顧客の検収完了時に収益を認識する。ただし、国内販売で出荷から検収までの期間が数日程度である場合には、出荷時や着荷時に収益を認識することができる。

② 特殊な販売

割賦販売は、商品を引渡した時点で収益を認識する。

委託販売は、受託者が商品を販売した時点で収益を認識する。

試用販売は、顧客の買取意思表示があった時点で収益を認識する。

(3) 一定期間にわたる収益認識

① 請負工事

建物や道路の建設工事については、進捗度を合理的に見積ることができる場合は、当該進捗度に基づいて収益を認識する。

進捗度を合理的に見積ることができない場合でも、履行義務を充足するときに費用が回収できるのであれば、費用の額で収益を認識する原価回収基準により収益を認識する。

期間がごく短い工事については、完全に履行義務を充足した時点で収益を認識することができる。

② 受注制作のソフトウェア

請負工事と同様に収益を認識する。

学習度チェック

22　割賦販売

重要度B
★★

●学習のポイント●

1．収益認識時点を理解する。
2．重要な金融要素が含まれる場合における償却原価法の会計処理をマスターする。

ポイント整理

1．割賦販売

割賦販売とは、商品引渡し後、月賦、年賦などにより代金を分割して回収する販売形態をいう。

2．収益認識基準

割賦販売では、**顧客に商品を引渡した時点で収益を認識**する。そのため従来行われてきた割賦基準（回収基準又は回収期限到来基準）による処理は認められないことになった。

3．重要な金融要素

割賦販売の取引価格は、利息相当額だけ通常の販売価格より高く設定されるのが通常である。したがって金利相当額に重要性があれば、割賦売掛金及び割賦売上は現金販売価格で計上するとともに、金利相当額は償却原価法で**受取利息**として計上するのが適切である。ただし、代金回収期間が１年以内であれば、金利相当額を考慮しないことができる。

◆例題◆

(1)　×13年２月１日、当社（決算日は３月末日）は、現金販売価格60,000円の商品を割賦販売した。代金は、年６％による金利相当額1,968円を含む総額61,968円を12回（12ヶ月）の均等分割とし、×13年２月28日より、毎月末日に5,164円を受取る契約である。金利相当額は重要な金融要素であり、利息法により処理する。なお、端数が生じた場合は円未満四捨五入とする。

(2)　×13年２月28日、割賦金5,164円を現金で受け取った。

(3)　×13年３月31日、割賦金5,164円を現金で受け取った。

【解答・解説】

(1)　×13年２月１日

割賦売掛金	60,000	割賦売上	60,000

※　現金販売価格で割賦売上を計上する。

(2)　×13年２月28日

現金	5,164	割賦売掛金	4,864
		受取利息	300

※１　受取利息　$60,000 \times 6\% \times \frac{1月}{12月} = 300$

※２　割賦売掛金　差額

(3)　×13年３月31日

現金	5,164	割賦売掛金	4,888
		受取利息	276

※１　受取利息　$(60,000 - 4,864) \times 6\% \times \frac{1月}{12月} = 276$

※２　割賦売掛金　差額

22
割賦販売

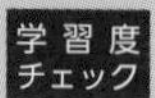

23　試用販売

重要度C ★

●学習のポイント●

1．収益認識時点を理解する。
2．手許商品区分法における会計処理をマスターする。
3．対照勘定法における会計処理をマスターする。

ポイント整理

1．試用販売

試用販売とは、顧客にまず商品を引き渡して一定期間試用してもらい、その後買取の意思表示があった時点で売買契約が成立するという販売形態である。

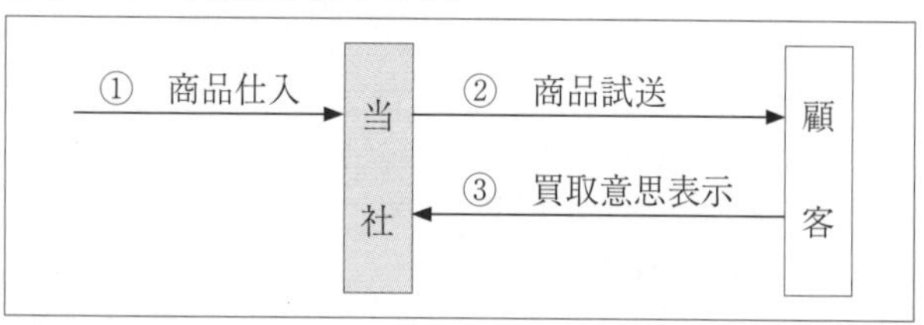

2．収益認識基準

試用販売では、**顧客より買取の意思表示があった時点で収益を認識**する。

3．会計処理

(1)　手許商品区分法

手許商品区分法とは、商品を試送したとき、その商品原価を仕入勘定から試用品勘定に振り替え、手許商品と試用品とを区別する方法である。

①　商品試送時

試用品	×××	仕入	×××

②　買取意思表示時

(a)　分記法

売掛金	×××	試用品	×××
		試用品販売益	×××

(b) 総記法

売掛金	×××	試用品	×××

(c) 期末一括法

売掛金	×××	試用品売上	×××

(d) その都度法

売掛金	×××	試用品売上	×××
仕入	×××	試用品	×××

③ 決算時

(a) 分記法

仕訳なし			

(b) 総記法

試用品	×××	試用品販売益	×××

(c) 期末一括法

仕入	×××	試用品	×××

(d) その都度法

仕訳なし			

(2) 対照勘定法

対照勘定法とは、商品を試送したとき、その商品の売価を対照勘定で記帳する方法である。

① 商品試送時

試用未収金	×××	試用仮売上	×××

② 買取意思表示時

売掛金	×××	試用品売上	×××
試用仮売上	×××	試用未収金	×××

③ 決算時

仕入	×××	繰越試用品	×××
繰越試用品	×××	仕入	×××

◆例題◆

(1) 期首手許商品500円、期首試用品120円（売価200円）
(2) 掛による商品仕入高　6,400円
(3) 掛による一般売上高　6,000円
(4) 商品試送高　2,100円（売価3,500円）
(5) 試用品の買取意思表示高　3,400円（原価率60%）
(6) 期末手許商品600円、期末試用品180円（売価300円）

【解答・解説】

1　手許商品区分法

(1)　期首

期首試算表　(単位：円)

繰越商品	500	
試用品	120	

(2)　仕入時

仕入	6,400	買掛金	6,400

(3)　一般売上時

売掛金	6,000	一般売上	6,000

(4)　試送時

試用品	2,100	仕入	2,100

(5)　買取意思表示時

①　分記法

売掛金	3,400	試用品	2,040
		試用品販売益	1,360

※　売上原価　3,400×60%＝2,040

②　総記法

売掛金	3,400	試用品	3,400

③　期末一括法

売掛金	3,400	試用品売上	3,400

④　その都度法

売掛金	3,400	試用品売上	3,400
仕入	2,040	試用品	2,040

(6)　決算整理

①　手許商品の決算整理

仕入	500	繰越商品	500
繰越商品	600	仕入	600

②　試用販売・分記法の決算整理

仕訳なし			

③　試用販売・総記法の決算整理

試用品	1,360	試用品販売益	1,360

※　販売益　売上3,400－売上原価2,040＝1,360

④　試用販売・期末一括法の決算整理

仕入	2,040	試用品	2,040

⑤　試用販売・その都度法の決算整理

仕訳なし			

(7) 決算整理後残高試算表

① 試用販売を分記法・総記法で処理した場合

決算整理後残高試算表 (単位：円)

借方	金額	貸方	金額
繰越商品	600	一般売上	6,000
試用品	180	試用品販売益	1,360
仕入	4,200		

② 試用販売を期末一括法・その都度法で処理した場合

決算整理後残高試算表 (単位：円)

借方	金額	貸方	金額
繰越商品	600	一般売上	6,000
試用品	180	試用品売上	3,400
仕入	6,240		

2 対照勘定法

(1) 期首

期首試算表 (単位：円)

借方	金額	貸方	金額
繰越商品	500	試用仮売上	200
繰越試用品	120		
試用未収金	200		

(2) 仕入時

借方	金額	貸方	金額
仕入	6,400	買掛金	6,400

(3) 一般売上時

借方	金額	貸方	金額
売掛金	6,000	一般売上	6,000

(4) 試送時

借方	金額	貸方	金額
試用未収金	3,500	試用仮売上	3,500

(5) 買取意思表示時

借方	金額	貸方	金額
売掛金	3,400	試用品売上	3,400
試用仮売上	3,400	試用未収金	3,400

(6) 決算整理

① 手許商品の決算整理

借方	金額	貸方	金額
仕入	500	繰越商品	500
繰越商品	600	仕入	600

② 試用販売の決算整理

借方	金額	貸方	金額
仕入	120	繰越試用品	120
繰越試用品	180	仕入	180

(7) 決算整理後残高試算表

決算整理後残高試算表 (単位：円)

借方	金額	貸方	金額
繰越商品	600	試用仮売上	300
繰越試用品	180	一般売上	6,000
試用未収金	300	試用品売上	3,400
仕入	6,240		

学習度チェック

24 委託販売

重要度B ★★

●学習のポイント●

1. 収益の認識時点を理解する。
2. ①商品積送時の仕訳、②売上計上時の仕訳、③決算整理仕訳をマスターする。
3. 積送諸掛に関する会計処理をマスターする。
4. 荷為替の取組がある場合の受託者に対する債権・債務に関する会計処理をマスターする。

ポイント整理

1. 委託販売

委託販売とは、他の企業（受託者という）に自己の商品の販売を委託する販売形態をいう。

委託者は、この販売に係る諸費用をすべて負担し、受託者に対する報酬として手数料を支払う。

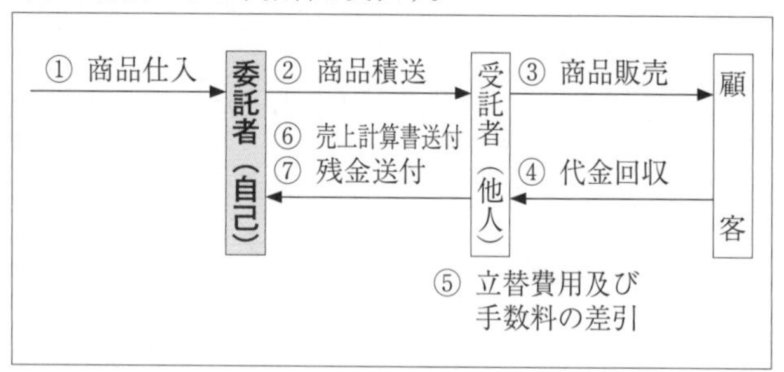

2. 収益認識基準

委託販売では、**受託者が顧客に商品を販売した時点で収益を認識**する。そのため従来行われてきた売上計算書が到着した時点で収益を認識する処理は認められないことになった。

3. 会計処理

(1) 商品積送時

積送品	×××	仕入	×××

(2) 積送売上計上時

① 分記法

積送売掛金	×××	積送品 積送品販売益	××× ×××

② 総記法

積送売掛金	×××	積送品	×××

③ 期末一括法

積送売掛金	×××	積送品売上	×××

④ その都度法

積送売掛金	×××	積送品売上	×××
仕入	×××	積送品	×××

(3) 決算時

① 分記法

仕訳なし			

② 総記法

積送品	×××	積送品販売益	×××

③ 期末一括法

仕入	×××	積送品	×××

④ その都度法

仕訳なし			

◆例題◆

(1) 期首手許商品500円、期首積送品120円
(2) 掛による商品仕入高　6,400円
(3) 掛による一般売上高　6,000円
(4) 商品積送高　2,100円
(5) 積送品売上高　3,400円（原価率60%）
(6) 期末手許商品600円、期末積送品180円

【解答・解説】

(1) 期首

期首試算表　(単位：円)

繰越商品	500		
積送品	120		

(2) 仕入時

仕入	6,400	買掛金	6,400

(3) 一般売上時

売掛金	6,000	一般売上	6,000

24 委託販売

(4) 積送時

積送品	2,100	仕入	2,100

(5) 積送売上計上時

① 分記法

積送売掛金	3,400	積送品	2,040
		積送品販売益	1,360

※ 売上原価 3,400×60%＝2,040

② 総記法

積送売掛金	3,400	積送品	3,400

③ 期末一括法

積送売掛金	3,400	積送品売上	3,400

④ その都度法

積送売掛金	3,400	積送品売上	3,400
仕入	2,040	積送品	2,040

(6) 決算整理

① 手許商品の決算整理

仕入	500	繰越商品	500
繰越商品	600	仕入	600

② 委託販売・分記法の決算整理

仕訳なし			

③ 委託販売・総記法の決算整理

積送品	1,360	積送品販売益	1,360

※ 販売益 売上3,400－売上原価2,040＝1,360

④ 委託販売・期末一括法の決算整理

仕入	2,040	積送品	2,040

⑤ 委託販売・その都度法の決算整理

仕訳なし			

(7) 決算整理後残高試算表

① 委託販売を分記法・総記法で処理した場合

決算整理後残高試算表 (単位：円)

繰越商品	600	一般売上	6,000
積送品	180	積送品販売益	1,360
仕入	4,200		

② 委託販売を期末一括法・その都度法で処理した場合

決算整理後残高試算表 (単位：円)

繰越商品	600	一般売上	6,000
積送品	180	積送品売上	3,400
仕入	6,240		

4．積送諸掛の処理

(1) 発送諸掛の処理

商品積送時に要した運賃、梱包費などの発送諸掛については次の２つの方法がある。

① 販売費とする場合

(a) 積送時

借方	金額	貸方	金額
積送諸掛費	×××	現金預金	×××

(b) 決算時

借方	金額	貸方	金額
積送諸掛費	×××	繰延積送諸掛	×××
繰延積送諸掛	×××	積送諸掛費	×××

② 積送品原価とする場合

借方	金額	貸方	金額
積送品	×××	現金預金	×××

(2) 手数料等の処理

売上の計上金額により次の２つの方法がある。

売上計算書			
売上高		××	←受託者売上額基準
諸掛			
立替費用	××		
手数料	××	××	
手取額		××	←委託者手取額基準

① 受託者売上額基準

借方	金額	貸方	金額
積送売掛金	×××	積送品売上	×××
積送諸掛費	×××		

② 委託者手取額基準

借方	金額	貸方	金額
積送売掛金	×××	積送品売上	×××

◆例題◆

(1) 期首積送品120円（これに係る発送諸掛は12円）

(2) 商品2,100円を積送し、発送費210円は現金で支払った。

(3) 受託者の売上高等は次のとおりである。委託者の手取額を売上収益とし、期末一括法により処理する。

売上高	3,400円
手数料	340円
手取額	3,060円

(4) 期末積送品180円（これに係る発送諸掛は18円）

【解答・解説】

1．発送諸掛を販売費とする場合

(1) 期首

期首試算表 (単位：円)

積送品	120		
繰延積送諸掛	12		

(2) 積送時

積送品	2,100	仕入	2,100
積送諸掛費	210	現金	210

(3) 積送売上計上時

① 受託者売上額基準

積送売掛金	3,060	積送品売上	3,400
積送諸掛費	340		

② 委託者手取額基準

積送売掛金	3,060	積送品売上	3,060

(4) 決算整理

① 期末一括法の決算整理

仕入	2,040	積送品	2,040

※ 120＋2,100－180＝2,040

② 発送諸掛の決算整理

積送諸掛費	12	繰延積送諸掛	12
繰延積送諸掛	18	積送諸掛費	18

2．発送諸掛を積送品原価とする場合

(1) 期首

期首試算表 (単位：円)

積送品	132		

(2) 積送時

積送品	2,310	仕入	2,100
		現金	210

(3) 積送売上計上時

① 受託者売上額基準

積送売掛金	3,060	積送品売上	3,400
積送諸掛費	340		

② 委託者手取額基準

積送売掛金	3,060	積送品売上	3,060

(4) 決算整理（期末一括法の決算整理）

仕入	2,244	積送品	2,244

※ 132＋2,310－198＝2,244

5．荷為替の取組

(1) 前受金と積送売掛金で処理

① 荷為替取組時

借方	金額	貸方	金額
当座預金	×××	前受金	×××
手形売却損	×××		

② 積送売上計上時

借方	金額	貸方	金額
前受金	×××	積送品売上	×××
積送売掛金	×××		

(2) 委託販売で処理

① 荷為替取組時

借方	金額	貸方	金額
当座預金	×××	委託販売	×××
手形売却損	×××		

② 積送売上計上時

借方	金額	貸方	金額
委託販売	×××	積送品売上	×××

◆例題◆

(1) 商品積送時に荷為替2,000円を取り組み、割引料50円を差し引かれ、手取金は当座預金とした。

(2) 受託者の売上高等は次のとおりである。委託者の手取額を売上収益とし、期末一括法により処理する。

売上高	3,400円
手数料	340円
荷為替引受額	2,000円
手取額	1,060円

【解答・解説】

1．前受金と積送売掛金で処理

	借方	金額	貸方	金額
(1)	当座預金	1,950	前受金	2,000
	手形売却損	50		
(2)	前受金	2,000	積送品売上	3,060
	積送売掛金	1,060		

2．委託販売で処理

	借方	金額	貸方	金額
(1)	当座預金	1,950	委託販売	2,000
	手形売却損	50		
(2)	委託販売	3,060	積送品売上	3,060

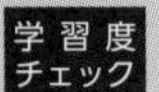

25　受託販売

重要度C
★

●学習のポイント●

1．受託販売に関する会計処理方法をマスターする。
2．委託販売と受託販売の対応関係を理解する。

ポイント整理

1．受託販売

受託販売とは、他人（委託者）の商品の販売を引き受けることをいう。つまり、委託販売を受託者の側からみると、受託販売となる。

受託者は代理人に該当するため、受託者の側で生じる損益は受取手数料のみである。

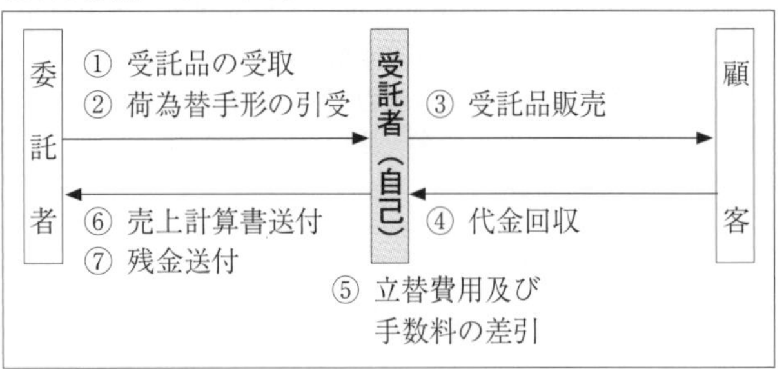

2．会計処理

委託者に対する債権（立替金）・債務（預り金）はすべて**受託販売勘定**で処理する。

受託販売	
債　権 （立替金）	債　務 （預り金）

◆例題◆

(1) 荷為替手形1,000円の呈示を受け、これを引き受けた。
(2) 委託者から販売を委託された商品1,500円（売価）を受け取った。
(3) 受託品のすべてを1,500円で販売し、代金は掛とした。
(4) 上記(3)の掛代金を現金で回収した。
(5) 受託販売に係る諸経費50円を現金で支払った。
(6) 売上計算書を作成し、委託者に送付した。

売上計算書

売上高		1,500
諸掛		
雑費	50	
手数料（10%）	150	200
差引		1,300
荷為替引受高		1,000
手取高		300

(7) 残金300円を委託者に送金した。

【解答・解説】

	借方	金額	貸方	金額
(1)	受託販売	1,000	支払手形	1,000
(2)	仕訳なし			
(3)	売掛金	1,500	受託販売	1,500
(4)	現金	1,500	売掛金	1,500
(5)	受託販売	50	現金	50
(6)	受託販売	150	受取手数料	150
(7)	受託販売	300	現金	300

受託販売の一連の処理が完了すると、受託販売勘定は残高ゼロとなる。

受託販売

借方		貸方	
(1)荷為替引受	1,000	(3)受託品販売	1,500
(5)諸経費支払	50		
(6)手数料計上	150		
(7)残金送金	300		

学習度チェック

26　未着品売買

重要度B ★★

●学習のポイント●

手許商品区分法における①貨物代表証券購入時の仕訳、②現品引取時の仕訳、③貨物代表証券販売時の仕訳、④決算整理仕訳をマスターする。

ポイント整理

1．未着品売買

未着品売買とは、遠隔地の仕入先から商品を仕入れる場合、現品が到着する前に貨物代表証券（商品を受け取る権利を示す証券）を受け取ることがある。この貨物代表証券の購入、現品引取及び販売を、未着品売買という。

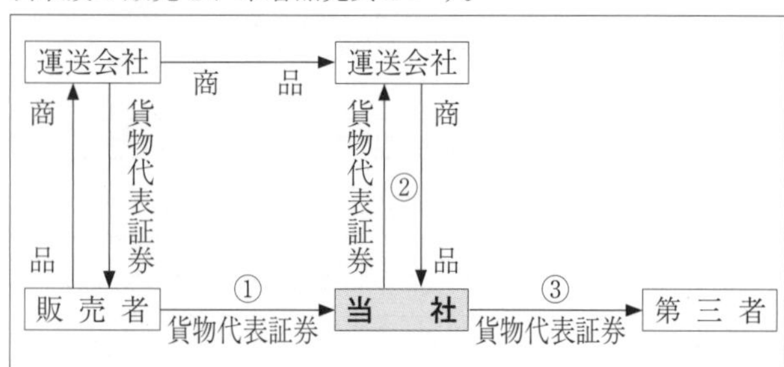

2．会計処理

(1)　貨物代表証券購入時

貨物代表証券を購入したときは、未着品勘定で処理する。

借方	金額	貸方	金額
未着品	×××	買掛金	×××

(2)　現品引取時

貨物代表証券と引き換えに商品を受け取ったときは、未着品勘定から仕入勘定に振り替える。

借方	金額	貸方	金額
仕入	×××	未着品	×××

(3)　貨物代表証券売却時

①　分記法

借方	金額	貸方	金額
売掛金	×××	未着品	×××
		未着品販売益	×××

②　総記法

借方	金額	貸方	金額
売掛金	×××	未着品	×××

③　期末一括法

借方	金額	貸方	金額
売掛金	×××	未着品売上	×××

④　その都度法

借方	金額	貸方	金額
売掛金	×××	未着品売上	×××
仕入	×××	未着品	×××

(4)　決算時

①　分記法

借方	金額	貸方	金額
仕訳なし			

②　総記法

借方	金額	貸方	金額
未着品	×××	未着品販売益	×××

③　期末一括法

借方	金額	貸方	金額
仕入	×××	未着品	×××

④　その都度法

借方	金額	貸方	金額
仕訳なし			

◆例題◆

(1) 期首手許商品500円、期首貨物代表証券100円
(2) 掛による商品仕入高　3,600円
(3) 掛による一般売上高　6,000円
(4) 掛による貨物代表証券購入高　2,500円
(5) 貨物代表証券現品引取高　700円
(6) 掛による貨物代表証券売上高　2,200円（原価率80%）
(7) 期末手許商品600円、期末貨物代表証券140円

【解答・解説】

(1) 期首

期首試算表　(単位：円)

借方	金額	貸方	金額
繰越商品	500		
未着品	100		

(2) 仕入時

仕入	3,600	買掛金	3,600

(3) 一般売上時

売掛金	6,000	一般売上	6,000

(4) 貨物代表証券購入時

未着品	2,500	買掛金	2,500

(5) 現品引取時

仕入	700	未着品	700

(6) 貨物代表証券売却時

① 分記法

売掛金	2,200	未着品	1,760
		未着品販売益	440

※　売上原価　2,200×80%＝1,760

② 総記法

売掛金	2,200	未着品	2,200

③ 期末一括法

売掛金	2,200	未着品売上	2,200

④ その都度法

売掛金	2,200	未着品売上	2,200
仕入	1,760	未着品	1,760

(7) 決算整理

① 手許商品の決算整理

仕入	500	繰越商品	500
繰越商品	600	仕入	600

② 未着品売買・分記法の決算整理

仕訳なし			

③ 未着品売買・総記法の決算整理

未着品	440	未着品販売益	440

※ 販売益 売上2,200－売上原価1,760＝440

④ 未着品売買・期末一括法の決算整理

仕入	1,760	未着品	1,760

⑤ 未着品売買・その都度法の決算整理

仕訳なし			

(8) 決算整理後残高試算表

① 未着品販売を分記法・総記法で処理した場合

決算整理後残高試算表 (単位：円)

繰越商品	600	一般売上	6,000
未着品	140	未着品販売益	440
仕入	4,200		

② 未着品販売を期末一括法・その都度法で処理した場合

決算整理後残高試算表 (単位：円)

繰越商品	600	一般売上	6,000
未着品	140	未着品売上	2,200
仕入	5,960		

学習度チェック

27　委託買付・受託買付

重要度C ★

●学習のポイント●

委託買付と受託買付の会計処理をマスターする。

ポイント整理

1．委託買付・受託買付

他者に商品の買付けを委託することを委託買付、他者から依頼されて商品の買付けを行うことを受託買付という。商品の買付けを委託する側を委託者、商品の買付けを行う側を受託者という。

2．会計処理

(1)　委託者

委託者は、受託者との債権・債務を処理するために**委託買付勘定**を使用し、買付に要した諸掛はすべて仕入に含める。

①　買付代金前払時

委託買付	×××	現金預金	×××

②　商品到着時

仕入	×××	委託買付	×××

(2)　受託者

受託者は、委託者との債権・債務を処理するために**受託買付勘定**を使用し、損益は**受取手数料**のみを計上する。

①　買付代金前受時

現金預金	×××	受託買付	×××

②　立替費用支払時

受託買付	×××	現金預金	×××

③　受取手数料計上時

受託買付	×××	受取手数料	×××

◆例題◆

(1) A社は、B社に商品の買付けを委託し、買付代金の一部として現金5,000円をB社に支払った。

(2) B社は、A社から依頼された商品20,000円を買付け、代金は現金で支払った。

(3) B社は、上記(2)の商品を次の買付計算書とともにA社へ送付し、A社負担の発送運賃1,000円を現金で支払った。

買付計算書		
買付代金		20,000円
諸掛り：		
立替運賃	1,000円	
買付手数料	2,000円	3,000円
買付合計		23,000円
内金（差引）		5,000円
請求金額		18,000円

(4) A社は、上記(3)の買付計算書とともに商品を受け取った。

【解答】

1 A社

	借方	金額	貸方	金額
(1)	委託買付	5,000	現金	5,000
(2)	仕訳なし			
(3)	仕訳なし			
(4)	仕入	23,000	委託買付	23,000

2 B社

	借方	金額	貸方	金額
(1)	現金	5,000	受託買付	5,000
(2)	受託買付	20,000	現金	20,000
(3)	受託買付	3,000	現金	1,000
			受取手数料	2,000
(4)	仕訳なし			

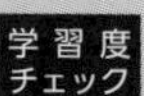

28　推定簿記

重要度B
★★

●学習のポイント●

売上と仕入の金額の推定に必要となる勘定科目と、その勘定科目における代表的な増加・減少の原因をマスターする。

ポイント整理

1．売上と仕入の推定

本試験における勘定分析による推定の多くは、売上と仕入の推定である。この場合、売上と仕入の金額の推定に必要となる勘定科目と、その勘定科目における代表的な増加と減少のパターンを頭に入れておくと、推定が大いに楽になる。

⑴　売上グループ

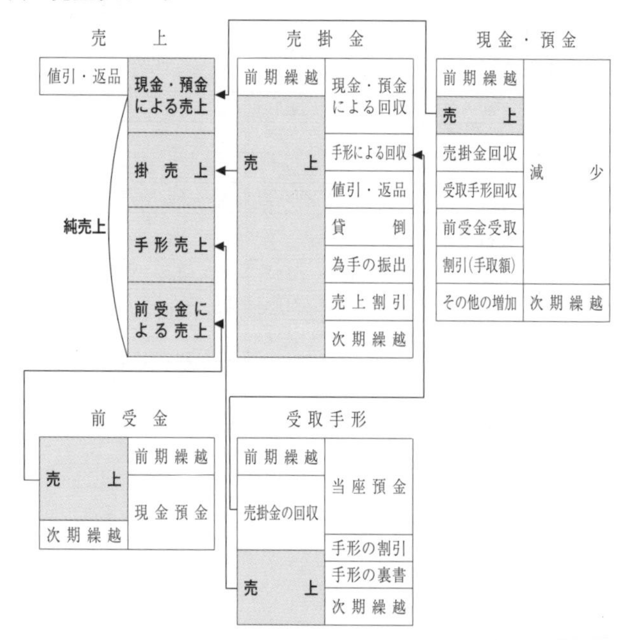

(2) 仕入グループ

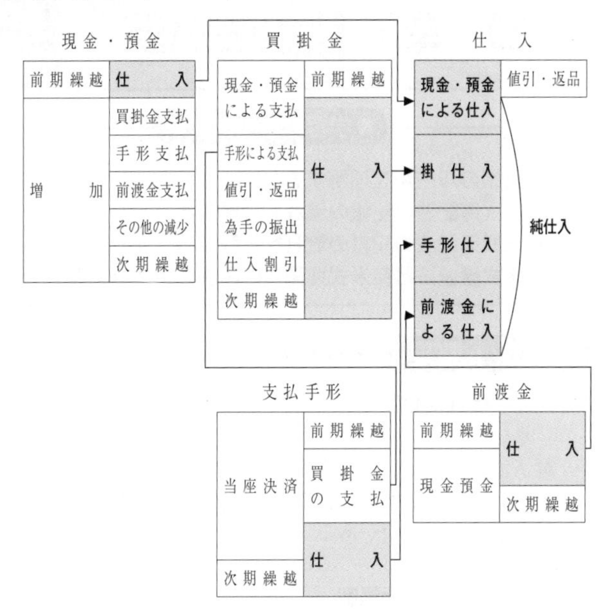

◆例題◆

次の資料により、売上高を求めなさい。

(1) 期首・期末残高

① 受取手形：期首100円、期末150円

② 売掛金：期首300円、期末200円

(2) 現金による売上高 500円

(3) 売掛金の現金回収高 1,000円

(4) 受取手形の当座回収高 800円

(5) 受取手形の増加はすべて売掛金の回収によるものである。

【解答・解説】

2,250円

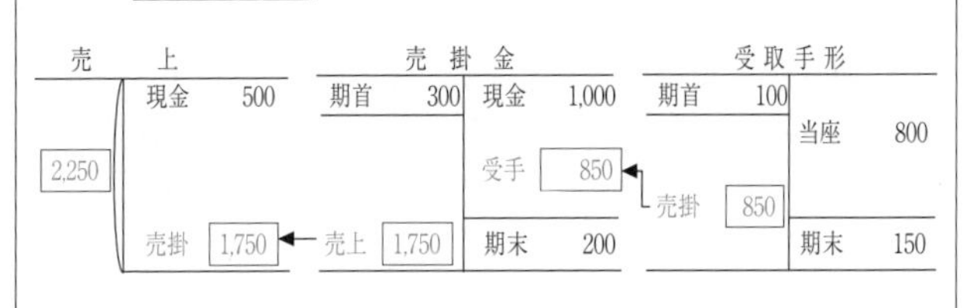

学習度
チェック

29　単一仕訳帳制度

重要度C
★

●学習のポイント●

1．仕訳帳のルールを理解する。
2．大陸式簿記法の記帳の流れを理解する。
3．英米式簿記法の記帳の流れを理解する。
4．大陸式簿記法と英米式簿記法の両者の相違点を理解する。

ポイント整理

1．単一仕訳帳制度

単一仕訳帳制度とは、単一の仕訳帳をベースとして、企業の経済活動を記録、計算する帳簿の統一的な仕組み（帳簿組織）をいう。この制度には、**単一仕訳帳・元帳制**と**単一仕訳帳・補助簿併用制**の２つがある。

2．単一仕訳帳・元帳制

すべての取引が単一の仕訳帳へ取引発生順に仕訳され、それから総勘定元帳へ個別転記（仕訳した都度、総勘定元帳へ転記されること）される。

取　引　⟶　仕訳帳　⟶　総勘定元帳
（仕訳）　　（個別転記）

3．大陸式簿記法と英米式簿記法

⑴　大陸式簿記法

大陸式簿記法は、総勘定元帳の記入はすべて仕訳帳の仕訳を転記するという記帳原則に忠実な方法である。

⑵　英米式簿記法

英米式簿記法は、大陸式簿記法の簡便法であり、期首及び期末の資産、負債・純資産の残高について、仕訳帳の仕訳を省略して、直接総勘定元帳への開始記入（前期繰越記入）及び締切記入（次期繰越記入）を行う方法である。

(3) 大陸式簿記法と英米式簿記法の相違点

① 開始仕訳

方　法	仕　訳
純大陸式簿記法	資産の勘定　×××　／　**開始残高**　××× **開始残高**　×××　／　負債の勘定　××× 　　　　　　　　　　　純資産の勘定　×××
準大陸式簿記法 （簡便法）	資産の勘定　×××　／　負債の勘定　××× 　　　　　　　　　　　純資産の勘定　×××
英米式簿記法	**な　し**

② 仕訳帳の一次締切金額と決算整理前合計試算表の関係

(a) 大陸式簿記法

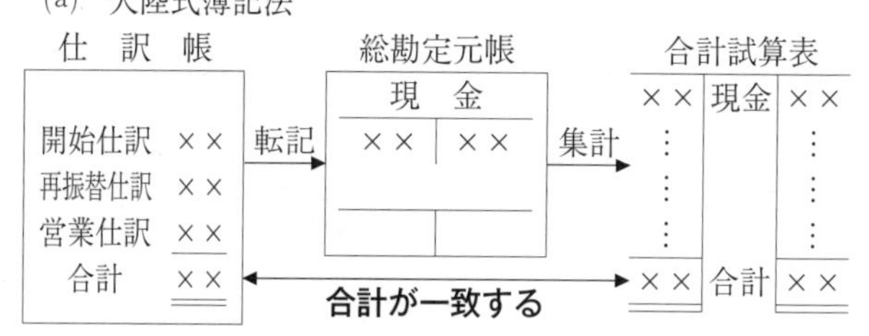

(b) 英米式簿記法

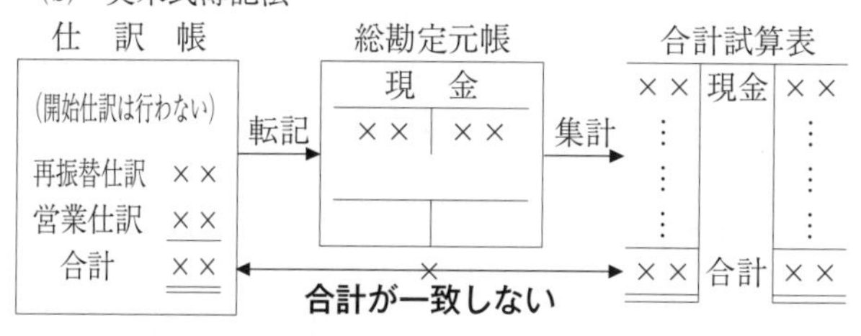

③ 決算振替と帳簿締切

大陸式簿記法	英米式簿記法
収益、費用の各勘定残高を損益勘定へ振り替える。	
損益勘定の貸借差額（当期純利益又は当期純損失）を純資産の勘定（個人企業は資本金勘定、株式会社は繰越利益剰余金勘定）へ振り替える。	
資産、負債、純資産の各勘定残高を残高勘定へ振り替えて締め切る。	資産、負債、純資産の各勘定残高を「次期繰越」と記入して締め切る。
——	繰越試算表を作成する。

4．単一仕訳帳・補助簿併用制

補助簿併用制では、単一仕訳帳制における仕訳帳と総勘定元帳を**主要簿**とよび、新たに設けられた**補助簿**と区別する。**補助簿**はある種の取引または勘定についての内訳、明細を示して主要簿を補うものである。

⑴ 補助簿の種類

補助簿には、**補助記入帳**と**補助元帳**がある。

① 補助記入帳（原始簿）……特定取引の明細を示す帳簿
② 補 助 元 帳（転記簿）……特定勘定の明細を示す帳簿

⑵ 記帳の流れ

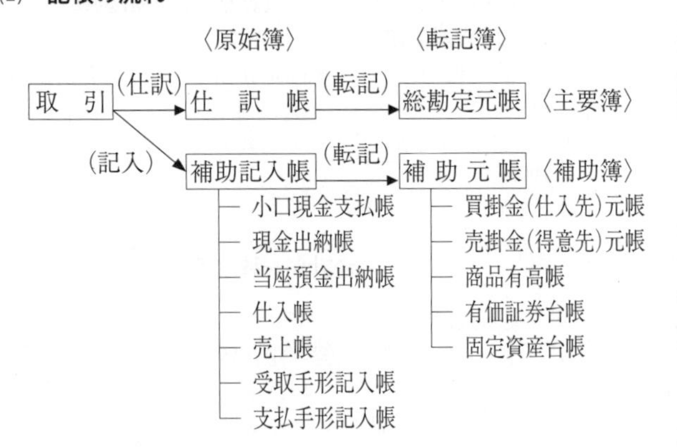

◆例題◆

⑴ 当社は、単一商品（X商品）の売買を掛により行っており、仕入先はA社、得意先はB社のみである。

⑵ 補助簿として仕入帳、売上帳、仕入先元帳、得意先元帳及び商品有高帳を設けている。なお、商品有高帳の記入にあたって先入先出法を採用している。

⑶ 4月1日において、商品30個（単価20円）を在庫として持っている。また、同日におけるA社に対する買掛金残高は700円、B社に対する売掛金残高は900円である。

⑷ 4月中の取引

① 4月10日。A社よりX商品70個（単価21円）を仕入れ、代金は掛とした。

② 4月15日。B社へX商品80個（単価30円）を売上げ、代金は掛とした。

③　4月20日。A社へ買掛金1,000円を現金で支払った。

④　4月25日。B社より売掛金2,000円を現金で受取った。

【解答】

(注) 主要簿である仕訳帳と総勘定元帳は省略。

仕入帳

日付		摘要	内訳	金額
4	10	A社　　　　　掛		
		X商品　70個　単価21円		1,470

売上帳

日付		摘要	内訳	金額
4	15	B社　　　　　掛		
		X商品　80個　単価30円		2,400

仕入先元帳（A社）

日付		借方	貸方	残高
4	1			700
	10		1,470	2,170
	20	1,000		1,170

得意先元帳（B社）

日付		借方	貸方	残高
4	1			900
	15	2,400		3,300
	25		2,000	1,300

商品有高帳（金額欄は省略）

日付		受入		払出		残高	
		数量	単価	数量	単価	数量	単価
4	1					30	20
	10	70	21			30	20
						70	21
	15			30	20		
				50	21	20	21

学習度チェック

30　特殊仕訳帳

●学習のポイント●

1．取引をどの仕訳帳に仕訳するかをマスターする。
2．特殊仕訳帳への記入方法をマスターする。
3．総勘定元帳への転記の方法をマスターする。
4．二重仕訳となった場合の転記の方法をマスターする。
5．一部当座取引について3つの記帳方法の違いを理解する。

ポイント整理

1．特殊仕訳帳

単一仕訳帳・補助簿併用制では、補助簿への記入が増えた分、記帳の**手数がかかる**という欠点も生じることになる。

その欠点を解消するために、**補助記入帳を仕訳帳として利用する方法**が考案された。このような仕訳帳として利用される補助記入帳を**特殊仕訳帳**という。これに対して従来の仕訳帳を**普通仕訳帳**という。

2．特殊仕訳帳の種類

特殊仕訳帳として用いる補助記入帳は、次のとおりである。

(1)　小口現金支払帳
(2)　現金出納帳
(3)　当座預金出納帳
(4)　仕入帳
(5)　売上帳
(6)　受取手形記入帳
(7)　支払手形記入帳

3．取引をどの仕訳帳に仕訳するのか

(1)　簿記一巡の手続における普通仕訳帳と特殊仕訳帳の役割

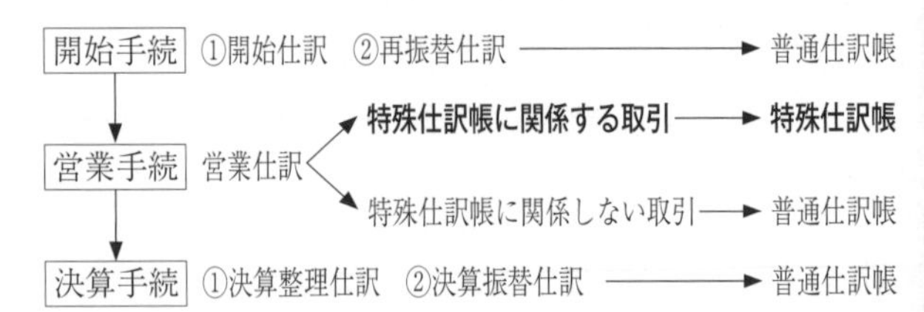

(2) 営業仕訳と仕訳帳

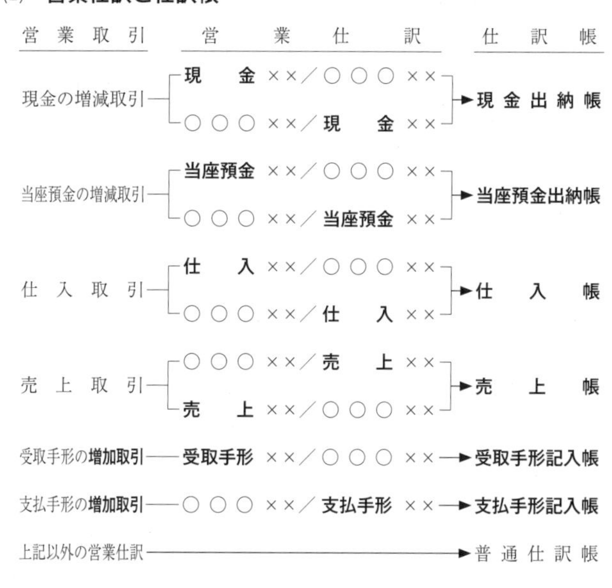

（注）ゴシックの勘定を親勘定、○○○の勘定を相手勘定という。

4．二重仕訳

複数の仕訳帳を使用するとき、1つの取引が2つの仕訳帳に仕訳される場合が生ずる。これを**二重仕訳**という。

現金出納帳、当座預金出納帳、売上帳、仕入帳、受取手形記入帳、支払手形記入帳を特殊仕訳帳として使用する場合、二重仕訳となるのは、次の8つの取引である。

	仕　訳	仕　訳　帳
①	仕　　入××／現　　金××	仕入帳・現金出納帳
②	現　　金××／売　　上××	売上帳・現金出納帳
③	当座預金××／現　　金××	当座預金出納帳・現金出納帳
④	現　　金××／当座預金××	当座預金出納帳・現金出納帳
⑤	仕　　入××／当座預金××	仕入帳・当座預金出納帳
⑥	当座預金××／売　　上××	売上帳・当座預金出納帳
⑦	仕　　入××／支払手形××	仕入帳・支払手形記入帳
⑧	受取手形××／売　　上××	売上帳・受取手形記入帳

5．仕訳と転記

単一仕訳帳制度において英米式簿記法と大陸式簿記法の２種類の記帳方法があったように、特殊仕訳帳制度においても同様に、英米式簿記法と大陸式簿記法の２種類の記帳方法がある。

⑴　英米式簿記法

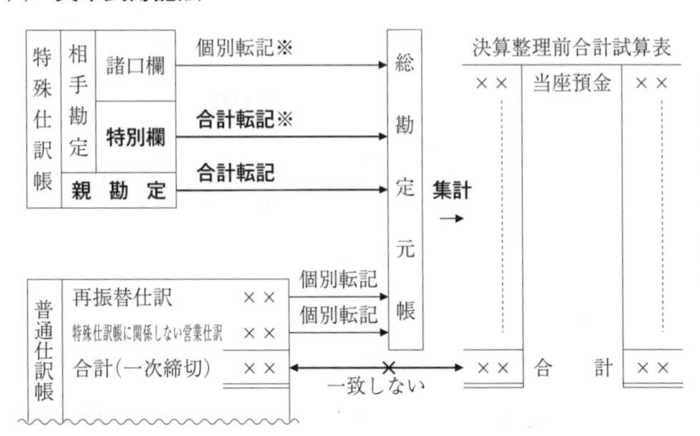

※　特殊仕訳帳に記入した相手勘定が、他の特殊仕訳帳の親勘定である場合は転記しない。そして、転記しないことを示すために元丁欄に✓（**チェック・マーク**）を付す。

⑵　大陸式簿記法

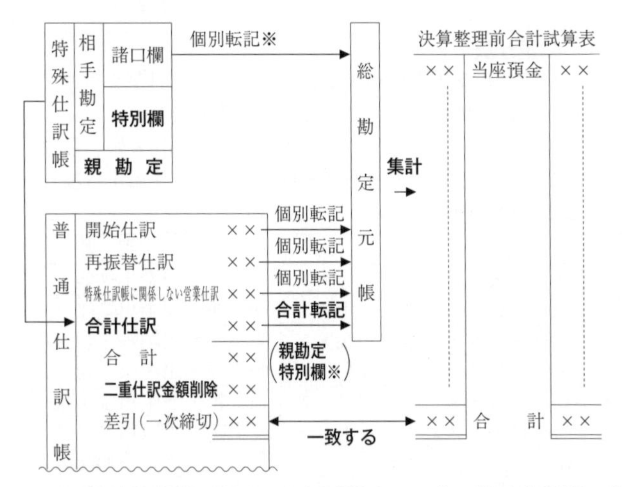

※　特殊仕訳帳に記入した相手勘定が、他の特殊仕訳帳の親勘定である場合は転記しない。そして、転記しないことを示すために元丁欄に✓（**チェック・マーク**）を付す。

◆例題◆

(1) 当店（会計期間は1月1日～12月31日）は大陸式簿記法を採用し、当座預金出納帳、仕入帳、売上帳、受取手形記入帳及び支払手形記入帳を特殊仕訳帳として設け、これらの帳簿から期末に普通仕訳帳に合計仕訳を行っている。

(2) 前期末の残高勘定

残　　高　　(単位：円)

12/31	当座預金	2,500	12/31	支払手形	1,200
〃	受取手形	3,000	〃	買掛金	1,300
〃	売掛金	2,500	〃	未払営業費	90
〃	繰越商品	700	〃	貸倒引当金	110
			〃	資本金	6,000
		8,700			8,700

(3) 当期中の営業取引

① 掛による仕入　5,000円
② 小切手振出しによる仕入　800円
③ 手形振出しによる仕入　1,200円
④ 掛による売上　7,000円
⑤ 小切手受取りによる売上　700円
⑥ 手形受取りによる売上　1,500円
⑦ 品違いによる掛売上の返品　100円
⑧ 手形受取りによる売掛金の回収　4,000円
⑨ 手形振出しによる買掛金の支払　3,000円
⑩ 小切手受取りによる売掛金の回収　2,000円
⑪ 受取手形の当座回収　5,000円
⑫ 小切手振出しによる買掛金の支払　1,000円
⑬ 支払手形の当座支払　3,500円
⑭ 小切手振出しによる営業費の支払　1,500円
⑮ 期首売掛金の貸倒　100円

(4) 会計処理及び帳簿記入

① 赤字記入については金額の前に△の符号を付す。
② 受取った小切手は直ちに当座預金に預入れる。
③ 総勘定元帳の相手勘定は仕訳帳名を記入する。

【解答・解説】

普通仕訳帳

日付	摘　　要		丁数	借　方	貸　方
1/1	諸　口	諸　口			
	(当座預金)		1	2,500	
	(受取手形)		2	3,000	
	(売 掛 金)		3	2,500	
	(繰越商品)		4	700	
		(支払手形)	5		1,200
		(買 掛 金)	6		1,300
		(未払営業費)	7		90
		(貸倒引当金)	8		110
		(資 本 金)	9		6,000
〃	(未払営業費)		7	90	
		(営 業 費)	12		90
⑮	(貸倒引当金)		8	100	
		(売 掛 金)	3		100
12/31	(当座預金)	諸　口	1	7,700	
		(諸　　口)	✓		2,700
		(受取手形)	2		5,000
〃	諸　口	(当座預金)	1		6,800
	(諸　　口)		✓	3,300	
	(支払手形)		5	3,500	
〃	(仕　　入)	諸　口	11	7,000	
		(諸　　口)	✓		2,000
		(買 掛 金)	6		5,000
〃	諸　口	(売　　上)	10		9,200
	(諸　　口)		✓	2,200	
	(売 掛 金)		3	7,000	
〃	(売　　上)		10	100	
		(売 掛 金)	3		100
	(受取手形)	諸　口	2	5,500	
		(諸　　口)	✓		1,500
		(売 掛 金)	3		4,000
〃	諸　口	(支払手形)	5		4,200
	(諸　　口)		✓	1,200	
	(買 掛 金)		6	3,000	
	合　　計			49,390	49,390
	二重仕訳金額削除			4,200	4,200
	差　　引			45,190	45,190

※　大陸式簿記法では、普通仕訳帳の一次締切金額と決算整理前合計試算表の合計額を一致させるため、合計仕訳を行い、さらに二重仕訳金額を削除する。二重仕訳金額は、当座仕入800＋当座売上700＋手形仕入1,200＋手形売上1,500＝4,200となる。

当座預金出納帳（預入）

日付	相手勘定	摘要	丁数	諸　口	受取手形
⑤	売　上		✓	700	
⑩	売掛金		3	2,000	
⑪	受取手形		✓		5,000

当座預金出納帳（引出）

日付	相手勘定	摘要	丁数	諸　口	支払手形
②	仕　入		✓	800	
⑫	買掛金		6	1,000	
⑬	支払手形		✓		3,500
⑭	営業費		12	1,500	

仕　入　帳

日付	相手勘定	摘要	丁数	諸　口	買掛金
①	買掛金		✓		5,000
②	当座預金		✓	800	
③	支払手形		✓	1,200	

売　上　帳

日付	相手勘定	摘要	丁数	諸　口	売掛金
④	売掛金		✓		7,000
⑤	当座預金		✓	700	
⑥	受取手形		✓	1,500	
⑦	売掛金	戻り	✓		△　100

受取手形記入帳

日付	相手勘定	摘要	丁数	諸　口	売掛金
⑥	売　上		✓	1,500	
⑧	売掛金		✓		4,000

支払手形記入帳

日付	相手勘定	摘要	丁数	諸　口	買掛金
③	仕　入		✓	1,200	
⑨	買掛金		✓		3,000

総勘定元帳

当座預金　1

日付	摘要	金額	日付	摘要	金額
1/1	普通仕訳帳	2,500	12/31	普通仕訳帳	6,800
12/31	普通仕訳帳	7,700			

受取手形　2

日付	摘要	金額	日付	摘要	金額
1/1	普通仕訳帳	3,000	12/31	普通仕訳帳	5,000
12/31	普通仕訳帳	5,500			

売掛金　3

日付	摘要	金額	日付	摘要	金額
1/1	普通仕訳帳	2,500	⑩	当座預金出納帳	2,000
12/31	普通仕訳帳	7,000	⑮	普通仕訳帳	100
			12/31	普通仕訳帳	100
			〃	普通仕訳帳	4,000

繰越商品　4

日付	摘要	金額	日付	摘要	金額
1/1	普通仕訳帳	700			

支払手形　5

日付	摘要	金額	日付	摘要	金額
12/31	普通仕訳帳	3,500	1/1	普通仕訳帳	1,200
			12/31	普通仕訳帳	4,200

買掛金　6

日付	摘要	金額	日付	摘要	金額
⑫	当座預金出納帳	1,000	1/1	普通仕訳帳	1,300
12/31	普通仕訳帳	3,000	12/31	普通仕訳帳	5,000

未払営業費　7

日付	摘要	金額	日付	摘要	金額
1/1	普通仕訳帳	90	1/1	普通仕訳帳	90

貸倒引当金　8

日付	摘要	金額	日付	摘要	金額
⑮	普通仕訳帳	100	1/1	普通仕訳帳	110

資本金　9

日付	摘要	金額	日付	摘要	金額
			1/1	普通仕訳帳	6,000

売上　10

日付	摘要	金額	日付	摘要	金額
12/31	普通仕訳帳	100	12/31	普通仕訳帳	9,200

仕入　11

日付	摘要	金額	日付	摘要	金額
12/31	普通仕訳帳	7,000			

営業費　12

日付	摘要	金額	日付	摘要	金額
⑭	当座預金出納帳	1,500	1/1	普通仕訳帳	90

決算整理前合計試算表

借　方	勘定科目	貸　方
10,200	当座預金	6,800
8,500	受取手形	5,000
9,500	売掛金	6,200
700	繰越商品	
3,500	支払手形	5,400
4,000	買掛金	6,300
90	未払営業費	90
100	貸倒引当金	110
	資本金	6,000
100	売上	9,200
7,000	仕入	
1,500	営業費	90
45,190	合計	45,190

※　チェック・マーク（転記不要を示す符号）の意味

①　特殊仕訳帳の特別欄の勘定は期末に合計転記する。そのため取引が生じたときは個別転記しないためチェック・マークを付す。

②　特殊仕訳帳の諸口欄の勘定は通常は個別転記するが、それが他の特殊仕訳帳の親勘定の場合（＝二重仕訳となる場合）は、二重転記を防止するためチェック・マークを付す。

③　普通仕訳帳の合計仕訳における（諸口）は、期中に個別転記済の勘定と他の特殊仕訳帳の親勘定の合計であるため転記しない。それを示すためにチェック・マークを付す。

6．一部当座（現金）取引

(1)　一部当座（現金）取引とは

一部当座（現金）取引とは、次の要件を満たす取引をいう。

①　貸借のどちらかに当座預金（現金）が存在すること。

②　当座預金（現金）の生じた側に１つ以上の特殊仕訳帳を有しない勘定が存在すること。

③　当座預金（現金）の相手勘定のすべてが特殊仕訳帳を有していないこと。

(2)　記帳方法

一部当座（現金）取引の記帳方法には次の３つがある。

①　**単純取引に分解して記帳する方法**

②　**取引を擬制して記帳する方法**

③　**取引の全体を普通仕訳帳に記帳する方法**

◆例題◆

9月1日　約束手形100円を取引銀行で割り引き、割引料10円を差し引かれた手取金は当座預金に預け入れた。

【解答・解説】

(1) 単純取引に分解して記帳する方法

当座預金出納帳

日付	勘定科目	摘要	元丁	諸口	売掛金	日付	勘定科目	摘要	元丁	諸口	買掛金
9/1	受取手形		2	90							

普通仕訳帳

日付	摘要	元丁	借方	貸方
9/1	(手形売却損)	13	10	
	(受取手形)	2		10

受取手形	2
	9/1 当座預金出納帳 90
	〃 普通仕訳帳 10

手形売却損	13
9/1 普通仕訳帳 10	

(2) 取引を擬制して記帳する方法

当座預金出納帳

日付	勘定科目	摘要	元丁	諸口	売掛金	日付	勘定科目	摘要	元丁	諸口	買掛金
9/1	受取手形		2	100		9/1	手形売却損		13	10	

受取手形	2
	9/1 当座預金出納帳 100

手形売却損	13
9/1 当座預金出納帳 10	

(3) 取引全体を普通仕訳帳に記帳する方法

当座預金出納帳

日付	勘定科目	摘要	元丁	諸口	売掛金	日付	勘定科目	摘要	元丁	諸口	買掛金
9/1	受取手形		✓	90							

普通仕訳帳

日付	摘要	元丁	借方	貸方
9/1	諸　口 (受取手形)	2		100
	(当座預金)	✓	90	
	(手形売却損)	13	10	

受取手形	2
	9/1 普通仕訳帳 100

手形売却損	13
9/1 普通仕訳帳 10	

7．精算勘定

精算勘定とは、２つの特殊仕訳帳で二重仕訳となる部分について、**当座仕入、手形仕入、当座売上、手形売上**という特別の勘定を用いることにより、特殊仕訳帳間の二重仕訳を排除する記帳方法である。精算勘定は、２つの特殊仕訳帳の相手勘定として使用され、貸借に同額が転記されることにより常に残高はゼロとなる勘定である。

取　引	仕　訳　帳	仕　　訳
当座仕入	仕　入　帳	仕　　入××／**当座仕入**××
	当座預金出納帳	**当座仕入**××／当座預金××
手形仕入	仕　入　帳	仕　　入××／**手形仕入**××
	支払手形記入帳	**手形仕入**××／支払手形××
当座売上	売　上　帳	**当座売上**××／売　　上××
	当座預金出納帳	当座預金××／**当座売上**××
手形売上	売　上　帳	**手形売上**××／売　　上××
	受取手形記入帳	受取手形××／**手形売上**××

◆例題◆

当座預金出納帳：当座売上欄1,000円

売　　上　　帳：当座売上欄1,000円

【解答・解説】

普　通　仕　訳　帳

日付	摘　　要	丁数	借　方	貸　方
12/31	（当座預金）	1	1,000	
	（当座売上）	14		1,000
〃	（当座売上）	14	1,000	
	（売　　上）	10		1,000

総　勘　定　元　帳

当座預金　　1

借方	貸方
12/31 1,000	

売　　上　　10

借方	貸方
	12/31 1,000

当座売上　　14

借方	貸方
12/31 1,000	12/31 1,000

（注）相手勘定は省略

合　計　試　算　表

借　方	勘定科目	貸　方
1,000	当座預金	
	売　　上	1,000
1,000	当座売上	1,000
2,000	合　　計	2,000

学習度チェック

31 伝票会計

●学習のポイント●

1. 3伝票制における記入及び転記の方法をマスターする。
2. 5伝票制における記入及び転記の方法をマスターする。

ポイント整理

1. 伝票会計

伝票会計とは、伝票に基づいて記帳を行う会計制度をいう。その記帳方法には、次のものがある。

(1) 伝票を仕訳帳の代わりに用い、伝票から直接総勘定元帳へ個別転記する方法

(2) 伝票を「**仕訳日計表**」(「**伝票集計表**」ともいう)に集計し、その合計額を総勘定元帳へ合計転記する方法

2. 伝票会計の体系

(1) **3伝票制**……**入金伝票、出金伝票**及び**振替伝票**の**3種類の伝票**を用いて、取引を記入する方法

(2) **5伝票制**……**入金伝票、出金伝票、売上伝票、仕入伝票**及び**振替伝票**の**5種類の伝票**を用いて、取引を記入する方法

3. 3伝票制

(1) 記帳の流れ

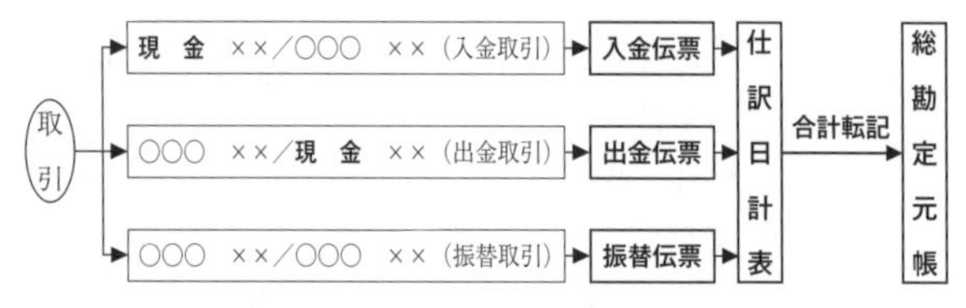

(2) 伝票の記入方法

① 入金伝票──►借方の現金は決まっているので、**貸方科目と金額のみ記入する。**

② 出金伝票──▸貸方の現金は決まっているので、**借方科目と金額のみ記入する**。

仕　入 200／現　金 200

→

出金伝票
仕　入　200

③ 振替伝票──▸**借方科目・貸方科目及び金額を記入する**。

備　品 300／未払金 300

→

振替伝票
備　品 300／未払金 300

(3) 一部現金取引の記入方法

一部現金取引については、**取引を分解して記入する方法**と**取引を擬制して記入する方法**がある。

◆例題◆

商品100円を売り上げ、代金のうち30円は現金で受け取り、残額は掛とした。

【解答・解説】

1．取引を分解して記入する方法

入金伝票
売　上　30

振替伝票
売掛金　70／売　上　70

2．取引を擬制して記入する方法

入金伝票
売掛金　30

振替伝票
売掛金 100／売　上 100

※ （現　金） 30 ／（売　上）100
　（売掛金） 70 ／

1．取引を分解して記入する方法

（現　金） 30 ／（売　上） 30→入金伝票
（売掛金） 70 ／（売　上） 70→振替伝票

2．取引を擬制して記入する方法

（売掛金）100 ／（売　上）100→振替伝票
（現　金） 30 ／（売掛金） 30→入金伝票

4. 5伝票制

(1) 記帳の流れ

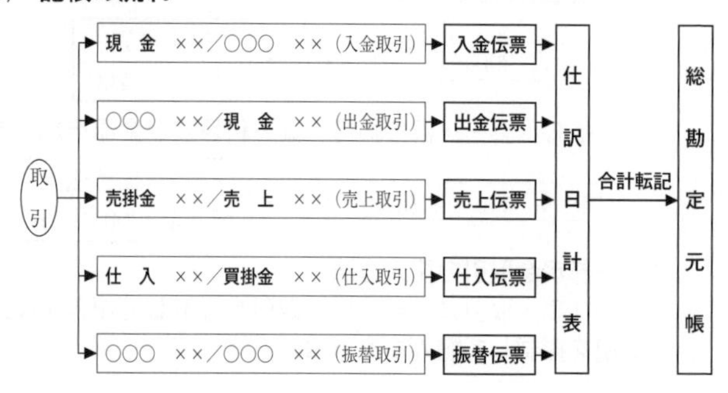

(2) 伝票の記入方法

① 売上伝票──►**すべての売上取引を掛売上と仮定して記入する。**

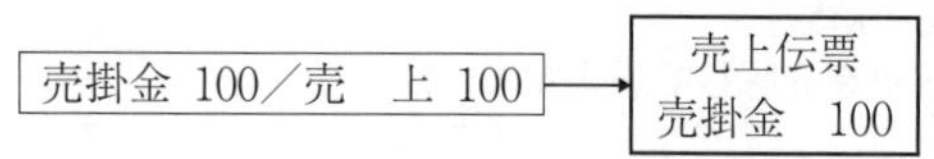

② 仕入伝票──►**すべての仕入取引を掛仕入と仮定して記入する。**

（注）売上・仕入取引のうち、掛売上・掛仕入はそのまま記入するが、**現金、当座、手形による売上・仕入については、いったん掛売上・掛仕入として記入し、直ちに掛代金が決済されたものとして、その決済取引を他の各種伝票に記入する。**

また、売上・仕入の返品・値引取引は、売上伝票・仕入伝票に赤字で記入する。

③ 入金伝票
④ 出金伝票
⑤ 振替伝票
} **3伝票制の場合と同じ**

(3) 売上・仕入取引の記入方法

◆例題◆

(1) 商品100円を売り上げ、代金は現金で受け取った。

【解答】

売上伝票
売掛金　100

入金伝票
売掛金　100

(2) 商品200円を売り上げ、代金のうち100円は手形で受け取り、残額は掛とした。

【解答】

売上伝票
売掛金　200

振替伝票
受取手形　100／売掛金　100

(3) 売上商品50円の返品を受け、代金は売掛金と相殺した。

【解答】

売上伝票
売掛金　50

（朱　記）

学習度チェック

32　本支店会計

重要度B ★★

●学習のポイント●

1．支店独立会計制度における本支店間取引の記帳方法をマスターする。
2．支店相互間取引について、支店分散計算制度と本店集中計算制度の会計処理の違いをマスターする。
3．未達取引の会計処理と、その後に本店・支店それぞれで行う決算整理の要領をマスターする。
4．会社全体の純損益算定の会計処理及びその処理手順をマスターする。
5．内部利益の計算方法とその会計処理をマスターする。
6．本支店合併財務諸表の作成方法をマスターする。
7．本支店合併精算表の作成方法をマスターする。

ポイント整理

1．本支店会計の種類

企業が各地に支店を有する場合、支店が行った取引の会計処理をどのように行うかについて次の2つの方法がある。

⑴　**本店集中会計制度**

支店は独立した会計単位とならず、独立した帳簿組織を有しない。したがって、**支店で生じた取引は伝票などによって本店に報告し、本店の帳簿に記録**される。

⑵　**支店独立会計制度**

支店が独立した会計単位となる。独立した帳簿組織を備えて取引を記帳し、決算を行って、独自のP/L・B/Sを作成する。

2．本支店間取引の処理

支店独立会計制度においては、本支店間に生じる取引は、企業内部における貸借関係つまり債権・債務関係とみなされ、本店では「**支店勘定**」を、また支店では「**本店勘定**」を設けて処理する。支店勘定・本店勘定は、それぞれ独立した会計単位を構成する本店と支店とを相互に連結する機能を果たし、**照合勘定**といわれる。この両勘定は、本支店間の貸借関係を処理するためのものであるから、その残高は貸借反対側で必ず一致する。

(1) 支店の開設

◆例題◆

大阪支店を当期首から独立会計制度による支店とすることとし、次の財産を本店の帳簿から支店の帳簿に移した。

現金100円　　建物500円

【解答】

本店の仕訳	支　　店	600	現　　金 建　　物	100 500
支店の仕訳	現　　金 建　　物	100 500	本　　店	600

(2) 送金取引

◆例題◆

本店は現金50円を支店に送金した。

【解答】

本店の仕訳	支　　店	50	現　　金	50
支店の仕訳	現　　金	50	本　　店	50

(3) 商品の受払取引

本支店間における商品受払取引には、商品送付の振替価格により「原価を振替価格とする方法」と「原価に一定の利益を加算した金額を振替価格とする方法」の２つがある。

◆例題◆

(1) 本店は支店に、仕入原価30円の商品を原価のまま発送した。

【解答】

本店の仕訳	支　　店	30	仕　　入	30
支店の仕訳	仕　　入	30	本　　店	30

(2) 本店は支店に、仕入原価30円の商品を仕入原価の10％の利益を加算して発送した。

【解答】

本店の仕訳	支　　店	33	支店へ売上	33
支店の仕訳	本店より仕入	33	本　　店	33

(4) 商品の直接仕入

本来、本店を通して仕入れている商品を、支店が直接本店の仕入先から仕入れた場合には、処理の一貫性を考慮して、本店を通して仕入れたものとして処理する。

◆例題◆

支店は本店の仕入先より商品200円（仕入原価）を直接仕入れ、代金は掛とした。支店はこれを本店に連絡した。なお、本店は支店に仕入原価の10%の利益を付加して発送している。

【解答・解説】

	借方		貸方	
本店の仕訳	仕入	200	買掛金	200
	支店	220	支店へ売上	220
支店の仕訳	本店より仕入	220	本店	220

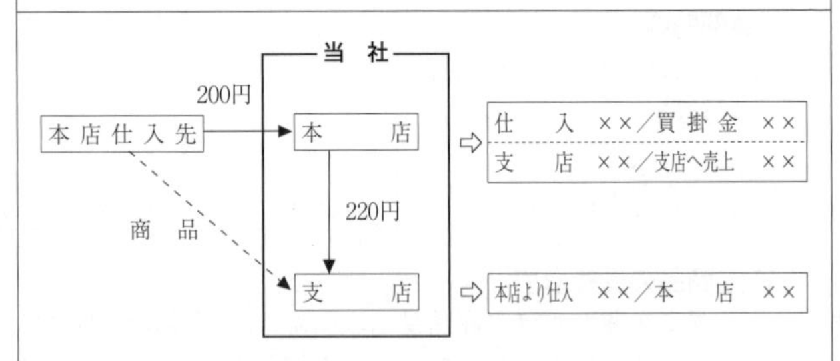

※ 本店が支店の得意先に商品を直接販売した場合も、これと同様に考える。

(5) 掛代金の決済取引

◆例題◆

(1) 本店は支店の得意先より売掛金500円を現金で回収した。

【解答】

	借方		貸方	
本店の仕訳	現金	500	支店	500
支店の仕訳	本店	500	売掛金	500

(2) 支店は本店の仕入先へ買掛金200円を小切手を振り出して支払った。

【解答】

	借方		貸方	
本店の仕訳	買掛金	200	支店	200
支店の仕訳	本店	200	当座預金	200

(6) 費用・収益の立替取引

◆例題◆

(1) 本店は支店従業員の出張旅費100円を現金で立替払した。

【解答】

本店の仕訳	支　　　店	100	現　　　金	100
支店の仕訳	旅費交通費	100	本　　　店	100

(2) 支店は、本店が管理している建物に係る家賃収入50円を本店に代わって現金で受け取った。

【解答】

本店の仕訳	支　　　店	50	受取家賃	50
支店の仕訳	現　　　金	50	本　　　店	50

(7) その他の費用取引

◆例題◆

(1) 期末決算にあたり、支店は支店における本店勘定残高に対して１％の内部利息を負担する。本店勘定の残高は1,000円。

【解答】

本店の仕訳	支　　　店	10	受取内部利息	10
支店の仕訳	支払内部利息	10	本　　　店	10

(2) 本店の売掛金200円が支店により回収された。なお、自店に代わり売掛金の回収が他店により行われたときは、その回収業務を行った他店に対し２％の内部手数料を負担することとしている。

【解答】

本店の仕訳	支　　　店	200	売　掛　金	200
	支払内部手数料	4	支　　　店	4
支店の仕訳	現　　　金	200	本　　　店	200
	本　　　店	4	受取内部手数料	4

※　支店独立採算の計算をより厳密に行うためのものであり、あくまでも内部的な収益・費用であることに注意する。

(8) 支店相互間の取引

支店が複数ある場合、本支店間の取引のほかに、支店相互間の取引が行われることがある。この場合の処理方法には、**支店分散計算制度**と**本店集中計算制度**の２つの方法がある。

① **支店分散計算制度**

支店相互間の取引を、それぞれの支店で、相手の支店名を付けた支店勘定を用いて処理する方法である。

② **本店集中計算制度**

支店相互間の取引を、それぞれの支店が本店を通して取引したものとみなして処理する方法である。

◆例題◆

(1) A支店はB支店の売掛金100円を現金で回収した。

【解答】

① **支店分散計算制度**

本　店	仕　訳　な　し			
A支店	現　　　金	100	B　支　店	100
B支店	A　支　店	100	売　掛　金	100

② **本店集中計算制度**

本　店	A　支　店	100	B　支　店	100
A支店	現　　　金	100	本　　　店	100
B支店	本　　　店	100	売　掛　金	100

(2) A支店はB支店に商品220円（原価200円）を発送した。

【解答】

① **支店分散計算制度**

本　店	仕　訳　な　し			
A支店	B　支　店	220	B支店へ売上	220
B支店	A支店より仕入	220	A　支　店	220

② **本店集中計算制度**

本　店	B　支　店	220	A　支　店	220
A支店	本　　　店	220	B支店へ売上	220
B支店	A支店より仕入	220	本　　　店	220

3．帳簿上の決算手続

(1) 決算手続の流れ

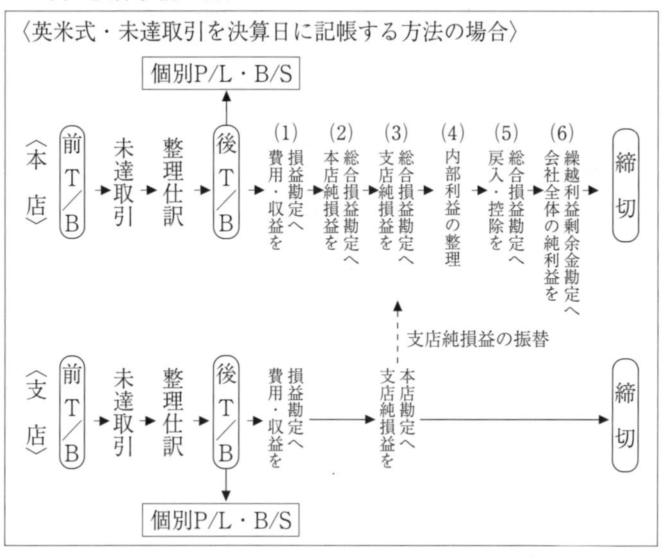

(2) 未達取引

支店独立会計制度のもとでは、支店勘定と本店勘定の残高（支店分散計算制度のもとでは相手の支店名を付けた支店勘定の残高）は貸借反対で一致するはずである。ところが、決算にあたり調べてみると不一致となっていることがある。これは、決算日までに送付先に商品が到着していないため、または取引の通知が届いていないために、一方は記帳済みであるが、他方は未記帳となっているためである。このような取引を**未達取引**という。未達取引は本支店合併財務諸表の作成にあたり必ず処理しなければならないが、未達取引を決算の過程でどのように処理するかについては、次の2つの方法がある。

① **決算日に記帳する方法**

未達取引については、決算日に商品が到着したものとして、または通知が届いたものとして帳簿に記入する。この処理は通常の決算整理に先立って行われ、これにより照合勘定の残高は貸借反対で一致する。

② **実際到着日に記帳する方法**

未達取引については、実際に商品が到着した日、または

通知が届いた日に帳簿に記入する（つまり翌期に記帳する）。この場合、未達取引を無視して本店・支店それぞれが決算を行い、そのあとで本支店合併財務諸表を作成するときに、未達取引について修正する（この修正は帳簿外で行う）。ただし、帳簿上は実際到着日に記帳するため、支店勘定と本店勘定は不一致のまま次期に繰り越される。

◆例題◆

(1)

本店決算整理前試算表　（単位：円）

支店	900	支店へ売上	600

支店決算整理前試算表　（単位：円）

本店より仕入	490	本店	890

(2) 未達取引

① 本店は支店に商品110円（原価100円）を発送したが、これが支店に未達であった。

② 支店は本店の売掛金100円を回収したが、その報告が本店に未達であった。

【解答・解説】

(1) 決算日に記帳する方法

①	本店より仕入	110	本店	110
②	支店	100	売掛金	100

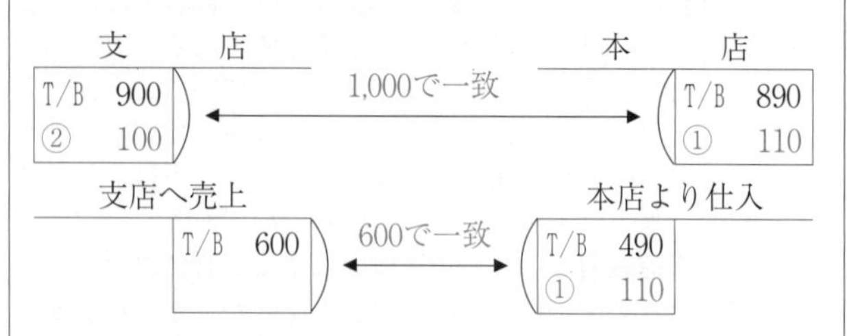

(2) 実際到着日に記帳する方法

①	仕訳なし			
②	仕訳なし			

（注）決算日の時点では帳簿記入は行わず、翌期の商品到着時点、報告到着時点において帳簿記入を行う。また、未達取引を無視して本店・支店それぞれが決算整理を行う。

(3) 内部利益の控除

商品の受払取引が原価に一定の利益を加算した金額を振替価格として行われる場合、商品を受け入れた本店又は支店が商品を外部に販売すれば、加算された利益は実現する。ところが、**その商品の一部が受け入れた本店又は支店で決算日に在庫として残っていれば、その商品に含まれている利益はまだ実現していない利益である**。このような利益を**内部利益**といい、帳簿上の利益から控除しなければならない。なお、控除した内部利益は、翌期には実現利益として戻入処理を行う。

① 期首商品に含まれる内部利益

繰延内部利益	×××	繰延内部利益戻入	×××

② 期末商品に含まれる内部利益

繰延内部利益控除	×××	繰延内部利益	×××

なお、内部利益の整理は、本店純損益及び支店純損益を本店の総合損益勘定（又は損益勘定）に集合させた後、決算振替において会社全体の純損益を算出するため、**本店で内部利益の整理を行う**。

◆例題◆

商品棚卸高の資料は次のとおりである。なお、本店は毎期原価の10%増の価額で支店に商品を送付している。

	本　店	支　店
期首商品棚卸高	220円	180円（うち本店仕入分110円）
期末商品棚卸高	330円	330円（うち本店仕入分220円）

【解答・解説】

繰延内部利益	10	繰延内部利益戻入	10
繰延内部利益控除	20	繰延内部利益	20

※　期首商品に含まれる内部利益：$110 \times \frac{10\%}{110\%} = 10$

期末商品に含まれる内部利益：$220 \times \frac{10\%}{110\%} = 20$

◆例題◆

(1)

決算整理前試算表　　　（単位：円）

借方科目	本店	支店	貸方科目	本店	支店
現金預金	1,125	682	買掛金	400	250
売掛金	600	300	貸倒引当金	5	2
繰越商品	300	210	繰延内部利益	10	−
支店	700	−	本店	−	660
仕入	4,000	1,000	資本金	1,000	−
本店仕入	−	1,100	利益準備金	200	−
営業費	1,200	620	繰越利益剰余金	100	−
			売上	5,000	3,000
			支店売上	1,210	−
合計	7,925	3,912	合計	7,925	3,912

(2)　未達取引

①　本店は支店に商品110円を発送したが、これが支店に未達。

②　本店は支店の営業費30円を立替払したが、その報告が支店に未達。

③　支店は本店の売掛金100円を回収したが、その報告が本店に未達。

④　未達取引は決算日に到着したものとして処理する。

(3)　決算整理

①　期末商品棚卸高（未達商品は含まれていない）

本店　400円

支店　210円（うち本店仕入分　110円）

②　本支店とも貸倒引当金を売掛金の２％計上する（差額補充法）。

(4)　本店は支店に仕入原価の10％増の価格で商品を送付している。

【解答・解説】

1．総合損益勘定で企業全体の純利益を算定する場合

本　　店

(1)　未達取引の仕訳

支店	100	売掛金	100

支　　店

(1)　未達取引の仕訳

本店仕入	110	本店	110
営業費	30	本店	30

(2) 決算整理仕訳

仕入	300	繰越商品	300
繰越商品	400	仕入	400
貸倒引当金繰入	5	貸倒引当金	5

(3) 決算整理後試算表

整理後T/B

現金預金	1,125	買掛金	400
売掛金	500	貸倒引当金	10
繰越商品	400	繰延内部利益	10
支店	800	資本金	1,000
仕入	3,900	利益準備金	200
営業費	1,200	繰越利益剰余金	100
貸倒引当金繰入	5	売上	5,000
		支店売上	1,210
	7,930		7,930

(4) 決算振替仕訳

① 費用・収益を損益勘定へ

売上	5,000	損益	6,210
支店売上	1,210		
損益	5,105	仕入	3,900
		営業費	1,200
		貸倒引当金繰入	5

② 本店純損益を総合損益勘定へ

損益	1,105	総合損益	1,105

③ 支店純損益を総合損益勘定へ

支店	246	総合損益	246

④ 内部利益の整理

繰延内部利益	10	繰延内部利益戻入	10
繰延内部利益控除	20	繰延内部利益	20

⑤ 戻入・控除を総合損益勘定へ

繰延内部利益戻入	10	総合損益	10
総合損益	20	繰延内部利益控除	20

⑥ 会社全体の純損益を繰越利益剰余金勘定へ

総合損益	1,341	繰越利益剰余金	1,341

(2) 決算整理仕訳

仕入	210	繰越商品	210
仕入	1,210	本店仕入	1,210
繰越商品	320	仕入	320
貸倒引当金繰入	4	貸倒引当金	4

(3) 決算整理後試算表

整理後T/B

現金預金	682	買掛金	250
売掛金	300	貸倒引当金	6
繰越商品	320	本店	800
仕入	2,100	売上	3,000
営業費	650		
貸倒引当金繰入	4		
	4,056		4,056

(4) 決算振替仕訳

① 費用・収益を損益勘定へ

売上	3,000	損益	3,000
損益	2,754	仕入	2,100
		営業費	650
		貸倒引当金繰入	4

② 支店純損益を本店勘定へ

損益	246	本店	246

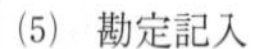

(5) 勘定記入

損　益

借方	金額	貸方	金額
仕入	3,900	売上	5,000
営業費	1,200	支店売上	1,210
貸倒引当金繰入	5		
総合損益	1,105		
	6,210		6,210

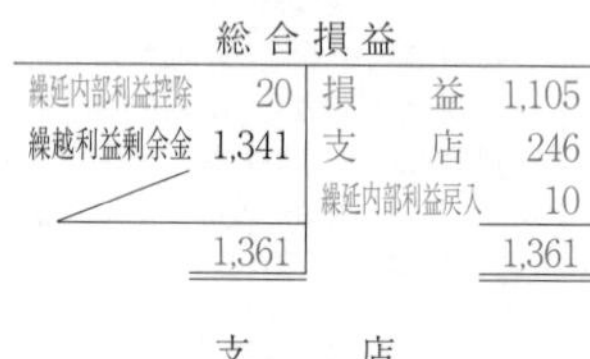

総合損益

借方	金額	貸方	金額
繰延内部利益控除	20	損益	1,105
繰越利益剰余金	1,341	支店	246
		繰延内部利益戻入	10
	1,361		1,361

支　店

借方	金額	貸方	金額
（試算表）	700	次期繰越	1,046
売掛金	100		
総合損益	246		
	1,046		1,046

(5) 勘定記入

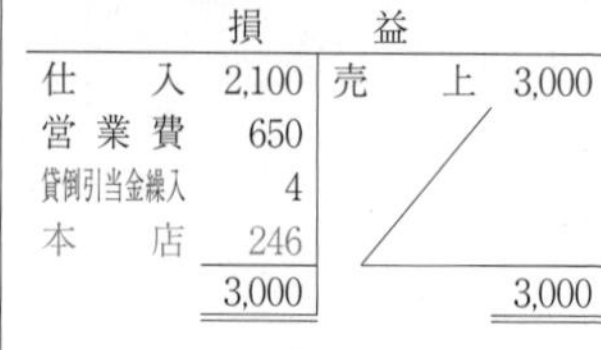

損　益

借方	金額	貸方	金額
仕入	2,100	売上	3,000
営業費	650		
貸倒引当金繰入	4		
本店	246		
	3,000		3,000

本　店

借方	金額	貸方	金額
次期繰越	1,046	（試算表）	660
		本店仕入	110
		営業費	30
		損益	246
	1,046		1,046

2．損益勘定で企業全体の純利益を算定する場合

この方法は総合損益勘定を設けないで、**本店の損益勘定**だけで、企業全体の純利益を算定する方法である。

(1) 本店の決算振替仕訳

費用・収益の損益勘定への振替は同じであるので省略する。

借方	金額	貸方	金額
支店	246	損益	246
繰延内部利益	10	繰延内部利益戻入	10
繰延内部利益控除	20	繰延内部利益	20
繰延内部利益戻入	10	損益	10
損益	20	繰延内部利益控除	20
損益	1,341	繰越利益剰余金	1,341

(2) 損益勘定の記入

損　益

借方	金額	貸方	金額
仕入	3,900	売上	5,000
営業費	1,200	支店売上	1,210
貸倒引当金繰入	5	支店	246
繰延内部利益控除	20	繰延内部利益戻入	10
繰越利益剰余金	1,341		
	6,466		6,466

4．本支店合併財務諸表の作成

(1) 未達取引を決算日に記帳する場合

① 本店及び支店の個別財務諸表を合算する。
② 支店勘定と本店勘定を相殺消去する。
③ 支店売上・本店仕入などの内部取引高を相殺消去する。
④ 期首商品及び期末商品から内部利益を控除する。

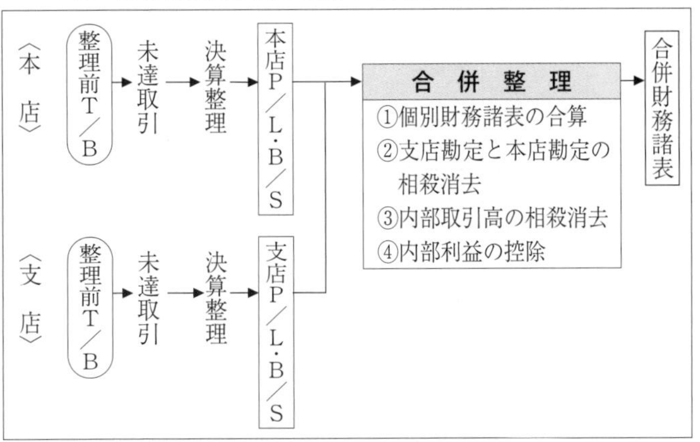

(2) 未達取引を実際到着日に記帳する場合

① 本店及び支店の個別財務諸表を合算する。
② **未達取引及び未達取引に係る決算整理の修正を行う。**
③ 支店勘定と本店勘定を相殺消去する。
④ 支店売上・本店仕入などの内部取引高を相殺消去する。
⑤ 期首商品及び期末商品から内部利益を控除する。

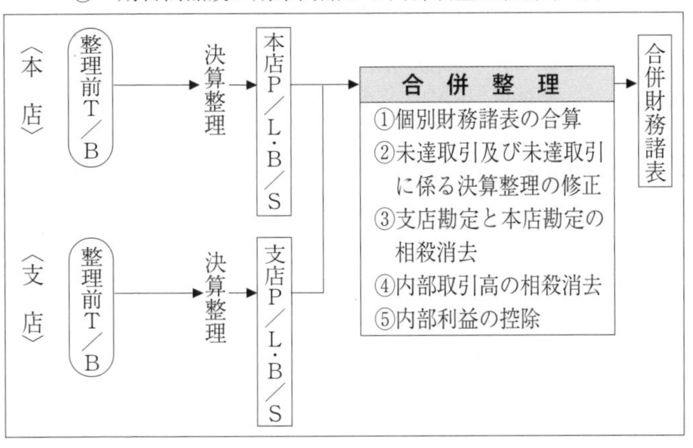

◆例題◆

Ⅰ　個別財務諸表

本店貸借対照表

現金預金	1,125	買掛金	400
売掛金	500	貸倒引当金	10
商品	400	繰延内部利益	10
支店	800	資本金	1,000
		利益準備金	200
		繰越利益剰余金	1,205
	2,825		2,825

支店貸借対照表

現金預金	682	買掛金	250
売掛金	300	貸倒引当金	6
商品	320	本店	800
		当期純利益	246
	1,302		1,302

本店損益計算書

期首商品	300	売上高	5,000
当期仕入高	4,000	支店売上高	1,210
営業費	1,200	期末商品	400
貸倒引当金繰入	5		
当期純利益	1,105		
	6,610		6,610

支店損益計算書

期首商品	210	売上高	3,000
当期仕入高	1,000	期末商品	320
本店仕入高	1,210		
営業費	650		
貸倒引当金繰入	4		
当期純利益	246		
	3,320		3,320

Ⅱ　参考事項

⑴　本店から支店への売上商品には、毎期、原価の10％の利益が加算されている。

⑵　支店の期首商品のうち、110円は本店から仕入れたものである。

⑶　支店の期末商品のうち、220円は本店から仕入れたものである。

【解答・解説】

⑴　照合勘定の相殺消去

①　本店勘定と支店勘定の相殺消去

本店	800	支店	800

②　内部取引高の相殺消去

支店売上高	1,210	本店仕入高	1,210

⑵　内部利益の除去

①　期首商品に含まれる内部利益

繰延内部利益	10	期首商品	※ 10

※　$110\times\frac{0.1}{1.1}=10$

② 期末商品に含まれる内部利益

期末商品	※ 20	商品	※ 20

※ $220 \times \frac{0.1}{1.1} = 20$

(注) これらの仕訳はあくまでも組替仕訳であることから、本店及び支店のいずれの帳簿にも記入されないことに留意しなければならない。

本支店合併貸借対照表（略式）

現金預金	1,807	買掛金	650
売掛金	800	貸倒引当金	16
商品	700	資本金	1,000
		利益準備金	200
		繰越利益剰余金	1,441
	3,307		3,307

本支店合併損益計算書（略式）

期首商品	500	売上高	8,000
当期仕入高	5,000	期末商品	700
営業費	1,850		
貸倒引当金繰入	9		
当期純利益	1,341		
	8,700		8,700

◆例題◆

I　個別財務諸表

本店貸借対照表

現金預金	1,125	買掛金	400
売掛金	600	貸倒引当金	12
商品	400	繰延内部利益	10
支店	700	資本金	1,000
		利益準備金	200
		繰越利益剰余金	1,203
	2,825		2,825

支店貸借対照表

現金預金	682	買掛金	250
売掛金	300	貸倒引当金	6
商品	210	本店	660
		当期純利益	276
	1,192		1,192

本店損益計算書

期首商品	300	売上高	5,000
当期仕入高	4,000	支店売上高	1,210
営業費	1,200	期末商品	400
貸倒引当金繰入	7		
当期純利益	1,103		
	6,610		6,610

支店損益計算書

期首商品	210	売上高	3,000
当期仕入高	1,000	期末商品	210
本店仕入高	1,100		
営業費	620		
貸倒引当金繰入	4		
当期純利益	276		
	3,210		3,210

II　参考事項

(1)　本店から支店への売上商品には、毎期、原価の10％の利益が加算されている。

(2)　支店の期首商品のうち、110円は本店から仕入れたものである。

(3)　支店の期末商品のうち、110円は本店から仕入れたものである。

(4)　本支店とも貸倒引当金を売掛金の2％計上している(差額補充法)。

(5)　決算において未達取引は処理していない。

III　未達取引

(1)　本店は支店に商品110円を発送したが、これが支店に未達。

(2)　本店は支店の営業費30円を立替払したが、その報告が支店に未達。

(3)　支店は本店の売掛金100円を回収したが、その報告が本店に未達。

【解答・解説】

(1)　未達取引と決算整理の修正

①　未達商品

本店仕入高	110	本店	110
商品	110	期末商品	110

② 未達営業費

営業費	30	本店	30

③ 未達売掛金

支店	100	売掛金	100
貸倒引当金	2	貸倒引当金繰入	2

(2) 照合勘定の相殺消去

① 本店勘定と支店勘定の相殺消去

本店	800	支店	800

② 内部取引高の相殺消去

支店売上高	1,210	本店仕入高	1,210

(3) 内部利益の除去

① 期首商品に含まれる内部利益

繰延内部利益	10	期首商品	※ 10

※ $110 \times \frac{0.1}{1.1} = 10$

② 期末商品に含まれる内部利益

期末商品	※ 20	商品	※ 20

※ $(110 + \text{未達商品}110) \times \frac{0.1}{1.1} = 20$

本支店合併貸借対照表（略式）

現金預金	1,807	買掛金	650
売掛金	800	貸倒引当金	16
商品	700	資本金	1,000
		利益準備金	200
		繰越利益剰余金	1,441
	3,307		3,307

本支店合併損益計算書（略式）

期首商品	500	売上高	8,000
当期仕入高	5,000	期末商品	700
営業費	1,850		
貸倒引当金繰入	9		
当期純利益	1,341		
	8,700		8,700

5．本支店合併精算表の作成

本支店合併財務諸表の作成にあたっては、まず合併精算表によって会社全体の数字を確定させるのが一般的である。合併精算表は、本店及び支店の個別財務諸表（または決算整理後残高試算表）の数字から、次の合併整理及び合算を行って完成させる。

⑴　支店勘定と本店勘定を相殺消去する。

⑵　支店売上・本店仕入などの内部取引高を相殺消去する。

⑶　期首商品及び期末商品から内部利益を控除する。なお、内部利益の控除にあたって、期首及び期末商品から内部利益を直接控除しないで、帳簿処理と同様に繰延内部利益戻入・控除の処理でもよい。

⑷　以上の合併整理を行ったあと、本支店の数字を合算する。

◆例題◆

(1)

決算整理後残高試算表　　　（単位：円）

借方科目	本店	支店	貸方科目	本店	支店
現金預金	1,125	682	買掛金	400	250
売掛金	500	300	貸倒引当金	10	6
繰越商品	400	320	繰延内部利益	10	−
支店	800	−	本店	−	800
仕入	3,900	2,100	資本金	1,000	−
営業費	1,200	650	利益準備金	200	−
貸倒引当金繰入	5	4	繰越利益剰余金	100	−
			売上	5,000	3,000
			支店売上	1,210	−
合計	7,930	4,056	合計	7,930	4,056

⑵　未達取引は決算において整理している。

⑶　売上原価は仕入勘定で算定している。

⑷　支店の期末商品のうち220円は本店から仕入れた商品であり、これに含まれる内部利益は20円である。

⑸　本店は支店に仕入原価の10％増の価格で商品を送付している。

【解答・解説】

(1) 本支店合併精算表

本支店合併精算表　　　　(単位：円)

勘定科目	決算整理後残高試算表				合併整理		合併整理後残高試算表	
	本　店		支　店					
	借方	貸方	借方	貸方	借方	貸方	借方	貸方
現金預金	1,125		682				1,807	
売掛金	500		300				800	
繰越商品	400		320				720	
支店	800		–			800	–	
買掛金		400		250				650
貸倒引当金		10		6				16
繰延内部利益		10		–	10	20		20
本店		–		800	800			–
資本金		1,000		–				1,000
利益準備金		200		–				200
繰越利益剰余金		100		–				100
売上		5,000		3,000				8,000
支店売上		1,210		–	1,210			–
仕入	3,900		2,100			1,210	4,790	
営業費	1,200		650				1,850	
貸倒引当金繰入	5		4				9	
繰延内部利益戻入						10		10
繰延内部利益控除					20		20	
合計	7,930	7,930	4,056	4,056	2,040	2,040	9,996	9,996

(2) 合併整理

① 支店勘定と本店勘定の相殺消去

本店	800	支店	800

② 支店売上と本店仕入の相殺消去

支店売上	1,210	仕入	1,210

※ 売上原価は仕入勘定で算定しているため、決算整理後残高試算表に本店仕入勘定がない。この場合、支店売上勘定と相殺消去する科目は仕入勘定となる。

③ 内部利益の控除

繰延内部利益	10	繰延内部利益戻入	10
繰延内部利益控除	20	繰延内部利益	20

※ 決算整理後残高試算表の合算では、期首及び期末商品から内部利益を直接控除しないで、繰延内部利益戻入・控除の処理を行うのが一般的である。ただし、外部公表用の合併財務諸表では、内部利益は直接控除して表示しなければならない。

学習度
チェック

33　商的工業簿記

●学習のポイント●

1．原価の流れ（勘定体系）と財務諸表の関係をマスターする。
2．原価の3要素（材料費・労務費・経費）の分類をマスターする。
3．完成度換算法による期末仕掛品の評価方法（総平均法、先入先出法）をマスターする。
4．減損がある場合の期末仕掛品の評価方法をマスターする。
5．売価還元法による期末仕掛品の評価方法をマスターする。

ポイント整理

1．原価の流れと財務諸表との関係

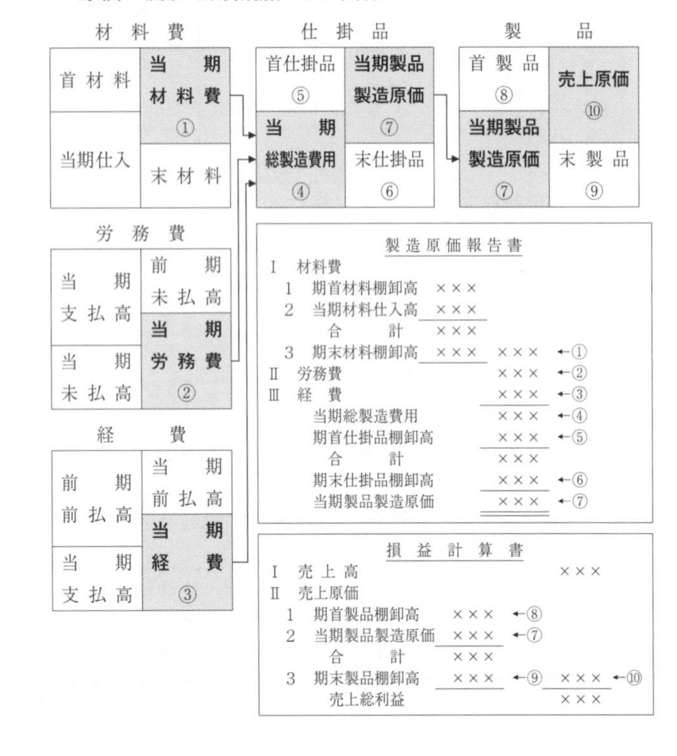

製造原価報告書

Ⅰ　材料費			
1　期首材料棚卸高	×××		
2　当期材料仕入高	×××		
合　計	×××		
3　期末材料棚卸高	×××	×××	←①
Ⅱ　労務費		×××	←②
Ⅲ　経　費		×××	←③
当期総製造費用		×××	←④
期首仕掛品棚卸高		×××	←⑤
合　計		×××	
期末仕掛品棚卸高		×××	←⑥
当期製品製造原価		×××	←⑦

損益計算書

Ⅰ　売上高			×××	
Ⅱ　売上原価				
1　期首製品棚卸高	×××	←⑧		
2　当期製品製造原価	×××	←⑦		
合　計	×××			
3　期末製品棚卸高	×××	←⑨	×××	←⑩
売上総利益			×××	

2. 材料費・労務費・経費の分類

(1) 材料費

① 材料費の種類

(a) 素材費（又は原料費）……製品の基本的実体を構成する物品などの消費額

(b) 買入部品費……………………購入してそのまま製品に取り付けられる物品などの消費額

(c) 材料仕入諸掛………………材料を仕入れるために要した付随費用

② 材料棚卸減耗費について

材料棚卸減耗費は次のように処理する。

(a) 原価性がある場合──►**製造経費**として処理

(b) 原価性がない場合──►**営業外費用または特別損失**として処理

③ 材料の期末評価

材料は、取得原価をもって貸借対照表価額とし、期末における正味売却価額が取得原価よりも下落している場合には、正味売却価額をもって貸借対照表価額とする。この場合において、取得原価と正味売却価額との差額は**材料評価損**として処理する。材料評価損は、**売上原価とすることを原則**とする。

(2) 労務費

① 賃　金………………製造活動に従事する作業員に対して支払われる給与

② 給　料………………管理職・事務職などの職員に対して支払われる給与

③ 雑　給………………臨時雇の作業員などに対して支払われる給与

④ 従業員賞与手当……従業員に対して支払われる賞与、作業に直接関係ない手当

⑤ 賞与引当金繰入額…賞与の当期負担額

⑥ 退職給付費用………退職給与の当期負担額

⑦ 法定福利費…………社会保険料の企業負担額

(3) 経費

① 外注加工費………外部の者に材料を支給して、それに加工を行わせた場合の加工費

② 特許権使用料……外部の者の所有する特許権を用いて製造する場合に支払う使用料

③　福利施設負担額…従業員のための福利施設の会社負担額
④　減価償却費………工場建物、機械などの製造関係の減価償却費
⑤　その他……………電力料、修繕費、保険料、水道光熱費など

3．売価還元法による期末仕掛品の評価

売価還元法は、期末仕掛品の実地棚卸を売価で行い、期末仕掛品売価に原価率を乗じて期末仕掛品原価を求める方法である。

期末仕掛品原価＝期末仕掛品売価×原価率

(1)　原価率の算定

$$\text{原価率}=\frac{\text{期首仕掛品原価}+\text{期首製品原価}+\text{当期総製造費用}}{\text{製品純売上高}+\text{期末仕掛品売価}+\text{期末製品売価}}$$

(2)　期末仕掛品売価

期末仕掛品売価は、完成品売価に完成率を乗じた金額である。

期末仕掛品売価＝期末仕掛品の完成品売価×完成率

◆例題◆

次の資料に基づいて、売価還元法により期末仕掛品原価、期末製品原価を求めなさい。

(1)　期首仕掛品原価　50円
(2)　期首製品原価　150円
(3)　当期総製造費用　400円
(4)　当期売上高　700円
(5)　期末仕掛品売価　200円（完成品売価、完成率50%）
(6)　期末製品売価　200円

【解答・解説】

期末仕掛品原価	60　円
期末製品原価	120　円

※1　原価率の算定

$$\frac{50+150+400}{700+200\times 50\%+200}=0.6$$

※2　期末仕掛品原価

$200\times 50\%\times 0.6=60$

※3　期末製品原価

$200\times 0.6=120$

4．完成度換算法による期末仕掛品の評価

完成度換算法は、期末仕掛品の完成度がどの程度であるかを見積もり、期末仕掛品数量を完成品数量に換算して期末仕掛品評価額を求める方法で、(1)総平均法、(2)先入先出法がある。

(1) 総平均法

総平均法は、期首仕掛品と当期に投入したものが平均的に完成したものと仮定して計算する方法である。

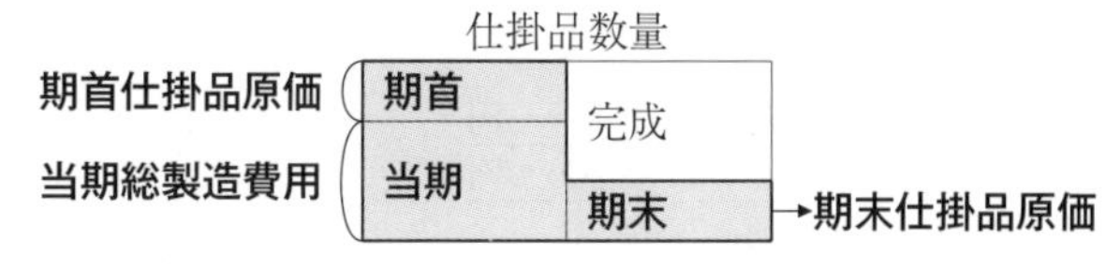

(2) 先入先出法

先入先出法は、期首仕掛品から順次加工されて完成し、期末仕掛品は当期に投入されたものが残留していると仮定して計算する方法である。

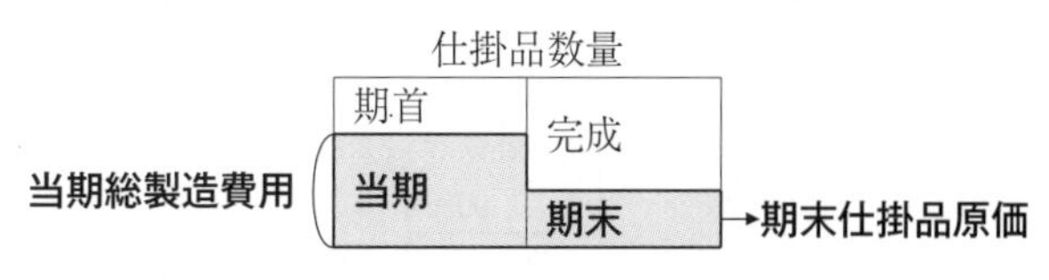

5．材料始点投入の場合

材料が工程の始点で投入される場合、材料費と加工費（労務費と製造経費）とでは投入された原価の発生割合が異なるため、期末仕掛品は材料費と加工費を別々に計算しなければならない。

(1) 材料費は、**加工進捗度を考慮しない数量**で計算する。

(2) 加工費は、**加工進捗度を考慮した完成品換算数量**で計算する。

◆例題◆

次の資料により、期末仕掛品原価を計算しなさい。

(1) 原価データ

① 期首仕掛品原価　1,320円（内訳は材料費1,000円、加工費320円）

② 当期総製造費用

材料費　4,800円

労務費　5,500円

製造経費　3,700円

33 商的工業簿記

(2)　生産データ

期首仕掛品	20kg	（加工進捗度20%）
当期材料投入量	80kg	
合　計	100kg	
期末仕掛品	10kg	（加工進捗度60%）
完成品量	90kg	

(3)　材料は工程の始点ですべて投入している。

【解答・解説】

総平均法	1,175　円
先入先出法	1,200　円

①　総平均法

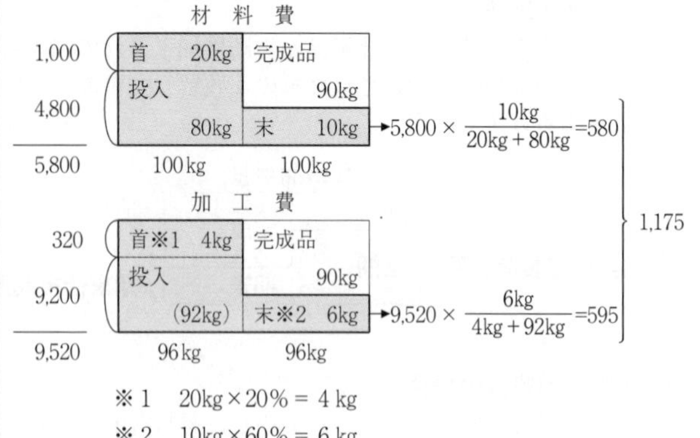

※1　20kg×20% = 4 kg
※2　10kg×60% = 6 kg

②　先入先出法

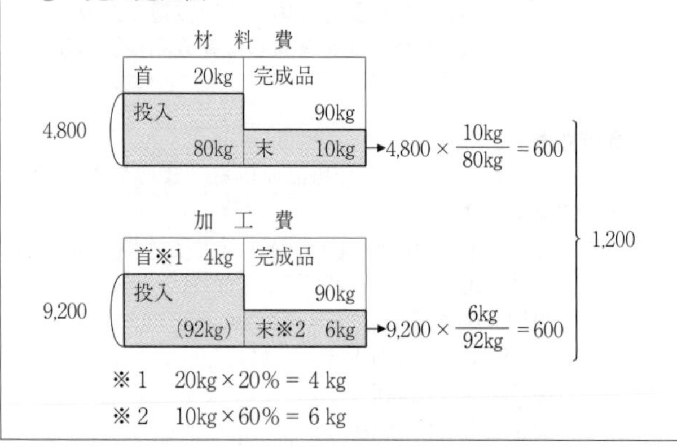

※1　20kg×20% = 4 kg
※2　10kg×60% = 6 kg

6．材料平均投入の場合

材料が加工の進捗度に合わせて平均的に投入されていく場合、材料費も加工費と同様に、**加工進捗度を考慮した完成品換算数量**で計算する。したがって、材料費と加工費を別々に計算する必要はない。

◆例題◆

次の資料により、期末仕掛品原価を計算しなさい。

(1) 期首仕掛品４個、進捗度　50%、420円
(2) 当期完成品数量　18個
(3) 当期総製造費用　2,000円
(4) 期末仕掛品８個、進捗度　50%

【解答・解説】

総平均法	440　円
先入先出法	400　円

① 総平均法

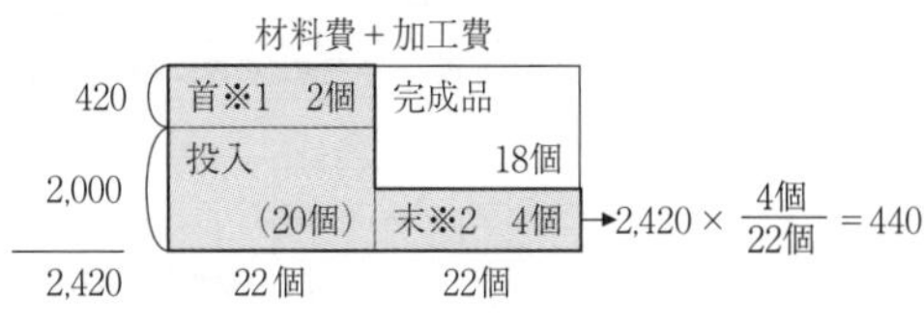

※１　４個×50%＝２個
※２　８個×50%＝４個

② 先入先出法

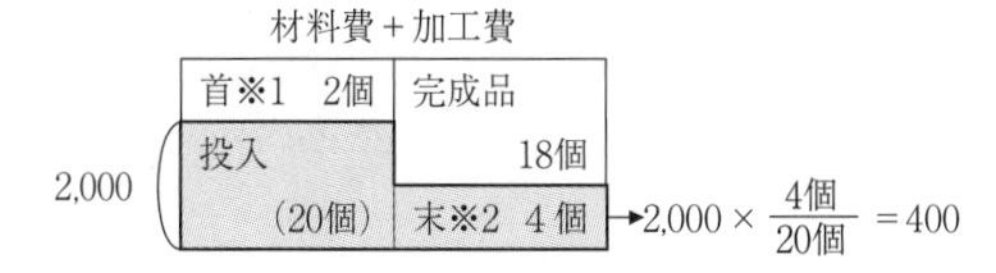

※１　４個×50%＝２個
※２　８個×50%＝４個

33 商的工業簿記

7．減損の処理

⑴　減損

減損とは、製造工程に投入された原材料の一部が、加工中に蒸発、粉散、ガス化などの原因によって減少又は消失することをいう。

⑵　減損の処理方法

①　異常減損

異常減損費は、原価性がなく、**特別損失**として処理する。この場合には、異常減損費を製造原価から抜き出す必要があるため、それがいくらであるかを直接計算する必要がある。

異常減損費	×××	製造（仕掛品）	×××

②　正常減損

正常減損費は、異常減損費のような直接的な計算は行わずに次のように考える。ただし、**問題文に指示がある場合にはそれに従わなければならない。**

(a)　**減損発生点 ＞ 期末仕掛品進捗度** → **完成品のみに負担させる**

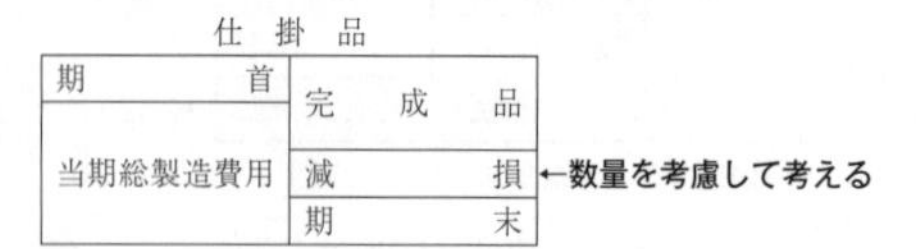

(b)　**減損発生点 ≦ 期末仕掛品進捗度** → **完成品と期末仕掛品の両者に負担させる**

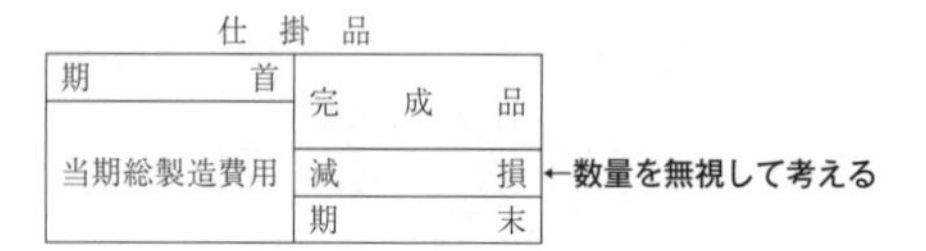

◆例題◆

次の資料により、各問に答えなさい。

(1) 生産データ

期首仕掛品	800kg	（進捗度20%）
当期投入量	3,400kg	
合　計	4,200kg	
減　損　量	200kg	
期末仕掛品	400kg	（進捗度60%）
完　成　品	3,600kg	

（注）減損は工程の30%の地点で発生したものである。

(2) 原価データ

期首仕掛品

203,800円（材料費 143,000円、加工費 60,800円）

当期総製造費用

1,385,000円（材料費 697,000円、加工費 688,000円）

(3) 材料は工程の始点で投入されている。

(4) 期末仕掛品の評価は総平均法による。

問1 減損が異常なものであった場合

問2 減損が正常なものであった場合

問3 減損が正常なもので、工程の80%の地点で発生していた場合

【解答・解説】

問1

異常減損費	51,520 円
期末仕掛品原価	126,080 円

問2

期末仕掛品原価	130,800 円

問3

期末仕掛品原価	124,928 円

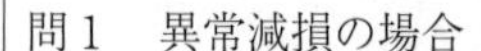

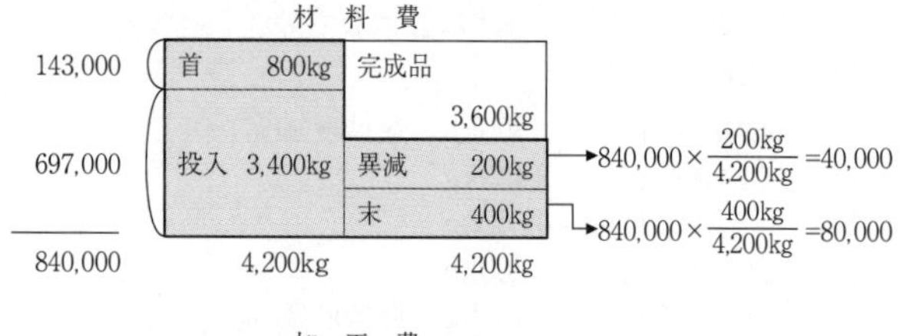

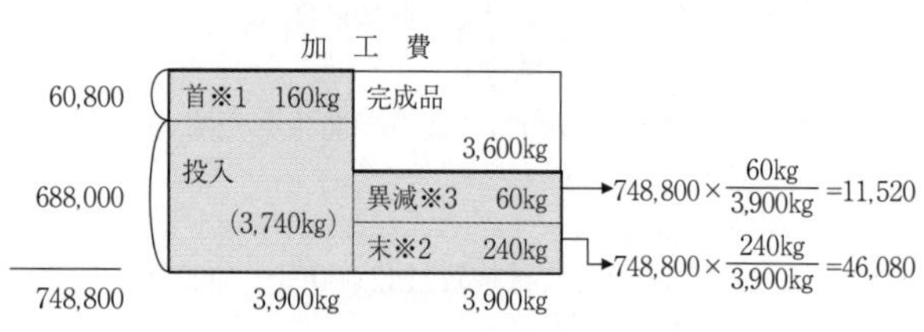

※1　800kg × 20% = 160kg

※2　400kg × 60% = 240kg

※3　200kg × 30% = 60kg

期末仕掛品原価：80,000 + 46,080 = 126,080

異常減損費：40,000 + 11,520 = 51,520

問2　正常減損の場合（両者負担）

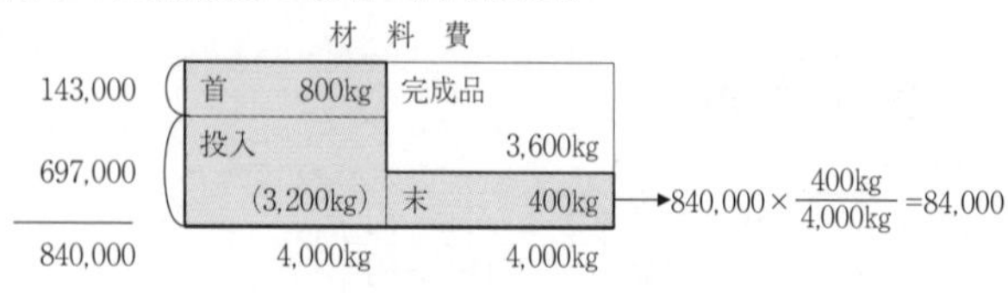

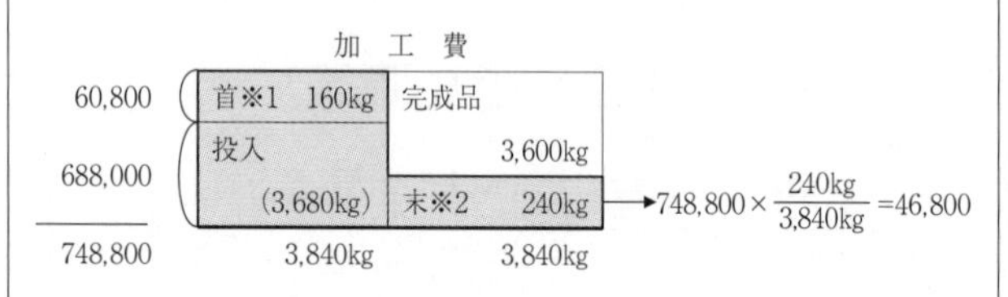

※1　800kg × 20% = 160kg

※2　400kg × 60% = 240kg

期末仕掛品原価：84,000 + 46,800 = 130,800

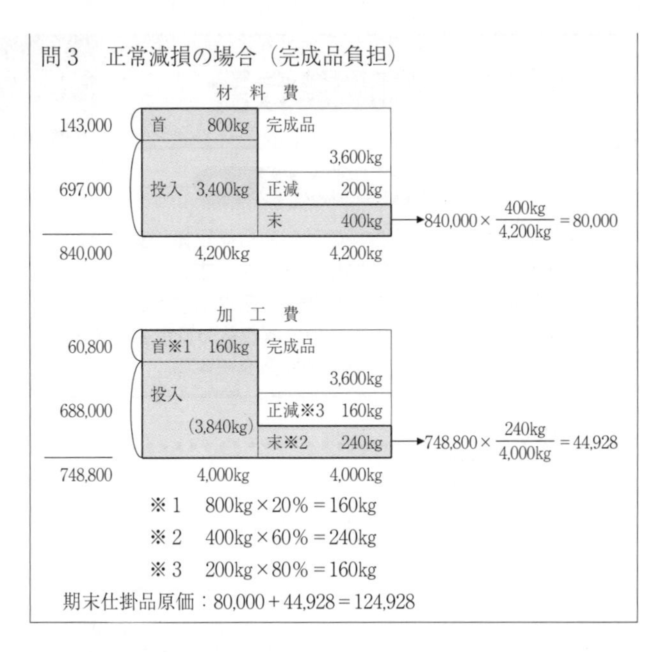

8．仕掛品及び製品の評価基準

(1)　評価基準

仕掛品及び製品は、製造原価をもって貸借対照表価額とし、期末における正味売却価額が製造原価よりも下落している場合には、正味売却価額をもって貸借対照表価額とする。この場合において、製造原価と正味売却価額との差額は**仕掛品評価損、製品評価損として処理**する。

(2)　正味売却価額

①　仕掛品

正味売却価額＝売価－見積追加製造原価及び見積販売直接経費

②　製品

正味売却価額＝売価－見積販売直接経費

(3)　評価損の取扱い

仕掛品評価損及び製品評価損は、**売上原価として処理**する。

学習度チェック

34 建設業会計

重要度B ★★

●学習のポイント●

1. 建設業会計における独特の勘定科目を正確に覚える。
2. 原価比例法による会計処理をマスターする。
3. 原価回収基準による会計処理をマスターする。
4. 見積りの変更があった場合の工事収益の算定をマスターする。
5. 工事損失引当金の会計処理をマスターする。

ポイント整理

1. 建設業の勘定科目

通常の製造業の勘定科目と比較すると、次のようになる。

	通常の製造業		建設業
(1)	売上	←→	完成工事高
(2)	売上原価	←→	完成工事原価
(3)	仕掛品（製造）	←→	未成工事支出金
(4)	材料	←→	材料貯蔵品
(5)	売掛金	←→	完成工事未収入金
(6)	契約資産	←→	契約資産
(7)	契約負債(前受金)	←→	契約負債(未成工事受入金)
(8)	買掛金	←→	工事未払金

2. 建設業における財務諸表

完成工事原価報告書

Ⅰ	材料費	×××
Ⅱ	労務費	×××
Ⅲ	外注費	×××
Ⅳ	経費	×××
	完成工事原価	×××

損益計算書

Ⅰ	完成工事高	×××
Ⅱ	完成工事原価	×××
	完成工事利益	×××

貸借対照表

完成工事未収入金	×××	工事未払金	×××
契約資産	×××	未成工事受入金	×××
未成工事支出金	×××	工事損失引当金	×××

3. 工事原価の算定

収益及び費用の認識は、原則として工事契約別に行う。工事中に発生した原価は原則として未成工事支出金勘定で処理し、完成工事高に対応する金額を完成工事原価勘定に振替える。

(1) 材料費

材料は、購入時に未成工事支出金勘定に計上し、決算時に未使用分を材料貯蔵品勘定に振替える。当該工事が翌期以降も継続する場合には、翌期首に振戻しを行う。

① 購入時

未成工事支出金	×××	工事未払金	×××

② 決算時

材料貯蔵品	×××	未成工事支出金	×××

③ 翌期首

未成工事支出金	×××	材料貯蔵品	×××

(2) 労務費

未成工事支出金	×××	現金預金	×××

(3) 外注費

未成工事支出金	×××	現金預金	×××

(4) 経費

未成工事支出金	×××	現金預金	×××

(5) 工事間接費の配賦

工事間接費とは、工事別に直接把握できない各工事に共通する費用をいう。工事間接費は一定の基準により各工事に配分する。なお、配賦基準には様々なものがあるが、受験上は問題の指示に従うこと。

◆例題◆

(1) 各工事に関して、当期に発生した直接費は以下のとおりである。(単位:円)

	A工事	B工事	C工事	合計
材料費	30,000	20,000	70,000	120,000
労務費	20,000	15,000	65,000	100,000
外注費・経費	10,000	10,000	40,000	60,000

(2) 工事間接費として20,000円が発生したが、直接労務費を基準として各工事に配賦する。

【解答・解説】

⑴　工事間接費の各工事への配賦

A工事　$20{,}000 \times \frac{20{,}000}{100{,}000} = 4{,}000$

B工事　$20{,}000 \times \frac{15{,}000}{100{,}000} = 3{,}000$

C工事　$20{,}000 \times \frac{65{,}000}{100{,}000} = 13{,}000$

⑵　当期の発生原価

	A工事	B工事	C工事	合　計
材　料　費	30,000	20,000	70,000	120,000
労　務　費	20,000	15,000	65,000	100,000
外注費・経費	10,000	10,000	40,000	60,000
工事間接費	4,000	3,000	13,000	20,000
合　　　計	64,000	48,000	188,000	300,000

4．収益認識基準

建物や道路の建設工事のように、履行義務が一定の期間にわたり充足される取引は、充足の進捗度を見積もって、これに基づいて一定の期間にわたり収益を認識する。

⑴　進捗度を合理的に見積ることができる場合

履行義務の充足の進捗度に基づいて、取引価格を工事期間にわたって配分し、工事収益を認識する。この場合は従来の工事進行基準と同じになる。

⑵　進捗度を合理的に見積ることができない場合

工事が完成して顧客への引渡が完了した時点で、工事収益を認識する。この場合は従来の工事完成基準と同じになる。

ただし、発生原価の回収が見込まれる場合は、**原価回収基準**により工事収益を認識する。

⑶　期間がごく短い工事

工事が完成して顧客への引渡が完了した時点で、工事収益を認識する。この場合は従来の工事完成基準と同じになる。

5．進捗度の見積り

進捗度の見積りについては、次の2つの方法がある。進捗度は毎決算日に見直しを行う。進捗度の見積りを変更する場合には、会計上の見積りの変更として処理する。

⑴　**インプット法**

履行義務の充足のための企業の労力又はインプットが、当該履行義務の充足のための予想されるインプット合計に占める割合に基づいて進捗度を測定する。測定例としては、発生原価（原価比例法）、発生労働時間などがある。

⑵　**アウトプット法**

現在までに移転した財又はサービスの顧客にとっての価値を直接的に測定し、契約で約束した残りの財又はサービスとの比率に基づいて進捗度を測定する。測定例としては、経過期間、生産単位数、引渡単位数などがある。

6．原価比例法による会計処理

⑴　**原価比例法による進捗度の見積り**

原価比例法とは、決算日までに実施した工事に関して発生した工事原価が見積工事原価総額に占める割合をもって、決算日における進捗度とする方法をいい、次の算式により算定する。

$$進捗度=\frac{当期工事原価発生額}{見積工事原価総額}$$

⑵　**工事収益の計算方法**

①　**各年度における工事収益**

完成工事高＝工事収益総額×進捗度

②　**完成引渡年度における工事収益**

完成工事高＝工事収益総額－過年度工事収益累計額

⑶　**仕訳パターン**

①　**工事代金前受時**

現　金　預　金	×××	契　約　負　債	×××

（注）契約負債は未成工事受入金としてもよい。

②　**決算時（工事収益と工事原価の計上）**

契　約　負　債 契　約　資　産	××× ×××	完　成　工　事　高	×××
完成工事原価	×××	未成工事支出金	×××

（注）契約資産は、完成引渡時または法的な請求権が確定した時点で完成工事未収入金に振替える。

7．原価回収基準による会計処理

(1) 工事収益及び工事原価の計上

進捗度の合理的見積りが可能になる時点まで、工事原価と同額の工事収益を計上する。そのため利益はゼロとなる。

(2) 仕訳パターン

① 工事代金前受時

現 金 預 金	×××	契 約 負 債	×××

② 決算時（工事原価と同額の工事収益を計上）

契 約 負 債 契 約 資 産	××× ×××	完 成 工 事 高	×××
完 成 工 事 原 価	×××	未成工事支出金	×××

（注）契約資産は、完成引渡時または法的な請求権が確定した時点で完成工事未収入金に振替える。

◆例題◆

(1) 第1年度

① 建物の建設工事（工事収益総額20,000円、工事原価総額見積額18,000円）の発注を受け、工事契約を締結した。

② 第1年度の発生原価は4,500円である。進捗度は原価比例法により算定する。

(2) 第2年度

① 工事代金の一部として10,000円の入金があった。

② 第2年度の発生原価は8,100円である。

(3) 第3年度

① 建物が完成し、当該建物を引き渡した。

② 第3年度の発生原価は5,400円である。

【解答・解説】

1．原価比例法による会計処理

(1) 第1年度

① 工事原価支払時

未成工事支出金	4,500	現 金 預 金	4,500

② 決算時

契 約 資 産	5,000	完 成 工 事 高	5,000
完 成 工 事 原 価	4,500	未成工事支出金	4,500

※1 進捗度 4,500÷18,000＝25％

※2 完成工事高 20,000×25％＝5,000

(2) 第2年度

① 工事代金入金時

借方	金額	貸方	金額
現金預金	10,000	契約資産	5,000
		契約負債	5,000

② 工事原価支払時

借方	金額	貸方	金額
未成工事支出金	8,100	現金預金	8,100

③ 決算時

借方	金額	貸方	金額
契約負債	5,000	完成工事高	9,000
契約資産	4,000		
完成工事原価	8,100	未成工事支出金	8,100

※1 進捗度 8,100÷18,000＝45％

※2 完成工事高 20,000×45％＝9,000

(3) 第3年度

① 工事原価支払時

借方	金額	貸方	金額
未成工事支出金	5,400	現金預金	5,400

② 完成引渡時

借方	金額	貸方	金額
完成工事未収入金	10,000	完成工事高	6,000
		契約資産	4,000
完成工事原価	5,400	未成工事支出金	5,400

※ 完成工事高 20,000－(5,000＋9,000)＝6,000

2．原価回収基準による会計処理

(1) 第1年度

① 工事原価支払時

借方	金額	貸方	金額
未成工事支出金	4,500	現金預金	4,500

② 決算時

借方	金額	貸方	金額
契約資産	4,500	完成工事高	4,500
完成工事原価	4,500	未成工事支出金	4,500

(2) 第2年度

① 工事代金入金時

借方	金額	貸方	金額
現金預金	10,000	契約資産	4,500
		契約負債	5,500

② 工事原価支払時

未成工事支出金	8,100	現金預金	8,100

③ 決算時

契約負債 契約資産	5,500 2,600	完成工事高	8,100
完成工事原価	8,100	未成工事支出金	8,100

(3) 第3年度

① 工事原価支払時

未成工事支出金	5,400	現金預金	5,400

② 完成引渡時

完成工事未収入金	10,000	完成工事高 契約資産	7,400 2,600
完成工事原価	5,400	未成工事支出金	5,400

※ 20,000－(4,500＋8,100)＝7,400

8．見積りの変更

(1) 工事収益総額及び見積工事原価総額の変更

工事収益総額、見積工事原価総額の見積りが変更されたときは、工事収益は次のように計算する。

(2) 進捗度の見積方法

進捗度＝当期末までに発生した工事原価累計額／変更後の見積工事原価総額

(3) 工事収益の計算方法

完成工事高＝変更後の工事収益総額×進捗度－過年度工事収益累計額

◆例題◆

(1) 第1年度

① 建物の建設工事（工事収益総額20,000円、工事原価総額見積額18,000円）の発注を受け、工事契約を締結した。

② 第1年度の発生原価は4,500円である。進捗度は原価比例法により算定する。

(2) 第２年度

① 第２年度末において、工事原価総額見積額を19,000円に変更した。これに伴い、工事収益総額も21,000円に契約を変更した。

② 第２年度の発生原価は8,800円である。

(3) 第３年度

① 建物が完成し、当該建物を引き渡した。

② 第３年度の発生原価は5,800円である。

【解答・解説】

(1) 第１年度

① 工事原価支払時

未成工事支出金	4,500	現金預金	4,500

② 決算時

契約資産	5,000	完成工事高	5,000
完成工事原価	4,500	未成工事支出金	4,500

※1 進捗度 4,500÷18,000＝25％

※2 完成工事高 20,000×25％＝5,000

(2) 第２年度

① 工事原価支払時

未成工事支出金	8,800	現金預金	8,800

② 決算時

契約資産	9,700	完成工事高	9,700
完成工事原価	8,800	未成工事支出金	8,800

※1 進捗度 (4,500＋8,800)÷19,000＝70％

※2 完成工事高 21,000×70％－5,000＝9,700

(3) 第３年度

① 工事原価支払時

未成工事支出金	5,800	現金預金	5,800

② 完成引渡時

完成工事未収入金	21,000	完成工事高	6,300
		契約資産	14,700
完成工事原価	5,800	未成工事支出金	5,800

※ 完成工事高 21,000－(5,000＋9,700)＝6,300

9．工事損失引当金

(1) 工事契約から損失が見込まれる場合の取扱い

工事契約について、工事原価総額等（販売直接経費見積額も含む）が、工事収益総額を超過する可能性が高く、かつ、その金額を合理的に見積もることができる場合には、その超過すると見込まれる額（工事損失）のうち、当該工事契約に関して既に計上された損益の額を控除した残額（今後見込まれる損失額）を、工事損失が見込まれた期の損益として処理し、工事損失引当金を計上する。

(2) 工事損失引当金の算定

工事損失引当金＝(工事収益総額－工事原価総額等)
－当期までに計上した工事損益

(3) 仕訳パターン

① 引当金計上時

工事損失引当金繰入額は完成工事原価に含めて計上する。

完成工事原価	×××	工事損失引当金	×××

② 引当金取崩時

工事損失引当金は、工事の進捗や完成・引渡により、工事損失が確定した場合には、それに対応する額を取り崩す。取崩額は完成工事原価に含めて計上する。

工事損失引当金	×××	完成工事原価	×××

◆例題◆

(1) 第1年度期首に、完成まで3年間を要する長期工事の契約を締結した。工事収益総額は20,000円、工事原価総額の当初見積額は19,000円であった。決算日における進捗度の見積りに関しては原価比例法を採用する。

(2) 工事原価総額の見積額は、第1年度末において19,200円、第2年度末において21,000円にそれぞれ増加したが、工事契約金額の見直しは行われなかった。このため、第2年度末において工事損失の発生が避けられない状況になったため、第2年度末において工事損失引当金を計上することとした。

(3) 実際発生工事原価は、第1年度が5,760円、第2年度が9,360円、第3年度が5,900円である。

【解答・解説】

(1) 第1年度

契約資産	6,000	完成工事高	6,000
完成工事原価	5,760	未成工事支出金	5,760

※1　進捗度　5,760÷19,200＝30％

※2　完成工事高　20,000×30％＝6,000

(2) 第2年度

① 工事収益及び工事原価の計上

契約資産	8,400	完成工事高	8,400
完成工事原価	9,360	未成工事支出金	9,360

※1　進捗度　(5,760＋9,360)÷21,000＝72％

※2　完成工事高　20,000×72％－6,000＝8,400

② 工事損失引当金の計上

完成工事原価	280	工事損失引当金	280

※1　当期までに計上した工事損益

(6,000＋8,400)－(5,760＋9,360)＝△720

※2　引当金計上額　(20,000－21,000)－※1＝△280

(3) 第3年度

① 工事収益及び工事原価の計上

完成工事未収入金	20,000	完成工事高 契約資産	5,600 14,400
完成工事原価	5,900	未成工事支出金	5,900

※　完成工事高　20,000－(6,000＋8,400)＝5,600

② 工事損失引当金の取崩

工事損失引当金	280	完成工事原価	280

学習度チェック

35　企業結合・事業分離

重要度B ★★

●学習のポイント●

1. パーチェス法における取得原価の算定をマスターする。
2. のれん及び負ののれんについてマスターする。
3. 吸収合併の会計処理をマスターする。
4. 株式交換の会計処理をマスターする。
5. 事業分離の会計処理をマスターする。

ポイント整理

1. 企業結合

企業結合とは、ある企業又はある企業を構成する事業と、他の企業又は他の企業を構成する事業とが1つの報告単位に統合されることをいう。企業結合の例としては、事業譲受、合併、株式交換などがある。

2. 企業結合の会計処理

(1)　取得

取得とは、ある企業が他の企業又は企業を構成する事業に対する支配を獲得することをいう。この場合、ある企業又は企業を構成する事業を取得する企業を「**取得企業**」といい、当該取得される企業を「**被取得企業**」という。

(2)　取得の会計処理

共同支配企業の形成及び共通支配下の取引以外の企業結合は「**取得**」となる。また、この場合における会計処理は、「**パーチェス法**」により処理する。

(3)　パーチェス法

パーチェス法とは、被取得企業から受け入れる資産及び負債の取得原価を、対価として交付する現金及び株式等の時価（公正価値）とする方法である。

(4)　取得原価の算定

①　基本原則

被取得企業又は取得した事業の取得原価は、原則として、取得の対価（支払対価）となる財の**企業結合日における時価**で算定する。

② 支払対価が現金の場合

取得原価＝現金の支出額

③ 支払対価が株式の場合

支払対価が取得企業の株式で、取得企業の株式に市場価格がある場合、取得原価は次の式で算定する。

取得原価＝企業結合日における株価×交付株式数

④ 取得関連費用の会計処理

外部のアドバイザー等に支払った特定の報酬・手数料等は当期の費用として処理する。

⑸ 取得原価の配分方法

取得原価は、被取得企業から受け入れた資産及び引き受けた負債のうち企業結合日時点において識別可能なもの（識別可能資産及び負債）の企業結合日時点の時価を基礎として、当該資産及び負債に対して配分する。

取得原価が、受け入れた資産及び引き受けた負債に配分された純額を上回る場合には、その超過額は**のれん**として会計処理し、下回る場合には、その不足額は**負ののれん**として会計処理する。

⑹ のれんの会計処理

のれんは、20年以内のその効果の及ぶ期間にわたって、定額法その他の合理的な方法により規則的に償却する。

⑺ 負ののれんの会計処理

負ののれんが生じた場合には、負ののれん発生益（特別利益）として処理する。

3．事業譲受

⑴ 意義

事業譲受とは、他の企業の事業の全部又は一部を譲り受けることをいう。

⑵ 会計処理

事業譲受は、「取得」に該当するためパーチェス法により会計処理を行う。すなわち、譲り受ける識別可能資産及び負債を企業結合日の時価で計上し、企業結合日の時価純資産額と取得原価の差額を、のれん又は負ののれんとして計上する。

諸資産	×××	諸負債	×××
のれん	×××	現金預金	×××

◆例題◆

(1) A社は、B社の事業の全部を10,000円で譲り受けた。

(2) 事業譲受時のB社の貸借対照表は以下のとおりである。
諸資産9,000円、諸負債3,000円、資本金5,000円、利益剰余金1,000円

(3) 事業譲受時のB社の諸資産の時価は12,000円、諸負債の時価は3,000円である。

【解答・解説】

借方	金額	貸方	金額
諸資産	12,000	諸負債	3,000
のれん	1,000	現金預金	10,000

※1 諸資産及び諸負債 時価で計上

※2 取得原価 10,000

※3 のれん 差額

4. 吸収合併

(1) 意義

合併とは、2つ以上の会社が合体して1つの会社になることをいう。吸収合併とは、合併当事会社のうち、一方が解散して消滅し、他方が存続する合併をいう。なお、存続する会社を「**存続会社**」、消滅する会社を「**消滅会社**」という。

(2) 吸収合併における簿記一巡

① **合併に先立つ個別貸借対照表の修正**

② **企業評価額の算定**

③ **合併比率の算定**

④ **交付株式数の算定**

⑤ **合併仕訳**

⑥ **存続会社の合併後貸借対照表の作成**

(3) 合併に先立つ個別貸借対照表の修正

合併の会計処理は、合併当事会社の個別貸借対照表を合体することである。そのため、合併の基礎となる個別貸借対照表は適正であることが前提となる。そこで合併に先立ち、個別貸借対照表を適正にするための修正を行う。

なお、修正を行うのは貸借対照表であるから、修正にあたって損益項目が生じる場合には、最終的に影響を与える「繰越利益剰余金」で修正する。

◆例題◆

(1) A社はB社を吸収合併することとなった。B社の修正前の貸借対照表は次のとおりである。(単位：円)

貸借対照表

借方科目	金額	貸方科目	金額
現金預金	28,000	買掛金	30,000
売掛金	20,000	資本金	40,000
商品	10,000	利益準備金	5,000
建物	30,000	繰越利益剰余金	13,000
合計	88,000	合計	88,000

(2) B社の貸借対照表について次の修正を行う。

① 商品について1,000円の評価損が生じていたが、未処理となっていた。

② 建物の減価償却方法はA社が定額法で、B社は定率法を採用しているので、B社も取得時から定額法を採用したものとして建物の帳簿価額を33,000円に修正する。

【解答・解説】

(1) 商品の修正

借方	金額	貸方	金額
繰越利益剰余金	1,000	商品	1,000

(2) 建物の修正

借方	金額	貸方	金額
建物	3,000	繰越利益剰余金	3,000

(3) 修正後貸借対照表(単位：円)

貸借対照表

借方科目	金額	貸方科目	金額
現金預金	28,000	買掛金	30,000
売掛金	20,000	資本金	40,000
商品	9,000	利益準備金	5,000
建物	33,000	繰越利益剰余金	15,000
合計	90,000	合計	90,000

(4) 企業評価額の算定

① 純資産額法

(a) 簿価純資産額法

企業評価額＝簿価総資産－簿価総負債

(b) 時価純資産額法

企業評価額＝時価総資産－時価総負債

② 収益還元価値法

企業評価額＝平均利益額÷資本還元率

なお、平均利益額の算定には、次の２つの方法がある。

(a) 自己資本利益率を基礎とする場合

平均利益額＝自己資本×自己資本利益率

(b) 総資本利益率を基礎とする場合

平均利益額＝総資本×総資本利益率

③ 株価基準法

企業評価額＝１株当たりの時価×発行済株式数

④ 割引キャッシュ・フロー法

企業評価額＝将来キャッシュ・フローの現在価値

⑤ 折衷法

企業評価額＝複数の方法による企業評価額の平均値

◆例題◆

(1) A社はB社を吸収合併することとなった。A社及びB社の貸借対照表は次のとおりである。(単位：円)

A社貸借対照表

借方科目	金額	貸方科目	金額
諸　資　産	200,000	諸　負　債	60,000
		資　本　金	100,000
		利益準備金	10,000
		繰越利益剰余金	30,000
合　計	200,000	合　計	200,000

B社貸借対照表

借方科目	金額	貸方科目	金額
諸資産	90,000	諸負債	30,000
		資本金	40,000
		利益準備金	5,000
		繰越利益剰余金	15,000
合計	90,000	合計	90,000

(2) 発行済株式数は、A社1,000株、B社500株である。
(3) 諸資産の時価は、A社244,000円、B社110,000円で、諸負債の時価は簿価と一致している。
(4) 過去3年間の平均自己資本利益率は、A社7％、B社6％である。
(5) 資本還元率は、A社及びB社が共に属する業種の平均自己資本利益率5％を用いる。
(6) 株式市場における1株当たりの時価は、A社株式が250円、B社株式が150円である。
(7) 今後5年間の将来キャッシュ・フローの見込額（年額）は、A社50,000円、B社20,000円である。割引率は年6％とし、年6％による5年間の年金現価係数は4.21236とする。（円未満の端数は四捨五入）

【解答・解説】

(1) 簿価純資産額法

A社　200,000－60,000＝140,000
B社　90,000－30,000＝60,000

(2) 時価純資産額法

A社　244,000－60,000＝184,000
B社　110,000－30,000＝80,000

(3) 収益還元価値法

A社　140,000×7％÷5％＝196,000
B社　60,000×6％÷5％＝72,000

(4) 株価基準法

A社　250×1,000株＝250,000
B社　150×500株＝75,000

(5) 割引キャッシュ・フロー法

A社　50,000×4.21236＝210,618
B社　20,000×4.21236＝84,247

(6) 折衷法（時価純資産額と収益還元価値の平均値）

A社　(184,000＋196,000)÷2＝190,000
B社　(80,000＋72,000)÷2＝76,000

⑸ 合併比率の算定

存続会社は、消滅会社の株主に対して、消滅会社の株式と交換に存続会社の株式を交付するが、この消滅会社株式に対する存続会社の割当株式数の交換比率を**合併比率**という。つまり、消滅会社の株式１株に対し、存続会社の株式を何株交付すべきかという交換比率である。合併比率は１株当たりの企業評価額の比率をもって算定する。

$$合併比率=\frac{消滅会社の企業評価額÷発行済株式数}{存続会社の企業評価額÷発行済株式数}$$

$$=\frac{消滅会社の１株当たりの企業評価額}{存続会社の１株当たりの企業評価額}$$

◆例題◆

⑴　Ａ社はＢ社を吸収合併することとなった。

⑵　発行済株式数は、Ａ社1,000株、Ｂ社500株である。

⑶　企業評価額は、Ａ社190,000円、Ｂ社76,000円である。

【解答・解説】

$$\frac{Ｂ社76,000÷500株}{Ａ社190,000÷1,000株}=\frac{@152}{@190}=0.8$$

※　合併比率0.8は、Ａ社とＢ社の１株当たりの企業評価額の比率をもって、１：0.8と表すのが一般的である。

⑹ 交付株式数の算定

①　交付株式数の算定

交付株式数とは、存続会社が消滅会社の株主に対して交付する株式数をいう。交付株式数は次のように計算する。

交付株式数＝消滅会社の発行済株式数×合併比率

②　存続会社が合併前に消滅会社の株式を保有していた場合

存続会社が保有する消滅会社の株式には新株の割当は行われない。したがって、交付株式数は次のように計算する。

交付株式数＝（消滅会社の発行済株式数－存続会社が保有する消滅会社株式数）×合併比率

◆例題◆

⑴　A社はB社を吸収合併することになった。
⑵　発行済株式数は、A社1,000株、B社500株である。
⑶　合併比率は、A社：B社＝1：0.8である。
⑷　A社は合併前に、B社株式50株を保有している。
⑸　A社は合併に際して保有する自己株式100株を処分する。

【解答・解説】

⑴　交付株式数　(500株－50株)×0.8＝360株
⑵　新株発行数　360株－100株＝260株

⑺　合併仕訳

①　新株を交付した場合

吸収合併の対価として、存続会社が新株を交付した場合には、払込資本を増加させる。なお、増加すべき払込資本の内訳項目については、資本金、資本準備金、その他資本剰余金のいずれにも計上することができる。

諸資産	×××	諸負債	×××
のれん	×××	資本金	×××
		資本準備金	×××
		その他資本剰余金	×××

◆例題◆

⑴　A社はB社を吸収合併することになった。存続会社はA社、消滅会社はB社であり、取得企業はA社である。
⑵　発行済株式数は、A社1,000株、B社500株である。
⑶　合併比率は、A社：B社＝1：0.8である。
⑷　合併期日（企業結合日）におけるA社株式の時価は1株250円である。
⑸　増加すべき払込資本のうち、資本金を50,000円、資本準備金を20,000円増加し、残額はその他資本剰余金とした。
⑹　合併期日におけるB社の識別可能資産及び負債は、それぞれ110,000円及び30,000円である。

⑺　合併時におけるＢ社の貸借対照表（単位：円）

貸借対照表

借方科目	金額	貸方科目	金額
諸資産	90,000	諸負債	30,000
		資本金	40,000
		利益準備金	5,000
		繰越利益剰余金	15,000
合計	90,000	合計	90,000

【解答・解説】

⑴　**交付株式数**　500株×0.8＝400株

⑵　**取得原価**　@250×400株＝100,000

⑶　**合併仕訳**

諸資産	110,000	諸負債	30,000
のれん	20,000	資本金	50,000
		資本準備金	20,000
		その他資本剰余金	30,000

※１　諸資産及び諸負債　時価で計上する

※２　その他資本剰余金　100,000－50,000－20,000＝30,000

※３　のれん　差額

②　自己株式を処分した場合

吸収合併の対価として、存続会社が自己株式を処分した場合には、自己株式の処分の対価の額から処分した自己株式の帳簿価額を控除した額を、払込資本の増加として処理する。

なお、増加すべき払込資本の内訳項目については、資本金、資本準備金、その他資本剰余金のいずれにも計上することができる。

諸資産	**×××**	**諸負債**	**×××**
のれん	**×××**	**自己株式**	**×××**
		資本金	**×××**
		資本準備金	**×××**
		その他資本剰余金	**×××**

◆例題◆

⑴　A社はB社を吸収合併することになった。存続会社はA社、消滅会社はB社であり、取得企業はA社である。

⑵　発行済株式数は、A社1,000株、B社500株である。

⑶　合併比率は、A社：B社＝１：0.8である。

⑷　合併期日（企業結合日）におけるA社株式の時価は１株250円である。

⑸　B社株主に交付するA社株式のうち、自己株式を100株（帳簿価額20,000円）処分し、残りは新株を発行した。

⑹　増加すべき払込資本のうち、資本金を40,000円増加し、残額は資本準備金とした。

⑺　合併期日におけるB社の識別可能資産及び負債は、それぞれ110,000円及び30,000円である。

⑻　合併時におけるB社の貸借対照表（単位：円）

貸借対照表

借方科目	金額	貸方科目	金額
諸資産	90,000	諸負債	30,000
		資本金	40,000
		利益準備金	5,000
		繰越利益剰余金	15,000
合計	90,000	合計	90,000

【解答・解説】

⑴　**交付株式数**　500株×0.8＝400株

⑵　**取得原価**　@250×400株＝100,000

⑶　**合併仕訳**

借方	金額	貸方	金額
諸資産	110,000	諸負債	30,000
のれん	20,000	自己株式	20,000
		資本金	40,000
		資本準備金	40,000

※１　諸資産及び諸負債　時価で計上する

※２　資本準備金　100,000－20,000－40,000＝40,000

※３　のれん　差額

5．株式交換

(1) 意義

株式交換とは、既存の会社同士が**完全親会社・完全子会社**となるための手法である。ここで、完全親会社とは、他の企業の発行済株式数の全部を保有する会社をいい、完全子会社とは、他の企業から発行済株式数の全部を保有されている会社をいう。

(2) 株式交換の流れ

完全子会社となる会社の株主は、保有する完全子会社となる会社の株式を、株式交換日に完全親会社となる会社に移転する。次に、完全子会社となる会社の株主は、完全親会社となる会社の株式の割当てを受け、株式交換日に完全親会社となる会社の株主となる。

(3) 完全親会社となる会社の会計手続

株式交換における完全親会社となる会社の会計手続は、基本的に吸収合併における存続会社の会計手続と同じである。

(4) 完全子会社となる会社の会計手続

完全子会社となる会社については、**会計処理は不要**である。

(5) 株式交換の会計処理

① 個別財務諸表上の処理

パーチェス法による会計処理を行う。なお、個別財務諸表上は、のれん又は負ののれんは計上されない。

(a) 完全子会社株式の取得原価

交付する完全親会社株式の株式交換日における時価に交付株式数を乗じた金額とする。

(b) 増加すべき払込資本

株式交換の対価として、完全親会社が新株を交付した場合には、払込資本を増加させる。なお、増加すべき払込資本の内訳項目については、資本金、資本準備金、その他資本剰余金のいずれにも計上することができる。

関係会社株式	×××	資本金	×××
		資本準備金	×××
		その他資本剰余金	×××

② 連結財務諸表上の処理

完全親会社の投資と完全子会社の資本を相殺消去し、差額はのれん又は負ののれんとして処理する。

◆例題◆

(1)　A社はB社株主と株式交換を行い、A社が完全親会社、B社が完全子会社となった。取得企業はA社である。
(2)　発行済株式数は、A社1,000株、B社500株である。
(3)　株式交換比率は、A社：B社＝1：0.8である。
(4)　株式交換日におけるA社株式の時価は1株250円である。
(5)　増加すべき払込資本のうち、資本金を50,000円、資本準備金を20,000円増加し、残額はその他資本剰余金とした。
(6)　株式交換日におけるB社の貸借対照表（単位：円）

貸借対照表

借方科目	金額	貸方科目	金額
諸資産	90,000	諸負債	30,000
		資本金	40,000
		利益準備金	5,000
		繰越利益剰余金	15,000
合計	90,000	合計	90,000

【解答・解説】

(1)　**交付株式数**　500株×0.8＝400株
(2)　**関係会社株式の取得原価**　@250×400株＝100,000
(3)　**株式交換仕訳**

関係会社株式	100,000	資本金	50,000
		資本準備金	20,000
		その他資本剰余金	30,000

※　その他資本剰余金　100,000－50,000－20,000＝30,000

6．事業分離

(1)　意義

事業分離とは、ある企業を構成する事業を他の企業（新設される企業を含む。）に移転することをいう。

この場合、企業を構成する事業を移転する企業を「**分離元企業**」、分離元企業からその事業を受け入れる企業（新設される企業を含む。）を「**分離先企業**」という。

(2)　分離元企業の会計処理

分離元企業は、事業分離日に、次のように会計処理する。

①　移転した事業に関する投資が清算されたとみる場合

その事業を分離先企業に移転したことにより受け取った対価となる財の時価と、移転した事業に係る株主資本相当額との差額を**移転損益として認識する。**

② **移転した事業に関する投資が継続しているとみる場合**

移転損益を認識せず、その事業を分離先企業に移転したことにより受け取る資産の取得原価は、移転した事業に係る株主資本相当額に基づいて算定するものとする。

(3) 受取対価が現金のみである場合の分離元企業の会計処理

現金のみを受取対価とする事業分離において、子会社や関連会社以外へ事業分離する場合は、移転した事業に関する投資が清算されたとみなされ、移転損益が認識される。

諸負債	×××	諸資産	×××
現金預金	×××	移転損益	×××

◆例題◆

(1) B社は、B社の事業の一部をC社に譲渡した。

(2) 譲渡価額は1,300円で、B社はこれを現金で受取った。

(3) 譲渡した事業の諸資産及び諸負債は次のとおりである。

	帳簿価額	時価
諸資産	2,000円	2,500円
諸負債	1,500円	1,500円

【解答・解説】

(1) B社（分離元企業）の処理

諸負債	1,500	諸資産	2,000
現金預金	1,300	移転損益	800

(4) 受取対価が分離先企業の株式のみである場合

① **分離先企業が子会社や関連会社となる場合**

移転損益は認識せず、分離元企業が受け取った分離先企業の株式（関係会社株式）の取得原価は、移転した事業に係る株主資本相当額に基づいて算定する。

諸負債	×××	諸資産	×××
関係会社株式	×××		

◆例題◆

(1) B社は、B社の事業の一部をB社の子会社であるC社に譲渡した。

(2)　譲渡した事業の諸資産及び諸負債は次のとおりである。

	帳簿価額	時　価
諸資産	2,000円	2,500円
諸負債	1,500円	1,500円

(3)　C社はB社に対して、新株20株を交付した。

【解答・解説】

(1)　B社（分離元企業）の処理

諸負債	1,500	諸資産	2,000
関係会社株式	500		

※　関係会社株式　差額

②　分離先企業が子会社や関連会社以外となる場合

移転損益が認識される。分離元企業が受け取った分離先企業の株式の取得原価は、移転した事業に係る時価又は当該分離先企業の株式の時価のうち、より高い信頼性をもって測定可能な時価に基づいて算定する。

諸負債	**×××**	**諸資産**	**×××**
投資有価証券	**×××**	**移転損益**	**×××**

◆例題◆

(1)　B社は、B社の事業の一部をC社に譲渡した。

(2)　譲渡した事業の諸資産及び諸負債は次のとおりである。

	帳簿価額	時　価
諸資産	2,000円	2,500円
諸負債	1,500円	1,500円

(3)　C社はB社に対して、新株20株を交付した。

(4)　事業譲渡時のC社株式の時価は1株65円である。

(5)　B社は取得したC社株式をその他有価証券とした。

【解答・解説】

(1)　B社（分離元企業）の処理

諸負債	1,500	諸資産	2,000
投資有価証券	1,300	移転損益	800

※　投資有価証券　20株×@65＝1,300

学習度
チェック

36　財務諸表

重要度B
★★

●学習のポイント●

1．貸借対照表の「純資産の部」と株主資本等変動計算書の関係について理解する。
2．株主資本等変動計算書の作成方法をマスターする。
3．キャッシュ・フロー計算書における直接法の作成方法をマスターする。
4．キャッシュ・フロー計算書における間接法の調整方法をマスターする。

ポイント整理

1．財務諸表

①　貸借対照表
②　損益計算書
③　株主資本等変動計算書
④　キャッシュ・フロー計算書

⑴　貸借対照表

貸借対照表は、「資産の部」、「負債の部」及び「純資産の部」に区分する。

⑵　損益計算書

損益計算書の末尾は、「当期純利益（又は当期純損失）」とする。

⑶　株主資本等変動計算書

①　意義

株主資本等変動計算書とは、貸借対照表の「純資産の部」の一事業年度における変動額のうち、主として株主に帰属する部分である株主資本の各項目の変動事由を報告するために作成するものである。

②　株主資本の表示方法

株主資本の各項目は、当期首残高、当期変動額及び当期末残高に区分し、当期変動額は変動事由ごとにその金額を表示する。

③ 株主資本以外の表示方法

株主資本以外の各項目は、当期首残高、当期変動額及び当期末残高に区分し、当期変動額は純額で表示する。

(4) 貸借対照表と株主資本等変動計算書の関係

（前期末）貸借対照表

（資産の部）	（負債の部）	
	（純資産の部）	
	株主資本	**××**
	評価・換算差額等	**××**
	株式引受権	**××**
	新株予約権	**××**

株主資本等変動計算書

	株主資本	**評価・換算差額等**	**株式引受権**	**新株予約権**
当期首残高	**××**	**××**	**××**	**××**
当期変動額	××	××	××	××
当期末残高	**××**	**××**	**××**	**××**

（当期末）貸借対照表

（資産の部）	（負債の部）	
	（純資産の部）	
	株主資本	**××**
	評価・換算差額等	**××**
	株式引受権	**××**
	新株予約権	**××**

2. 貸借対照表のひな形

貸借対照表

資産の部	負債の部
Ⅰ　流動資産	Ⅰ　流動負債
現金及び預金	支払手形
受取手形	買掛金
売掛金	短期借入金
契約資産	リース債務
有価証券	未払金
商品	未払費用
前渡金	未払法人税等
前払費用	未払消費税等
短期貸付金	契約負債
未収金	前受金
未収収益	前受収益
貸倒引当金（△）	Ⅱ　固定負債
Ⅱ　固定資産	社債
1　有形固定資産	長期借入金
建物	リース債務
車両運搬具	退職給付引当金
器具備品	純資産の部
減価償却累計額（△）	Ⅰ　株主資本
土地	1　資本金
リース資産	2　資本剰余金
建設仮勘定	(1)　資本準備金
2　無形固定資産	(2)　その他資本剰余金
のれん	3　利益剰余金
ソフトウェア	(1)　利益準備金
3　投資その他の資産	(2)　その他利益剰余金
投資有価証券	任意積立金
関係会社株式	繰越利益剰余金
破産更生債権等	4　自己株式（△）
貸倒引当金（△）	Ⅱ　評価・換算差額等
繰延税金資産	1　その他有価証券評価差額金
Ⅲ　繰延資産	2　繰延ヘッジ損益
開業費	Ⅲ　株式引受権
株式交付費	Ⅳ　新株予約権

3．損益計算書のひな形

損益計算書

Ⅰ　売上高		×××
Ⅱ　売上原価		
1　商品期首たな卸高	×××	
2　当期商品仕入高	×××	
合　計	×××	
3　他勘定振替高	×××	
4　商品期末たな卸高	×××	×××
売上総利益		×××
Ⅲ　販売費及び一般管理費		
給料手当	×××	
研究開発費	×××	
のれん償却	×××	
ソフトウェア償却	×××	
退職給付費用	×××	
貸倒引当金繰入額	×××	
雑費	×××	×××
営業利益		×××
Ⅳ　営業外収益		
受取利息・配当金	×××	
雑収入	×××	×××
Ⅴ　営業外費用		
支払利息	×××	
手形売却損	×××	
雑損失	×××	×××
経常利益		×××
Ⅵ　特別利益		
有形固定資産売却益	×××	×××
Ⅶ　特別損失		
減損損失	×××	
火災損失	×××	×××
税引前当期純利益		×××
法人税、住民税及び事業税	×××	
法人税等調整額	×××	×××
当期純利益		×××

36
財務諸表

4. 株主資本等変動計算書のひな形

	株主資本										評価・換算差額等			株式引受権	新株予約権	純資産合計
	資本金	資本剰余金			利益剰余金				自己株式	株主資本合計	その他有価証券評価差額金	繰延ヘッジ損益	評価・換算差額等合計			
		資本準備金	その他資本剰余金	資本剰余金合計	利益準備金	その他利益剰余金		利益剰余金合計								
						圧縮積立金	繰越利益剰余金									
当期首残高	××	××	××	××	××	××	××	××	△××	××	××	××	××	××	××	××
当期変動額																
新株の発行	××	××		××						××						××
剰余金の配当					××		△××	△××		△××						△××
当期純利益							××	××		××						××
自己株式の処分									××	××						××
株主資本以外の項目の当期変動額（純額）											××	××	××	××	××	××
当期変動額合計	××	××	−	××	××	−	××	××	××	××	××	××	××	××	××	××
当期末残高	××	××	××	××	××	××	××	××	△××	××	××	××	××	××	××	××

5．キャッシュ・フロー計算書

(1) 意義

キャッシュ・フローとはお金の流れ（フロー）のことであり、キャッシュ・フロー計算書は「一事業年度にキャッシュの出入りがどれだけあって、それがどのような原因によるものかを示す一覧表」である。

(2) キャッシュの範囲

キャッシュ・フロー計算書でいうキャッシュとは「現金及び現金同等物」のことをいう。

① 現金

キャッシュ・フロー計算書でいう現金とは、手許現金、要求払預金及び特定の電子決済手段をいう。要求払預金とは預入期間の定めのない預金であり、当座預金、普通預金、通知預金が含まれる。

② 現金同等物

現金同等物とは、容易に換金が可能で、かつ、価値変動のリスクが少ない短期の投資をいう。具体的には、取得日から満期日までの期間が３か月以内の定期預金、譲渡性預金、コマーシャルペーパー、公社債投資信託などが含まれる。

(3) キャッシュ・フロー計算書の様式

キャッシュ・フロー計算書は、キャッシュの増加と減少を、次の３つに区分して表示する。

① **営業活動によるキャッシュ・フロー**
② **投資活動によるキャッシュ・フロー**
③ **財務活動によるキャッシュ・フロー**

これに、

④ **現金及び現金同等物に係る換算差額**
⑤ **現金及び現金同等物の増加額（又は減少額）**
⑥ **現金及び現金同等物の期首残高**
⑦ **現金及び現金同等物の期末残高**

を加えたものが、キャッシュ・フロー計算書の全体像である。

(4) 直接法と間接法

営業活動によるキャッシュ・フローの表示方法には、直接法と間接法の２つの方法があり、継続適用を条件に選択適用が認められている。

投資活動によるキャッシュ・フローと財務活動によるキャッシュ・フローには直接法、間接法の区分はないので、直接法でも間接法でも同じである。

(5) 直接法による営業キャッシュ・フローの表示

キャッシュ・フロー計算書

Ⅰ	**営業活動によるキャッシュ・フロー**	
	営業収入	×××
	原材料又は商品の仕入による支出	△×××
	人件費の支出	△×××
	その他の営業支出	△×××
	小　計	×××
	利息及び配当金の受取額	×××
	利息の支払額	△×××
	法人税等の支払額	△×××
	営業活動によるキャッシュ・フロー	×××
Ⅱ	**投資活動によるキャッシュ・フロー**	
	有価証券の取得による支出	△×××
	有価証券の売却による収入	×××
	有形固定資産の取得による支出	△×××
	有形固定資産の売却による収入	×××
	短期貸付による支出	△×××
	短期貸付金の回収による収入	×××
	投資活動によるキャッシュ・フロー	×××
Ⅲ	**財務活動によるキャッシュ・フロー**	
	長期借入による収入	×××
	長期借入金の返済による支出	△×××
	社債の発行による収入	×××
	社債の償還による支出	△×××
	株式の発行による収入	×××
	配当金の支払額	△×××
	財務活動によるキャッシュ・フロー	×××
Ⅳ	**現金及び現金同等物に係る換算差額**	×××
Ⅴ	**現金及び現金同等物の増加額**	×××
Ⅵ	**現金及び現金同等物の期首残高**	×××
Ⅶ	**現金及び現金同等物の期末残高**	×××

(6) 具体的な記載事項

① 営業活動によるキャッシュ・フロー

(a) 営業収入に含まれるもの

- 商品の売上による受取額（現金売上、売掛金の回収額、受取手形の回収額）
- 前受金の受取額
- 手形の割引による受取額
- 貸倒処理した債権の受取額

(b) 原材料又は商品の仕入による支出に含まれるもの

- 原材料や商品の仕入による支払額（現金仕入、買掛金の支払額、支払手形の支払額）
- 前渡金の支払額

(c) 人件費の支出に含まれるもの

- 従業員の給料、賞与、退職金等の支払額
- 役員の報酬、賞与、退職金等の支払額

(d) その他の営業支出に含まれるもの

- 人件費以外の販売費及び一般管理費の支払額

(e) 利息及び配当金の受取額に含まれるもの

- 預金・貸付金に係る受取利息の受取額
- 保有株式に係る受取配当金の受取額
- 保有債券に係る有価証券利息の受取額

(f) 利息の支払額に含まれるもの

- 借入金に係る利息の支払額
- 発行社債に係る社債利息の支払額

(g) 法人税等の支払額に含まれるもの

- 法人税・住民税・事業税の確定申告納付額
- 法人税・住民税・事業税の中間申告納付額

② 投資活動によるキャッシュ・フロー

ひな形に記載されたもの以外にも下記のものが含まれる。

(a) 定期預金（３か月超）の預入による支出・収入
(b) 投資有価証券の取得による支出・売却による収入
(c) 無形固定資産の取得による支出・売却による収入
(d) 合併及び買収による支出・事業譲渡等による収入

③ 財務活動によるキャッシュ・フロー

ひな形に記載されたもの以外にも下記のものが含まれる。

(a) 短期借入金の借入による収入・返済による支出
(b) ファイナンス・リースの元本返済による支出
(c) 自己株式の買入による支出・処分による収入

(7) 間接法による営業キャッシュ・フローの表示

キャッシュ・フロー計算書

Ⅰ　営業活動によるキャッシュ・フロー	
税引前当期純利益	×××
減価償却費	×××
貸倒引当金の減少額	△×××
退職給付引当金の増加額	×××
受取利息配当金	△×××
支払利息	×××
為替差益	△×××
有価証券評価損	×××
固定資産売却損	×××
社債消却益	△×××
売上債権の増加	△×××
棚卸資産の減少	×××
前払費用の減少	×××
仕入債務の増加	×××
未払費用の減少	△×××
小　計	×××
(以下直接法と同じ)	

(8) 間接法の調整方法

① 営業活動によるキャッシュ・フロー

「税引前当期純利益」から「小計」までの調整方法をまとめると次のようになる。

<table>
<tr><th>調整項目</th><th colspan="2">調整額</th><th>調整</th></tr>
<tr><td>減価償却費</td><td colspan="2">P/L計上額</td><td>プラス</td></tr>
<tr><td rowspan="2">引　当　金</td><td rowspan="2">期首と期末の差額</td><td>増加</td><td>プラス</td></tr>
<tr><td>減少</td><td>マイナス</td></tr>
<tr><td>営業外収益
特別利益</td><td colspan="2">P/L計上額</td><td>マイナス</td></tr>
<tr><td>営業外費用
特別損失</td><td colspan="2">P/L計上額</td><td>プラス</td></tr>
<tr><td rowspan="2">営業資産</td><td rowspan="2">期首と期末の差額</td><td>増加</td><td>マイナス</td></tr>
<tr><td>減少</td><td>プラス</td></tr>
<tr><td rowspan="2">営業負債</td><td rowspan="2">期首と期末の差額</td><td>増加</td><td>プラス</td></tr>
<tr><td>減少</td><td>マイナス</td></tr>
</table>

② 為替差損益の調整

為替差損益は、損益計算書に計上された為替差損益のうち、投資・財務活動に係る為替差損益と現金及び現金同等物に係る換算差額を為替差損益として調整する。これは、売上債権及び仕入債務から生じた為替差損益は、売上債権・仕入債務の増減額として調整されるからである。

<table>
<tr><th>為替差損益の内訳</th><th>調　整</th></tr>
<tr><td>売上債権・仕入債務から生じた為替差損益</td><td>調整しない</td></tr>
<tr><td>投資・財務活動に係る債権債務から生じた為替差損益</td><td rowspan="2">為替差損益として調整する</td></tr>
<tr><td>現金及び現金同等物に係る換算差額</td></tr>
</table>

③ 経過勘定の調整

経過勘定は、販売費及び一般管理費に係る経過勘定のみ調整し、利息に係る未収利息・未払利息等の経過勘定は調整しない。これは、利息に関しては、「小計」以下で総額により計上されるためである。

④ 営業外損益・特別損益の調整

営業外損益・特別損益のうち、以下のものは調整しない。

(a) 貸倒損失（売上債権の増減で調整される）
(b) 償却債権取立益
(c) 棚卸減耗費（棚卸資産の増減で調整される）
(d) 商品評価損（棚卸資産の増減で調整される）

◆例題◆

(1) 前期末の残高勘定（一部）

残　高　（単位：円）

自己株式	1,000	資本金	50,000
投資有価証券	1,300	資本準備金	10,000
		その他資本剰余金	800
		利益準備金	1,000
		繰越利益剰余金	4,000
		その他有価証券評価差額金	210
		新株予約権	500

(2) 繰越利益剰余金から株主に対する2,000円の配当及び200円の利益準備金の積立を行った。

(3) 新株の発行を行い1,000円の払込を受けた。払込金額のうち600円を資本金とし、残額は資本準備金とした。

(4) 新株予約権100円が行使され、1,000円の払込を受け、自己株式800円を処分した。

(5) その他有価証券はA社株式（取得原価1,000円、前期末時価1,300円、当期末時価1,400円）のみである。評価差額の処理方法は全部純資産直入法を採用しており、税効果を認識する。法定実効税率は30％である。

(6) 当期純利益は3,500円である。

【解答・解説】

(1) 配当及び利益準備金の積立

繰越利益剰余金	2,200	現金預金	2,000
		利益準備金	200

(2) 新株の発行

現金預金	1,000	資本金	600
		資本準備金	400

(3) 新株予約権の行使

現金預金	1,000	自己株式	800
新株予約権	100	その他資本剰余金	300

(4) その他有価証券（期首洗替・決算整理）

繰延税金負債	90	投資有価証券	300
その他有価証券評価差額金	210		

投資有価証券	400	繰延税金負債	120
		その他有価証券評価差額金	280

(5) 当期純利益

損益	3,500	繰越利益剰余金	3,500

株主資本等変動計算書

(単位：円)

	株主資本									評価・換算差額等		
		資本剰余金			利益剰余金							
						その他利益剰余金						
	資本金	資本準備金	その他資本剰余金	資本剰余金合計	利益準備金	繰越利益剰余金	利益剰余金合計	自己株式	株主資本合計	その他有価証券評価差額金	新株予約権	純資産合計
当期首残高	50,000	10,000	800	10,800	1,000	4,000	5,000	△1,000	64,800	210	500	65,510
当期変動額												
新株の発行	600	400		400					1,000			1,000
剰余金の配当					200	△2,200	△2,000		△2,000			△2,000
当期純利益						3,500	3,500		3,500			3,500
自己株式の処分			300	300				800	1,100			1,100
株主資本以外の項目の当期変動額（純額）										70	△100	△30
当期変動額合計	600	400	300	700	200	1,300	1,500	800	3,600	70	△100	3,570
当期末残高	50,600	10,400	1,100	11,500	1,200	5,300	6,500	△200	68,400	280	400	69,080

◆例題◆

貸借対照表

科目	前期末	当期末	科目	前期末	当期末
現金預金	1,390	1,854	仕入債務	800	700
売上債権	1,200	1,400	未払法人税等	200	260
貸倒引当金	△20	△30	未払費用	50	30
商品	600	400	借入金	700	504
貸付金	500	300	退職給付引当金	500	530
前払費用	60	80	資本金	1,500	2,300
未収収益	20	10	資本準備金	300	300
建物	1,300	1,900	繰越利益剰余金	1,000	1,290
合計	5,050	5,914	合計	5,050	5,914

損益計算書

売上原価	4,400	売上高	6,800
給料	600	受取利息配当金	57
退職給付費用	50		
貸倒損失	3		
貸倒引当金繰入	20		
減価償却費	200		
その他の営業費	260		
支払利息	60		
為替差損	11		
棚卸減耗費	3		
法人税等	560		
当期純利益	690		
合計	6,857	合計	6,857

〈補足事項〉

(1) 新規の貸付及び借入はない。

(2) 利益剰余金の配当を行い、配当金400円を支払った。

(3) 増資を行い、払込金額の全額を資本金に組み入れた。

(4) 為替差損の内訳は、売掛金に係る為替差損2円、借入金に係る為替差損4円、現金預金に係る為替差損5円である。

(5) 未払費用の内訳は、未払給料（前期20円、当期10円）と未払利息（前期30円、当期20円）である。

(6) 前払費用はその他の営業費に係るものである。

(7) 未収収益は受取利息に係るものである。

【解答・解説】

(1) 直接法

キャッシュ・フロー計算書

Ⅰ 営業活動によるキャッシュ・フロー	
営業収入	6,585
商品の仕入による支出	△ 4,303
人件費の支出	△ 630
その他の営業支出	△ 280
小 計	1,372
利息及び配当金の受取額	67
利息の支払額	△ 70
法人税等の支払額	△ 500
営業活動によるキャッシュ・フロー	869
Ⅱ 投資活動によるキャッシュ・フロー	
有形固定資産の取得による支出	△ 800
貸付金の回収による収入	200
投資活動によるキャッシュ・フロー	△ 600
Ⅲ 財務活動によるキャッシュ・フロー	
借入金の返済による支出	△ 200
株式の発行による収入	800
配当金の支払額	△ 400
財務活動によるキャッシュ・フロー	200
Ⅳ 現金及び現金同等物に係る換算差額	△ 5
Ⅴ 現金及び現金同等物の増加額	464
Ⅵ 現金及び現金同等物の期首残高	1,390
Ⅶ 現金及び現金同等物の期末残高	1,854

① 営業収入

売 上 債 権

期首	1,200	収入	(6,585)
売上	6,800	貸倒※	10
		貸倒損失	3
		為替差損	2
		期末	1,400

※ 貸倒：期首貸引20＋貸引繰入20－期末貸引30＝10

② 商品の仕入支出

仕 入 債 務

支出	(4,303)	期首	800
期末	700	仕入※	4,203

※1 仕入：売上原価4,400＋期末商品403－期首商品600＝4,203

※2 期末商品：B/S400＋減耗３＝403

③ 人件費の支出

退職給付引当金

支出	(20)	期首	500
期末	530	費用	50

給 料

支出	(610)	期首未払	20
期末未払	10	発生額	600

④ その他の営業支出

その他の営業費

期首前払	60	発生額	260
支出	(280)	期末前払	80

⑤ 利息配当金の受取額

受取利息配当金

期首未収	20	収入	(67)
発生額	57	期末未収	10

⑥ 利息の支払額

支 払 利 息

支出	(70)	期首未払	30
期末未払	20	発生額	60

⑦ 法人税等の支払額

法 人 税 等

支出	(500)	期首未払	200
期末未払	260	法人税等	560

⑧ 有形固定資産の取得による支出

期末1,900＋減価償却費200－期首1,300＝800

⑨ 貸付金の回収による収入

期首500－期末300＝200

⑩ 借入金の返済による支出

借　入　金

借方		貸方	
返済	(200)	期首	700
期末	504	為替差損	4

⑪ 株式の発行による収入

期末2,300－期首1,500＝800

(2) 間接法

キャッシュ・フロー計算書

Ⅰ　営業活動によるキャッシュ・フロー		
税引前当期純利益		1,250
減価償却費		200
貸倒引当金の増加額		10
退職給付引当金の増加額		30
受取利息配当金	△	57
支払利息		60
為替差損		9
売上債権の増加額	△	200
棚卸資産の減少額		200
前払費用の増加額	△	20
仕入債務の減少額	△	100
未払費用の減少額	△	10
小計		1,372

① 税引前当期純利益：当期純利益690＋法人税等560＝1,250

② 減価償却費：P/L計上額200

③ 貸倒引当金の増加額：期首と期末の差額10

④ 退職給付引当金の増加額：期首と期末の差額30

⑤ 受取利息配当金：P/L計上額57

⑥ 支払利息：P/L計上額60

⑦ 為替差損：借入金に係る分４＋現金預金に係る分５＝９

⑧ 売上債権の増加額：期首と期末の差額200

⑨ 棚卸資産の減少額：期首と期末の差額200

⑩ 前払費用の増加額：期首と期末の差額20

⑪ 仕入債務の減少額：期首と期末の差額100

⑫ 未払費用の減少額：期首と期末の差額10（給料に係る分のみ）

学習度チェック

37　会計上の変更・誤謬の訂正

重要度B ★★

●学習のポイント●

1．会計方針の変更について、過去の財務諸表の遡及処理及び帳簿上の処理をマスターする。
2．表示方法の変更について、過去の財務諸表の遡及処理をマスターする。
3．会計上の見積りの変更について、原則的取扱い及び計算方法をマスターする。
4．過去の誤謬の訂正について、過去の財務諸表の遡及処理及び帳簿上の処理をマスターする。

ポイント整理

1．概要

⑴　遡及処理

会計方針や表示方法の変更、過去の誤謬の訂正があった場合には、過去の財務諸表を新たな会計方針や表示方法で遡及処理する。

⑵　原則的な取扱い

会計上の変更及び過去の誤謬の訂正は、以下のとおり取扱う。遡及処理については、それぞれの項目により、遡及適用、財務諸表の組替え、修正再表示に分けて定義されている。

		具体例	原則的な取扱い
会計上の変更	会計方針の変更	棚卸資産の評価方法の変更	遡及処理する（遡及適用）
	表示方法の変更	直接控除から間接控除へ変更	遡及処理する（財務諸表の組替え）
	会計上の見積りの変更	固定資産の耐用年数の変更	遡及処理しない
過去の誤謬の訂正		過年度減価償却過不足額	遡及処理する（修正再表示）

⑶　帳簿上の処理

会計方針の変更等を行った場合の過去の累積的影響額に関する当期の会計処理は、その累積的影響額を期首の繰越利益剰余金に含めて処理する。例えば、過去の誤謬の訂正となる過年度減価償却不足額は、以下のように処理する。

繰越利益剰余金	×××	減価償却累計額	×××

2. 会計方針の変更

(1) 会計方針

会計方針とは、財務諸表の作成にあたって採用した会計処理の原則及び手続をいう。

(2) 会計方針の変更

会計方針の変更とは、従来採用していた一般に公正妥当と認められた会計方針から他の一般に公正妥当と認められた会計方針に変更することをいう。

(3) 会計方針の変更に関する原則的な取扱い

① 会計基準等の改正に伴う会計方針の変更

新たな会計方針を過去の期間のすべてに**遡及適用**する。ただし、会計基準等に特定の経過的な取扱い（適用開始時に遡及適用を行わないことを定めた取扱いなどをいう。）が定められている場合には、その経過的な取扱いに従う。

② ①以外の正当な理由による会計方針の変更

新たな会計方針を過去の期間のすべてに遡及適用する。

(注) 遡及適用とは、新たな会計方針を過去の財務諸表に遡って適用していたかのように会計処理することをいう。

(4) 新たな会計方針を遡及適用する場合の会計処理

① 表示期間より前の期間に関する遡及適用による累積的影響額は、表示する財務諸表のうち、最も古い期間の期首の資産、負債及び純資産の額に反映する。

② 表示する過去の各期間の財務諸表には、当該各期間の影響額を反映する。

(5) 表示期間

表示期間とは、当期の財務諸表及びこれに併せて過去の財務諸表が表示されている場合の、その表示期間をいう。具体的には、会社法計算書類であれば、単年度表示のため、表示期間は１会計期間（当期）、有価証券報告書であれば、２期比較で開示するため、表示期間は２会計期間（前期及び当期）となる。

◆例題◆

(1) 当社は当期より、商品の評価方法を総平均法から先入先出法に変更した。

(2) 当該変更にあたって、税金及び税効果会計の要素は考慮しない。

(3) 前期の商品の増減について、総平均法と先入先出法の金額及びその差額は次のとおりである。

(単位：円)

	期首商品	仕入高	売上原価	期末商品
総平均法	1,000	25,000	24,400	1,600
先入先出法	1,300	25,000	24,300	2,000
差額	300	−	100	400

(4) 前期の財務諸表は次のとおりである。

損益計算書　(単位：円)

借方科目	金　額	貸方科目	金　額
売上原価	24,400	売上高	30,000
販売管理費	3,600		
当期純利益	2,000		
合　計	30,000	合　計	30,000

貸借対照表　(単位：円)

借方科目	金　額	貸方科目	金　額
現金預金	12,000	買掛金	4,000
売掛金	5,000	資本金	10,000
商品	1,600	繰越利益剰余金	4,600
合　計	18,600	合　計	18,600

株主資本等変動計算書 (単位：円)

	資本金	繰越利益剰余金
当期首残高	10,000	3,600
剰余金の配当		△ 1,000
当期純利益		2,000
当期末残高	10,000	4,600

【解答・解説】

(1) 前期財務諸表の遡及処理

損益計算書　　　(単位：円)

借方科目	金額	貸方科目	金額
売上原価	24,300	売上高	30,000
販売管理費	3,600		
当期純利益	2,100		
合計	30,000	合計	30,000

※1　売上原価　先入先出法による売上原価24,300
※2　当期純利益　差額

貸借対照表　　　(単位：円)

借方科目	金額	貸方科目	金額
現金預金	12,000	買掛金	4,000
売掛金	5,000	資本金	10,000
商品	2,000	繰越利益剰余金	5,000
合計	19,000	合計	19,000

※1　商品　先入先出法による前期期末商品2,000
※2　繰越利益剰余金　差額

株主資本等変動計算書　　　(単位：円)

	資本金	繰越利益剰余金
当期首残高	10,000	3,600
会計方針の変更による累積的影響額		300
遡及処理後当期首残高		3,900
剰余金の配当		△ 1,000
当期純利益		2,100
当期末残高	10,000	5,000

※1　累積的影響額　前期期首商品の差額300
※2　当期純利益　損益計算書より

(2) 当期の帳簿上の処理

① 遡及適用前の試算表

試　算　表　　　(単位：円)

借方	金額	貸方	金額
繰越商品	1,600	繰越利益剰余金	4,600

② 遡及適用に関する仕訳

借方	金額	貸方	金額
繰越商品	400	繰越利益剰余金	400

③ 遡及適用後の試算表

試　算　表　　　(単位：円)

借方	金額	貸方	金額
繰越商品	2,000	繰越利益剰余金	5,000

3．表示方法の変更

⑴ 表示方法

表示方法とは、財務諸表の作成にあたって採用した表示の方法（注記による開示も含む。）をいい、財務諸表の科目分類、科目配列及び報告様式が含まれる。

⑵ 表示方法の変更

表示方法の変更とは、従来採用していた一般に公正妥当と認められた表示方法から他の一般に公正妥当と認められた表示方法に変更することをいう。

⑶ 表示方法の変更に関する原則的な取扱い

表示する過去の財務諸表について、新たな表示方法に従い**財務諸表の組替え**を行う。

◆例題◆

(1) 当社は当期より、従来、投資その他の資産の「その他」に含めていた「長期貸付金」の金額的重要性が増したため、これを独立掲記する表示方法の変更を行った。なお、前期の貸借対照表の「その他」には長期貸付金1,000円が含まれていた。

(2) 前期の貸借対照表（一部）は次のとおりである。

貸借対照表（単位：円）

借方科目	金　　額
資産の部	
固定資産	
投資その他の資産	
その他	5,000

【解答】

(1) 変更後の貸借対照表

貸借対照表（単位：円）

借方科目	金　　額
資産の部	
固定資産	
投資その他の資産	
長期貸付金	1,000
その他	4,000

※　その他から長期貸付金に変更する。

4．会計上の見積りの変更

(1) 会計上の見積り

会計上の見積りとは、資産及び負債や収益及び費用等の額に不確実性がある場合において、財務諸表作成時に入手可能な情報に基づいて、その合理的な金額を算出することをいう。

(2) 会計上の見積りの変更

会計上の見積りの変更とは、新たに入手可能となった情報に基づいて、過去に財務諸表を作成する際に行った会計上の見積りを変更することをいう。

(3) 会計上の見積りの変更に関する原則的な取扱い

会計上の見積りの変更が変更期間のみに影響する場合には、当該変更期間に会計処理を行い、当該変更が将来の期間にも影響する場合には、将来にわたり会計処理を行う。

(4) 固定資産の耐用年数の変更

有形固定資産又は無形固定資産の耐用年数の変更において、定額法を採用している場合、以下の計算式により変更会計年度以降の減価償却費を算定する（残存価額はゼロとする）。

減価償却費＝（取得原価－減価償却累計額）÷残存耐用年数

◆例題◆

取得原価60,000円の機械を、耐用年数10年、残存価額ゼロ、定額法、間接控除法で３年間償却してきたが、４年目の期首において、利用状況の変化により、耐用年数を６年に短縮することにした。

【解答・解説】

(1) 変更会計年度（４年目）

減価償却費	14,000	減価償却累計額	14,000

※１　減価償却累計額　$60,000\times\frac{3年}{10年}=18,000$

※２　残存耐用年数

変更後耐用年数６年－経過年数３年＝３年

※３　減価償却費

(60,000－18,000)÷残存耐用年数３年＝14,000

(2) 変更会計年度の翌年（５年目）

減価償却費	14,000	減価償却累計額	14,000

※　減価償却費

(60,000－32,000)÷残存耐用年数２年＝14,000

(5) 固定資産の減価償却方法の変更

有形固定資産及び無形固定資産の減価償却方法は、会計方針に該当するが、その変更は会計上の見積りの変更と同様に取扱い、遡及適用は行わない。当期首において有形固定資産等の減価償却方法を変更した場合には、以下の計算式により変更会計年度以降の減価償却額を算定する（残存価額はゼロとする）。

① 定率法から定額法への変更

減価償却費＝(取得原価－減価償却累計額) ÷残存耐用年数

② 定額法から定率法への変更

減価償却費＝(取得原価－減価償却累計額) ×残存耐用年数の定率法償却率

◆例題◆

(1) 備品（取得原価80,000円、減価償却累計額16,000円、前期末まで２年経過）は、耐用年数10年、残存価額ゼロ、定額法により償却してきたが、当期首から定率法に変更する。なお、耐用年数８年の定率法償却率は0.250である。

(2) 備品（取得原価80,000円、減価償却累計額28,800円、前期末まで２年経過）は、耐用年数10年、残存価額ゼロ、償却率0.200、定率法により償却してきたが、当期首から定額法に変更する。

【解答・解説】

(1) 定額法から定率法への変更

減価償却費	16,000	減価償却累計額	16,000

※１　残存耐用年数

耐用年数10年－経過年数２年＝８年

※２　減価償却費

(80,000－16,000)×0.250＝16,000

(2) 定率法から定額法への変更

減価償却費	6,400	減価償却累計額	6,400

※１　残存耐用年数

耐用年数10年－経過年数２年＝８年

※２　減価償却費

(80,000－28,800)÷８年＝6,400

(6) 自社利用のソフトウェア

自社利用のソフトウェアの利用可能期間については、適宜見直しを行う。見直しの結果、新たに入手可能となった情報に基づいて、耐用年数を変更した場合には、以下の計算式により変更会計年度以降の減価償却額を算定する。

減価償却額＝未償却残高÷残存利用可能期間

◆例題◆

(1) ×1年度の期首に自社利用のソフトウェア60,000円を購入した。当該ソフトウェアの取得時に見積もった利用可能期間は5年であり、定額法により減価償却を行う。

(2) ×2年度の期首に、利用可能期間の見直しを行ったところ、技術進歩を考慮して、利用可能期間を4年に短縮することにした。

(3) ×3年度の期首に、利用可能期間の見直しを行ったところ、新製品の登場により、あと1年しか利用できないことが判明した。

【解答・解説】

(1) ×1年度の決算整理

ソフトウェア償却	12,000	ソフトウェア	12,000

※ 減価償却費 60,000÷利用可能期間5年＝12,000

(2) ×2年度の決算整理

ソフトウェア償却	16,000	ソフトウェア	16,000

※1 残存利用可能期間
変更後利用可能期間4年－経過年数1年＝3年

※2 減価償却費
48,000÷残存利用可能期間3年＝16,000

(3) ×3年度の決算整理

ソフトウェア償却	32,000	ソフトウェア	32,000

※ 減価償却費 未償却残高32,000

(7) 市場販売目的のソフトウェア

無形固定資産に計上されたソフトウェア制作費について、見込販売数量（又は見込販売収益）に基づいて減価償却を実施する場合、見込販売数量（又は見込販売収益）は適宜見直しを行う。見直しの結果、新たに入手可能となった情報に基づいて、第2年度の期首において見込販売数量（又は見込販売収益）を変更した場合には、以下の計算式により第2年度の減価償却額を算定する。

なお、見込販売数量（又は見込販売収益）の変更について、過去に見積もった見込販売数量（又は見込販売収益）がその時点での合理的な見積りに基づくものでなく、これを事後的に合理的な見積りに基づいたものに変更する場合には、会計上の見積りの変更ではなく過去の誤謬の訂正とする。

① 販売開始年度

$$\text{減価償却額} = \text{未償却残高} \times \frac{\text{実績販売数量（収益）}}{\text{販売開始時の見込販売数量（収益）}}$$

② 第2年度

$$\text{減価償却額} = \text{未償却残高} \times \frac{\text{実績販売数量（収益）}}{\text{変更後の見込販売数量（収益）}}$$

◆例題◆

(1) ×1年度の期首から、市場販売目的のソフトウェアXの販売を開始した。

(2) ソフトウェアXに関して無形固定資産に計上されたソフトウェア制作費は30,000円である。当該ソフトウェアの見込有効期間は3年であり、見込販売数量に基づいて減価償却を行う。なお、円未満の端数が生じる場合には、円未満を切り捨てる。

(3) 販売開始時点におけるソフトウェアXの見込販売数量等は次のとおりである。

	見込販売数量	見込販売単価	見込販売収益
×1年度	200個	200円	40,000円
×2年度	300個	180円	54,000円
×3年度	200個	150円	30,000円
合　計	700個		124,000円

(4) ×1年度の実績販売数量は190個であった。

(5)　×２年度期首において見込販売数量等を次のように見直した。

	見込販売数量	見込販売単価	見込販売収益
×２年度	260個	180円	46,800円
×３年度	140個	150円	21,000円
合　計	400個		67,800円

(6)　×２年度の実績販売数量は250個であった。

【解答・解説】

(1)　×１年度期末

売　上　原　価	10,000	ソ フ ト ウ ェ ア	10,000

※　ソフトウェアの償却額

①　見込販売数量による償却額

$$30{,}000 \times \frac{190個}{200個+300個+200個} = 8{,}142（切り捨て）$$

②　見込有効期間による償却額

30,000÷３年＝10,000

③　①と②のいずれか大きい額→∴10,000

(2)　×２年度期末

売　上　原　価	12,500	ソ フ ト ウ ェ ア	12,500

※　ソフトウェアの償却額

①　見込販売数量による償却額

$$20{,}000 \times \frac{250個}{260個+140個} = 12{,}500$$

②　見込有効期間による償却額

20,000÷２年＝10,000

③　①と②のいずれか大きい額→∴12,500

5．過去の誤謬の訂正

過去の財務諸表における誤謬が発見された場合には、次の方法により**修正再表示**する。

①　表示期間より前の期間に関する修正再表示による累積的影響額は、表示する財務諸表のうち、最も古い期間の期首の資産、負債及び純資産の額に反映する。

②　表示する過去の各期間の財務諸表には、当該各期間の影響額を反映する。

◆例題◆

(1) 前期の財務諸表について、以下の誤謬を発見した。

① 前期末の商品に400円の計上漏れがあった。

② 販売管理費に係る未払費用50円の計上漏れがあった。

③ 備品について、100円の減価償却不足額があった。なお、減価償却費は販売管理費に含めて計上している。

(2) 前期の財務諸表は次のとおりである。

損益計算書 (単位：円)

借方科目	金額	貸方科目	金額
売上原価	24,400	売上高	30,000
販売管理費	3,600		
当期純利益	2,000		
合計	30,000	合計	30,000

貸借対照表 (単位：円)

借方科目	金額	貸方科目	金額
現金預金	8,900	買掛金	4,000
売掛金	5,000	資本金	10,000
商品	1,600	繰越利益剰余金	4,600
備品	3,100		
合計	18,600	合計	18,600

株主資本等変動計算書 (単位：円)

	資本金	繰越利益剰余金
当期首残高	10,000	3,600
剰余金の配当		△ 1,000
当期純利益		2,000
当期末残高	10,000	4,600

【解答・解説】

(1) 前期財務諸表の誤謬の訂正

損益計算書 (単位：円)

借方科目	金額	貸方科目	金額
売上原価	24,000	売上高	30,000
販売管理費	3,750		
当期純利益	2,250		
合計	30,000	合計	30,000

※1 売上原価 24,400－400＝24,000

※2 販売管理費 3,600＋100＋50＝3,750

※3 当期純利益 差額

貸借対照表　(単位：円)

借方科目	金額	貸方科目	金額
現金預金	8,900	買掛金	4,000
売掛金	5,000	未払費用	50
商品	2,000	資本金	10,000
備品	3,000	繰越利益剰余金	4,850
合計	18,900	合計	18,900

※1　商品　1,600＋400＝2,000

※2　備品　3,100－100＝3,000

※3　繰越利益剰余金　差額

株主資本等変動計算書 (単位：円)

	資本金	繰越利益剰余金
当期首残高	10,000	3,600
剰余金の配当		△ 1,000
当期純利益		2,250
当期末残高	10,000	4,850

※　当期純利益　損益計算書より

(2)　当期の帳簿上の処理

①　誤謬訂正前の試算表

試算表　(単位：円)

繰越商品	1,600	繰越利益剰余金	4,600
備品	3,100		

②　誤謬の訂正に関する仕訳

繰越商品	400	繰越利益剰余金	400
繰越利益剰余金	50	販売管理費	50
繰越利益剰余金	100	備品	100

③　誤謬訂正後の試算表

試算表　(単位：円)

繰越商品	2,000	繰越利益剰余金	4,850
備品	3,000	販売管理費	50

学習度チェック

38　連結財務諸表

重要度B ★★

●学習のポイント●

1．連結財務諸表の様式及び作成方法についてマスターする。
2．支配獲得日の連結手続について、子会社の資産・負債の時価評価と投資と資本の相殺消去仕訳をマスターする。
3．支配獲得後の連結手続について、開始仕訳、その他の連結修正仕訳及び株主資本等変動計算書をマスターする。
4．内部取引高と債権・債務の消去仕訳、未実現利益の消去をマスターする。
5．持分法について、連結との違いに注意しながら、その会計処理をマスターする。
6．包括利益の様式及び作成方法についてマスターする。

ポイント整理

1．連結財務諸表

(1)　連結財務諸表とは

連結財務諸表とは、支配従属関係にある2つ以上の会社からなる企業集団を単一の組織体とみなして、親会社がその企業集団の財政状態、経営成績及びキャッシュ・フローの状況を総合的に報告するために作成するものである。

(2)　連結財務諸表の種類

連結財務諸表は、次の4つで構成されている。

①　**連結貸借対照表**
②　**連結損益及び包括利益計算書又は連結損益計算書及び連結包括利益計算書**
③　**連結株主資本等変動計算書**
④　**連結キャッシュ・フロー計算書**

2．親会社と子会社の定義

親会社とは、他の企業の財務及び営業又は事業の方針を決定する機関（株主総会その他これに準ずる機関をいう。以下「意思決定機関」という。）を支配している企業をいい、**子会社**とは、当該他の企業をいう。

3．連結の範囲

親会社は、原則として、すべての子会社を連結の範囲に含める。

4．連結決算日

連結財務諸表の作成に関する会計期間は1年とし、親会社の会計期間に基づき、年1回一定の日をもって連結決算日とする。

5．支配獲得日と連結財務諸表

期首又は期末のいずれにおいて支配を獲得したかにより、作成する連結財務諸表は次のように異なる。

① 期首に支配を獲得した場合は、支配を獲得した事業年度から、すべての連結財務諸表を作成する。

② 期末に支配を獲得した場合は、支配を獲得した事業年度においては、連結貸借対照表のみ作成する。

6．連結貸借対照表の作成基準

(1) 基本原則

連結貸借対照表は、親会社及び子会社の個別貸借対照表における資産、負債及び純資産の金額を基礎として作成する。

(2) 子会社の資産及び負債の評価

① 子会社の資産及び負債のすべてを支配獲得日の時価により評価する方法（**全面時価評価法**）により評価する。

② 子会社の資産及び負債の時価による評価額と当該資産及び負債の個別貸借対照表上の金額との差額（以下「**評価差額**」という。）は、子会社の資本とする。

(3) 投資と資本の相殺消去

① 親会社の子会社に対する投資とこれに対応する子会社の資本は、相殺消去する。

② 親会社の子会社に対する投資とこれに対応する子会社の資本との相殺消去にあたり、差額が生じる場合には、当該差額をのれん（又は負ののれん）とする。

(4) 非支配株主持分

子会社の資本のうち親会社に帰属しない部分は、非支配株主持分とする。

(5) 債権と債務の相殺消去

連結会社相互間の債権と債務は、相殺消去する。

7．連結損益計算書の作成基準

(1) 基本原則

連結損益計算書は、親会社及び子会社の個別損益計算書等における収益、費用等の金額を基礎として作成する。

(2) 連結会社相互間の取引高の相殺消去

商品の売買その他の取引に係る項目は、相殺消去する。

(3) 未実現損益の消去

棚卸資産等に含まれる未実現損益は消去する。

8．連結財務諸表のひな形

(1) 連結貸借対照表

連結貸借対照表

（資　産　の　部）		
Ⅰ　流動資産		×××
Ⅱ　固定資産		
1　有形固定資産	×××	
2　無形固定資産		
のれん	×××	
3　投資その他の資産	×××	×××
Ⅲ　繰延資産		×××
資産合計		×××
（負　債　の　部）		
Ⅰ　流動負債		×××
Ⅱ　固定負債		×××
負債合計		×××
（純　資　産　の　部）		
Ⅰ　株主資本		
1　資本金	×××	
2　資本剰余金	×××	
3　利益剰余金	×××	
4　自己株式	△×××	×××
Ⅱ　その他の包括利益累計額		
1　その他有価証券評価差額金	×××	
2　繰延ヘッジ損益	×××	×××
Ⅲ　株式引受権		×××
Ⅳ　新株予約権		×××
Ⅴ　非支配株主持分		×××
純資産合計		×××
負債及び純資産合計		×××

(2) **連結損益計算書**

連結損益計算書

Ⅰ 売　　上　　高		×××
Ⅱ 売　上　原　価		×××
売上総利益		×××
Ⅲ 販売費及び一般管理費		
のれん償却額	×××	×××
営業利益		×××
Ⅳ 営　業　外　収　益		
持分法による投資利益	×××	×××
Ⅴ 営　業　外　費　用		
支　払　利　息	×××	×××
経常利益		×××
Ⅵ 特　別　利　益		
負ののれん発生益	×××	×××
Ⅶ 特　別　損　失		×××
税金等調整前当期純利益		×××
法人税等	×××	
法人税等調整額	×××	×××
当期純利益		×××
非支配株主に帰属する当期純利益		×××
親会社株主に帰属する当期純利益		×××

(3) **連結包括利益計算書**

連結包括利益計算書

当期純利益	×××
その他の包括利益	
その他有価証券評価差額金	×××
繰延ヘッジ損益	×××
包括利益	×××
（内訳）	
親会社株主に係る包括利益	×××
非支配株主に係る包括利益	×××

(4) 連結株主資本等変動計算書

	株主資本					その他の包括利益累計額			株式引受権	新株予約権	非支配株主持分	純資産合計
	資本金	**資本剰余金**	**利益剰余金**	自己株式	株主資本合計	その他有価証券評価差額金	為替換算調整勘定	その他の包括利益累計額合計				
当期首残高	××	××	××	△××	××	××	××	××	××	××	××	××
当期変動額												
新株の発行	××	××			××							××
剰余金の配当			△××		△××							△××
親会社株主に帰属する当期純利益			××		××							××
株主資本以外の項目の当期変動額(純額)						××	××	××	××	△××	××	××
当期変動額合計	××	××	××	××	××	××	××	××	××	△××	××	××
当期末残高	××	××	××	△××	××	××	××	××	××	××	××	××

(注) 資本剰余金及び利益剰余金は、連結貸借対照表と同様に内訳を表示せず一括表示する。

9．連結財務諸表の作成手続

(1) 連結財務諸表作成の流れ

連結財務諸表は、帳簿外の**連結精算表**で親会社及び子会社それぞれの個別財務諸表を合算し、連結修正仕訳を行うことにより作成される。

合算の対象となる個別財務諸表は個別上で作成したものをそのまま用いるのではなく、連結にあたって組替及び修正を行って組替・修正後の個別財務諸表を作成する。次に、連結精算表において、親会社及び子会社それぞれの個別財務諸表を合算する。そしてこれに、連結修正仕訳を行うことにより、連結財務諸表は作成される。

親会社・子会社の個別財務諸表の組替・修正	
連結精算表上の手続	① 組替・修正後の個別財務諸表を合算 ② 連結修正仕訳 ③ 連結財務諸表の作成

(2) 親会社・子会社の個別財務諸表の組替・修正

① 個別財務諸表の組替

個別財務諸表を連結財務諸表と同一の形式及び科目に組み替える。例えば、受取手形と売掛金は一括して「受取手形及び売掛金」として表示する。また、資本剰余金と利益剰余金は内訳を表示せず一括表示する。

② 子会社の資産及び負債の時価評価

連結財務諸表では、子会社の財務諸表は、資産・負債について時価評価されたものが用いられる。したがって、必要な時価評価のための修正を行う。

③ 会計処理の統一

親会社と子会社の会計処理の原則及び手続は、原則として統一する。

(3) 連結修正仕訳

連結財務諸表は、親会社と子会社の組替・修正後の個別財務諸表を合算して作成する。しかし、合算された組替・修正後の個別財務諸表の中には、親子会社間の取引が含まれている。連結財務諸表を作成するためには、これを修正する必要がある。そのために行う仕訳を**連結修正仕訳**という。連結修正仕訳には、主に次の３つがある。通常、①を資本連結、②及び③を成果連結という。なお、連結修正仕訳は、帳簿外の連結精算表上で行われるもので、親会社及び子会社の個別会計上の帳簿にはいっさい影響を与えない点に注意すること。

① **投資と資本の相殺消去**

② **親子会社間取引の相殺消去**

③ **未実現利益の消去**

(4) 連結精算表の様式

連結精算表にはさまざまな様式があるが、その一例を挙げれば次のとおりである。

連結精算表

科目	個別財務諸表			連結修正仕訳	連結財務諸表
	P社	S社	合計		
損益計算書					
諸収益	××	××	××	××	××
諸費用	××	××	××	××	××
非支配株主に帰属する当期純利益	—	—	—	××	××
親会社株主に帰属する当期純利益	××	××	××	××	××
株主資本等変動計算書					
資本金当期首残高	××	××	××	××	××
資本金当期末残高	××	××	××	××	××
利益剰余金当期首残高	××	××	××	××	××
剰余金の配当	××	××	××	××	××
親会社株主に帰属する当期純利益	××	××	××	××	××
利益剰余金当期末残高	××	××	××	××	××
非支配株主持分当期首残高	—	—	—	××	××
非支配株主持分当期変動額	—	—	—	××	××
非支配株主持分当期末残高	—	—	—	××	××
貸借対照表					
諸資産	××	××	××	××	××
諸負債	××	××	××	××	××
資本金	××	××	××	××	××
利益剰余金	××	××	××	××	××
評価差額	—	××	××	××	—
非支配株主持分	—	—	—	××	××

(注) 個別財務諸表は、組替・修正後の個別財務諸表を用いる。

10. 支配獲得日の連結決算手続

(1) 連結貸借対照表の作成

支配獲得日には、連結財務諸表のうち連結貸借対照表のみを作成する。その作成手順は次のとおりである。

親会社・子会社の個別貸借対照表の組替・修正	
連結精算表	① 組替・修正後の個別貸借対照表を合算 ② 投資と資本の相殺消去 ③ 連結貸借対照表の作成

(2) 親会社・子会社の個別貸借対照表の組替・修正

① 会計処理の統一

親会社と子会社の会計処理は、原則として統一する。

② 個別貸借対照表の組替

親会社及び子会社の個別貸借対照表を連結貸借対照表と同一の形式及び科目に組み替える。

③ 子会社の資産及び負債の時価評価

連結貸借対照表の作成にあたっては、支配獲得日において、子会社の資産及び負債のすべてを、当該日の時価により評価する**全面時価評価法**により評価し、この時価評価額と当該資産及び負債の個別貸借対照表上の金額との差額を**評価差額**として子会社の資本に計上する。

なお、評価差額の計上にあたっては税効果会計が適用され、評価差額が貸方の場合には繰延税金負債が、評価差額が借方の場合には繰延税金資産が計上される。

例えば、土地について評価益が生じる場合には、時価評価の仕訳は次のようになる。

借方科目	金額	貸方科目	金額
土地	×××	繰延税金負債	×××
		評価差額	×××

(3) 投資と資本の相殺消去

親会社の子会社に対する投資（関係会社株式）と、これに対応する子会社の資本は相殺消去する。なお、相殺消去される子会社の資本は、①株主資本、②評価・換算差額等、③評価差額の合計である。投資と子会社の資本が同額の場合における相殺消去仕訳は次のようになる。

借方科目	金額	貸方科目	金額
資本金	×××	関係会社株式	×××
資本剰余金	×××		
利益剰余金	×××		
評価差額	×××		

⑷ のれん又は負ののれん

親会社の子会社に対する投資とこれに対応する子会社の資本との相殺消去にあたり差額が生じる場合には、当該差額をのれん又は負ののれんとして処理する。

① のれんの会計処理

差額が借方に生じた場合は「**のれん**」として無形固定資産に計上する。のれんは、原則として計上後20年以内に定額法等により償却する。なお、のれんが期末に発生した場合は、発生年度の翌年度から償却することが一般的である。

借方	金額	貸方	金額
資本金	×××	関係会社株式	×××
資本剰余金	×××		
利益剰余金	×××		
評価差額	×××		
のれん	×××		

② 負ののれんの会計処理

差額が貸方に生じた場合は「**負ののれん発生益**」として特別利益に計上する。

借方	金額	貸方	金額
資本金	×××	関係会社株式	×××
資本剰余金	×××	負ののれん発生益	×××
利益剰余金	×××		
評価差額	×××		

⑸ 非支配株主持分

親会社の持株比率が100％でない場合、子会社の株主には親会社株主と親会社株主以外の株主が存在する。この親会社株主以外の株主を非支配株主という。非支配株主が存在する場合、子会社の資本は持分比率に応じて、親会社株主持分と非支配株主持分に按分し、非支配株主持分に帰属する分は「**非支配株主持分**」として処理する。

借方	金額	貸方	金額
資本金	×××	関係会社株式	×××
資本剰余金	×××	非支配株主持分	×××
利益剰余金	×××		
評価差額	×××		
のれん	×××		

◆例題◆

P社は×1年3月31日に、S社の発行済株式数の80％を1,700円で取得し支配を獲得した。×1年3月31日におけるP社及びS社の貸借対照表は下記のとおりである。なお、S社の諸資産の時価は3,950円、諸負債の時価は帳簿価額と一致している。なお、評価差額の計上にあたっては税効果会計を適用（法定実効税率30％）する。

貸借対照表　（単位：円）

借　方	P社	S社	貸　方	P社	S社
諸資産	5,300	3,700	諸負債	3,000	1,900
S社株式	1,700	－	資本金	3,000	1,000
			利益剰余金	1,000	800
合　計	7,000	3,700	合　計	7,000	3,700

【解答・解説】

(1)　S社の資産及び負債の時価評価

諸資産	250	諸負債	75
		評価差額	175

※1　諸資産　3,950－3,700＝250
※2　諸負債（繰延税金負債）　250×30％＝75
※3　評価差額　250－75＝175

(2)　投資と資本の相殺消去

資本金	1,000	S社株式	1,700
利益剰余金	800	非支配株主持分	395
評価差額	175		
のれん	120		

※1　非支配株主持分　（1,000＋800＋175）×20％＝395
※2　のれん　差額

(3)　連結貸借対照表

連結貸借対照表　（単位：円）

借　方	金　額	貸　方	金　額
諸資産	9,250	諸負債	4,975
のれん	120	資本金	3,000
		利益剰余金	1,000
		非支配株主持分	395
合　計	9,370	合　計	9,370

※1　諸資産　5,300＋3,700＋250＝9,250
※2　諸負債　3,000＋1,900＋75＝4,975

11. 段階取得による支配獲得

段階取得による支配獲得とは、親会社が子会社株式を複数の取引によって取得することにより、子会社に対する支配を獲得する場合をいう。この場合、親会社の投資と子会社の資本の相殺消去にあたっては、親会社の投資は複数の取引による取得原価の合計ではなく、支配獲得日の時価によるため、過去に取得した子会社株式を支配獲得日の時価に評価替えしなければならない。その際生じる取得原価と時価との差額は**段階取得に係る差損益**（連結損益計算書の特別損益）として処理する。ただし、連結貸借対照表のみ作成する場合には、利益剰余金に加減する。

関係会社株式	×××	段階取得に係る差損益 （利益剰余金）	×××

◆例題◆

(1)　P社は、×1年3月31日にS社株式の10%を200円で取得し、その他有価証券とした。さらに、×2年3月31日にS社株式の60%を1,500円で取得し、合わせて70%になったことによりS社に対する支配を獲得した。

(2)　P社が×1年3月31日に取得したS社株式の×2年3月31日の時価は250円である。

(3)　×2年3月31日におけるP社及びS社の貸借対照表は次のとおりである。なお、S社の諸資産の時価は3,200円であり、諸負債の時価は帳簿価額と一致している。評価差額の計上にあたっては税効果会計を適用する。法定実効税率は30%とする。

貸借対照表　　（単位：円）

借　方	P社	S社	貸　方	P社	S社
諸資産	6,200	2,700	諸負債	2,500	1,200
S社株式	1,700	－	資本金	4,000	1,000
			利益剰余金	1,400	500
合　計	7,900	2,700	合　計	7,900	2,700

【解答・解説】

(1) 子会社の資産・負債の時価評価

諸資産	500	諸負債	150
		評価差額	350

※1　諸資産　時価3,200－簿価2,700＝500

※2　諸負債（繰延税金負債）　500×30％＝150

※3　評価差額　500－150＝350

(2) 子会社株式の評価替え

S社株式	50	利益剰余金	50

※　時価250－簿価200＝50

(3) 投資と資本の相殺消去

資本金	1,000	S社株式	1,750
利益剰余金	500	非支配株主持分	555
評価差額	350		
のれん	455		

※1　S社株式　1,700＋50＝1,750

※2　非支配株主持分　(1,000＋500＋350)×30％＝555

※3　のれん　差額

(4) 連結貸借対照表

連結貸借対照表　　　(単位：円)

借方	金額	貸方	金額
諸資産	9,400	諸負債	3,850
のれん	455	資本金	4,000
		利益剰余金	1,450
		非支配株主持分	555
合計	9,855	合計	9,855

※1　諸資産　6,200＋2,700＋500＝9,400

※2　諸負債　2,500＋1,200＋150＝3,850

※3　資本金　P社4,000

※4　利益剰余金　P社1,400＋50＝1,450

12. 支配獲得後の連結決算手続

(1) 連結財務諸表の作成

支配獲得後においては、すべての連結財務諸表を作成する。支配獲得後１期目の作成手順は次のとおりである。

<table>
<tr><td colspan="3">親会社・子会社の個別財務諸表の組替・修正</td></tr>
<tr><td rowspan="3">連結精算表</td><td colspan="2">組替・修正後の個別財務諸表を合算</td></tr>
<tr><td>連結修正仕訳</td><td>(1) 資本連結
① 開始仕訳
② のれんの償却
③ 子会社の当期純利益の按分
④ 子会社の剰余金の配当の修正
(2) 成果連結
① 内部取引高、債権債務の相殺
② 未実現利益の消去</td></tr>
<tr><td colspan="2">連結財務諸表の作成</td></tr>
</table>

(2) 親会社・子会社の個別財務諸表の組替・修正

① 会計処理の統一

② 個別財務諸表の組替

③ 子会社の資産及び負債の時価評価

子会社の資産・負債の時価評価は、支配獲得日の時価により行う。

土地	×××	繰延税金負債	×××
		評価差額	×××

(3) 資本連結

① 開始仕訳

連結財務諸表は、帳簿外の連結精算表において作成されるため、支配獲得後における連結財務諸表の作成時には、まず過去の連結決算で行われた連結修正仕訳を連結決算の都度やり直していかなければならない。この仕訳は連結修正仕訳にあたって最初に行われる仕訳であることから**開始仕訳**といわれる。

<table>
<tr><td>支配獲得日</td><td>連結１期目</td><td>連結２期目</td></tr>
<tr><td>投資と資本の相殺</td><td>開始仕訳</td><td rowspan="4">開始仕訳</td></tr>
<tr><td></td><td>のれんの償却</td></tr>
<tr><td></td><td>子会社純利益の按分</td></tr>
<tr><td></td><td>子会社配当金の修正</td></tr>
</table>

② 支配獲得後１期目の開始仕訳

支配獲得後１期目では、支配獲得日における投資と資本の相殺消去が開始仕訳となる。この場合、株主資本等変動計算書における「当期首残高」を消去する点に注意する。また、「非支配株主持分」は、開始仕訳において「非支配株主持分当期首残高」として計上する。

資本金当期首残高	×××	関係会社株式	×××
利益剰余金当期首残高	×××	非支配株主持分当期首残高	×××
評価差額	×××		
のれん	×××		

③ のれんの償却

のれんは、計上後20年以内に定額法等により償却する。

のれん償却額	×××	のれん	×××

④ 子会社の当期純利益の按分

子会社の当期純利益は、持分比率に応じて親会社株主に帰属する分と非支配株主に帰属する分に按分する。

(a) 親会社分

親会社株主に帰属する分は親会社株主に帰属する当期純利益として処理するため**仕訳は不要**である。

(b) 非支配株主分

非支配株主に帰属する分は非支配株主に帰属する当期純利益として処理するとともに、非支配株主持分を増額する。ただし、その増減は連結株主資本等変動計算書に「**非支配株主持分当期変動額**」として記載する。

非支配株主に帰属する当期純利益	×××	非支配株主持分当期変動額	×××

⑤ 子会社の剰余金の配当の修正

(a) 親会社分

親会社株主に帰属する分は、親会社において計上している受取配当金と、子会社の配当金を相殺消去する。

受取配当金	×××	剰余金の配当	×××

(b) 非支配株主分

非支配株主に帰属する分は、子会社の配当金を消去するとともに、非支配株主持分を減額する。

非支配株主持分当期変動額	×××	剰余金の配当	×××

(4) 成果連結

連結会社相互間における商品の売買及びその他の取引高、また、連結会社相互間における債権・債務の期末残高は、連結集団内の取引であり、相殺消去しなければならない。

① 商品売買取引の相殺消去

売上高と仕入高の相殺消去を行う場合、仕入高は連結損益計算書では売上原価として一括表示されているため、売上高と売上原価を相殺消去する。

借方	金額	貸方	金額
売上高	×××	売上原価	×××

② 売上債権と仕入債務の相殺消去

売上債権と仕入債務を相殺消去した場合は、売上債権に設定されている貸倒引当金も減額修正する。なお、貸倒引当金の修正額については税効果会計が適用される。

借方	金額	貸方	金額
支払手形及び買掛金	×××	受取手形及び売掛金	×××
貸倒引当金	×××	貸倒引当金繰入額	×××
法人税等調整額	×××	繰延税金負債	×××

③ 商品に含まれる未実現利益の消去（ダウン・ストリーム）

親会社から子会社への商品販売（ダウン・ストリーム）の場合、子会社の商品に含まれる未実現利益は、本支店会計の内部利益と同様に、その金額を消去する。なお、未実現利益の消去については税効果会計が適用される。

借方	金額	貸方	金額
売上原価	×××	商品	×××
繰延税金資産	×××	法人税等調整額	×××

④ 貸付金と借入金の相殺消去

貸付金と借入金の相殺消去を行う場合、受取利息と支払利息、未払費用と未収収益も相殺消去する。

借方	金額	貸方	金額
借入金	×××	貸付金	×××
受取利息	×××	支払利息	×××
未払費用	×××	未収収益	×××

⑤ 未達取引の整理

親会社が販売した商品が子会社に未着であるなどの場合には、連結会社間における金額に不一致が生じる。この場合には、本支店会計と同様に、未達取引の整理を行う。

◆例題◆

(1) P社は×1年3月31日に、S社の発行済株式数の80%を1,400円で取得し支配を獲得した。×1年3月31日におけるS社の土地（取得原価400円）の時価は500円であり、負債の時価は簿価と同額であった。なお、税効果会計については考慮不要とする。

(2) 当期（×1年4月1日から×2年3月31日）における個別財務諸表は次のとおりである。

損益計算書　(単位：円)

借　方	P社	S社	貸　方	P社	S社
売上原価	6,200	3,000	売上高	7,920	4,000
営業費	1,000	700	受取配当金	80	－
当期純利益	800	300			
合　計	8,000	4,000	合　計	8,000	4,000

株主資本等変動計算書　(単位：円)

	資本金		利益剰余金	
	P社	S社	P社	S社
当期首残高	3,000	1,000	1,000	400
剰余金の配当			△400	△100
当期純利益			800	300
当期末残高	3,000	1,000	1,400	600

貸借対照表　(単位：円)

借　方	P社	S社	貸　方	P社	S社
現金預金	1,040	720	買掛金	1,500	1,000
売掛金	2,000	1,000	貸倒引当金	40	20
商品	800	500	資本金	3,000	1,000
土地	700	400	利益剰余金	1,400	600
S社株式	1,400	－			
合　計	5,940	2,620	合　計	5,940	2,620

(3) のれんは計上年度の翌年度から10年で均等償却を行う。

(4) P社の売上高のうち800円はS社に対するものである。

(5) S社の期末商品のうち100円はP社から仕入れたものであり、この商品のP社における売上利益率は20%である。

(6) P社の売掛金のうち500円はS社に対するものであり、P社はこの売掛金に対して2%の貸倒引当金を設定している。なお、貸倒引当金繰入額は営業費に含めて計上している。

【解答・解説】

(1) S社の資産・負債の時価評価

借方	金額	貸方	金額
土　　　地	100	評　価　差　額	100

※　時価500－簿価400＝100

(2) 連結修正仕訳

①　開始仕訳

借方	金額	貸方	金額
資本金当期首残高	1,000	S　社　株　式	1,400
利益剰余金当期首残高	400	非支配株主持分当期首残高	300
評　価　差　額	100		
の　れ　ん	200		

※　非支配株主持分　(1,000＋400＋100)×20%＝300

②　のれんの償却

借方	金額	貸方	金額
の れ ん 償 却 額	20	の　れ　ん	20

※　200÷10年＝20

③　子会社の当期純利益の按分

借方	金額	貸方	金額
非支配株主に帰属する当期純利益	60	非支配株主持分当期変動額	60

※　300×20%＝60

④　子会社の剰余金の配当の修正

借方	金額	貸方	金額
受 取 配 当 金	80	剰 余 金 の 配 当	100
非支配株主持分当期変動額	20		

※1　親会社株主分　100×80%＝80

※2　非支配株主分　100×20%＝20

⑤　売上高と仕入高の相殺消去

借方	金額	貸方	金額
売　上　高	800	売　上　原　価	800

⑥　未実現損益の消去

借方	金額	貸方	金額
売　上　原　価	20	商　　　品	20

※　100×売上利益率20%＝20

⑦　売掛金と買掛金の相殺消去

借方	金額	貸方	金額
買　掛　金	500	売　掛　金	500

⑧　貸倒引当金の修正

借方	金額	貸方	金額
貸 倒 引 当 金	10	営　業　費	10

※　500×２%＝10

(3) **連結財務諸表**

連結損益計算書 (単位：円)

借 方	金額	貸 方	金額
売上原価	8,420	売上高	11,120
営業費	1,690		
のれん償却額	20		
非支配株主に帰属する当期純利益	60		
親会社株主に帰属する当期純利益	930		
合 計	11,120	合 計	11,120

※1 売上高 7,920＋4,000－800＝11,120
※2 売上原価 6,200＋3,000－800＋20＝8,420
※3 営業費 1,000＋700－10＝1,690

連結株主資本等変動計算書 (単位：円)

	株主資本		非支配株主持分
	資本金	利益剰余金	
当期首残高	3,000	1,000	300
剰余金の配当		△400	
親会社株主に帰属する当期純利益		930	
当期変動額			40
当期末残高	3,000	1,530	340

※1 資本金当期首残高→P社の金額
※2 利益剰余金当期首残高→P社の金額
※3 剰余金の配当→P社の金額
※4 親会社株主に帰属する当期純利益 連結損益計算書より

連結貸借対照表 (単位：円)

借 方	金額	貸 方	金額
現金預金	1,760	買掛金	2,000
売掛金	2,500	貸倒引当金	50
商品	1,280	資本金	3,000
土地	1,200	利益剰余金	1,530
のれん	180	非支配株主持分	340
合 計	6,920	合 計	6,920

※1 現金預金 1,040＋720＝1,760
※2 売掛金 2,000＋1,000－500＝2,500
※3 商品 800＋500－20＝1,280
※4 土地 700＋400＋100＝1,200
※5 のれん 200－20＝180
※6 買掛金 1,500＋1,000－500＝2,000
※7 貸倒引当金 40＋20－10＝50

13. 支配獲得後の追加取得

支配獲得後の追加取得とは、親会社が子会社の支配を獲得し、その後、さらに追加で子会社株式を取得した場合をいう。この場合、追加取得分は非支配株主から株式を取得したことになるため、追加取得に対応する部分を非支配株主持分から減額し、追加取得した子会社株式と相殺する。両者の相殺にあたり生じた差額は、資本剰余金の増減として処理する。

非支配株主持分当期変動額	×××	**関係会社株式**	×××
資本剰余金の増減	×××		

◆例題◆

(1)　P社は、×1年3月31日にS社株式の60%を1,200円で取得して支配を獲得し、S社を子会社とした。さらに、×2年3月31日にS社株式の10%を230円で追加取得した。

(2)　当期（×1年4月1日～×2年3月31日）の個別財務諸表は次のとおりである。

損益計算書　（単位：円）

借　方	P社	S社	貸　方	P社	S社
諸費用	7,000	1,700	諸収益	8,000	2,000
当期純利益	1,000	300			
合　計	8,000	2,000	合　計	8,000	2,000

株主資本等変動計算書　（単位：円）

	資本金		資本剰余金		利益剰余金	
	P社	S社	P社	S社	P社	S社
当期首残高	4,000	1,000	500	300	1,500	200
剰余金の配当					△500	△100
当期純利益					1,000	300
当期末残高	4,000	1,000	500	300	2,000	400

貸借対照表　（単位：円）

借　方	P社	S社	貸　方	P社	S社
諸資産	8,000	3,000	諸負債	2,930	1,300
S社株式	1,430	－	資本金	4,000	1,000
			資本剰余金	500	300
			利益剰余金	2,000	400
合　計	9,430	3,000	合　計	9,430	3,000

(3)　S社は簿価300円の土地を保有しており、当該土地の×1年3月31日の時価は400円、×2年3月31日の時価は450円である。なお、時価評価に関して税効果は考慮しない。
(4)　のれんは発生年度の翌年度から10年間で均等償却する。

【解答・解説】

(1)　子会社の資産・負債の時価評価

諸資産	100	評価差額	100

※　時価400－簿価300＝100

(2)　連結修正仕訳

①　開始仕訳

資本金当期首残高	1,000	S社株式	1,200
資本剰余金当期首残高	300	非支配株主持分当期首残高	640
利益剰余金当期首残高	200		
評価差額	100		
のれん	240		

※1　S社株式　×1年3月31日取得分
※2　非支配株主持分　(1,000＋300＋200＋100)×40％＝640
※3　のれん　差額

②　のれんの償却

のれん償却額	24	のれん	24

※　240÷10年＝24

③　子会社当期純利益の按分

非支配株主に帰属する当期純利益	120	非支配株主持分当期変動額	120

※　300×40％＝120

④　子会社の剰余金の配当

非支配株主持分当期変動額	40	剰余金の配当	100
諸収益	60		

※1　非支配株主持分変動　100×40％＝40
※2　諸収益　100×60％＝60

⑤　追加取得

非支配株主持分当期変動額	180	S社株式	230
資本剰余金の増減	50		

※1　S社株式　×2年3月31日取得分
※2　非支配株主持分変動
(期首640＋利益120－配当40)×$\frac{10\%}{40\%}$＝180
※3　資本剰余金の増減　差額

(3) 連結財務諸表

連結損益計算書　　　(単位：円)

借　方	金　額	貸　方	金　額
諸　費　用	8,700	諸　収　益	9,940
のれん償却額	24		
非支配株主に帰属する当期純利益	120		
親会社株主に帰属する当期純利益	1,096		
合　計	9,940	合　計	9,940

※1　諸収益　8,000＋2,000－60＝9,940

※2　諸費用　7,000＋1,700＝8,700

※3　親会社株主に帰属する当期純利益　差額

連結株主資本等変動計算書　　　(単位：円)

	資本金	資本剰余金	利益剰余金	非支配株主持分
当期首残高	4,000	500	1,500	640
剰余金の配当			△500	
親会社株主に帰属する当期純利益			1,096	
持分変動に伴う資本剰余金の増減		△50		
株主資本以外の当期変動額				△100
当期末残高	4,000	450	2,096	540

※1　資本金・資本剰余金・利益剰余金の当期首残高→P社の金額

※2　剰余金の配当→P社の金額

※3　親会社株主に帰属する当期純利益→連結P/Lより

※4　資本剰余金の増減→追加取得に係る減少

※5　株主資本以外の当期変動額　120－40－180＝△100

連結貸借対照表　　　(単位：円)

借　方	金　額	貸　方	金　額
諸　資　産	11,100	諸　負　債	4,230
の　れ　ん	216	資　本　金	4,000
		資本剰余金	450
		利益剰余金	2,096
		非支配株主持分	540
合　計	11,316	合　計	11,316

※1　諸資産　8,000＋3,000＋100＝11,100

※2　諸負債　2,930＋1,300＝4,230

14. 持分法

(1) 持分法

持分法とは、投資会社が被投資会社の資本及び損益のうち投資会社に帰属する部分の変動に応じて、その投資の額を連結決算日ごとに修正する方法をいう。

(2) 持分法の特徴

持分法では、個別財務諸表は合算されず、持分法の会計処理だけが行われる。すなわち、連結貸借対照表上では「投資有価証券」の修正、連結損益計算書上ではその修正に伴う「持分法による投資損益」の計上によって、被投資会社の資本及び損益のうち投資会社の持分相当額を連結財務諸表に反映させていく。

連結貸借対照表

3　投資その他の資産

投資有価証券　×××

(注) 投資会社の個別財務諸表上、被投資会社の株式は「関係会社株式」として計上されているが、連結貸借対照表上では「投資有価証券」として計上する。

連結損益計算書

Ⅳ　営業外収益

持分法による投資利益　×××

Ⅴ　営業外費用

持分法による投資損失　×××

(注)「持分法による投資損益」は、連結上の損益として、貸方に生じた場合は「営業外収益」に計上し、借方に生じた場合は「営業外費用」に計上する。

(3) 持分法の適用範囲

非連結子会社及び**関連会社**に対する投資については、原則として持分法を適用する。持分法を適用する被投資会社を**持分法適用会社**という。

(4) 投資日の会計処理

持分法の会計処理は、帳簿外の連結精算表上で行われる。

① 投資有価証券への振替

「関係会社株式」から「投資有価証券」に振り替える。

投資有価証券	×××	関係会社株式	×××

② **被投資会社の資産・負債の時価評価**

持分法の適用にあたっては、持分法の適用日において、被投資会社の資産及び負債を時価により評価しなければならない。なお、時価評価により生じる評価差額は被投資会社の資本とし、当該評価差額は税効果会計の対象となる。

ただし、持分法では個別財務諸表を合算しないため、持分法適用仕訳はない。

仕　訳　な　し

なお、時価評価方法は次のとおりである。

(a) 関連会社は、**部分時価評価法**によって評価する。部分時価評価法とは、被投資会社の資産及び負債のうち、投資会社の持分に相当する部分については、株式の取得日ごとに当該日における時価により評価する方法をいう。

(b) 非連結子会社は、全面時価評価法によって評価する。

③ **のれん又は負ののれん**

投資会社の投資日における投資と、これに対応する被投資会社の資本との間に差額がある場合には、当該差額はのれん又は負ののれんとし、のれんは投資に含めて処理する。

(a) **のれんの会計処理**

のれんは投資に含めるので、特に仕訳はない。

仕　訳　な　し

(b) **負ののれんの会計処理**

負ののれんは「持分法による投資損益」として処理する。

投資有価証券	×××	持分法による投資損益	×××

(5) **投資日以降の会計処理**

① **投資有価証券への振替**

「関係会社株式」から「投資有価証券」に振り替える。

投資有価証券	×××	関係会社株式	×××

② **のれんの償却**

のれんは、その計上後20年以内に、定額法その他合理的な方法により償却する。のれん償却額は、「持分法による投資損益」として計上し、同額を投資から減額する。

持分法による投資損益	×××	投資有価証券	×××

③ **当期純利益の計上**

被投資会社が当期純利益を計上した場合には、当期純利益のうち投資会社の持分相当額を「持分法による投資損益」として計上し、同額を投資に加算する。

投資有価証券	×××	持分法による投資損益	×××

④ **剰余金の配当の修正**

被投資会社が剰余金の配当を行った場合には、投資会社で計上した受取配当金を消去するとともに、同額を投資から減額する。

受取配当金	×××	投資有価証券	×××

(6) 商品に含まれる未実現損益の消去（ダウン・ストリーム）

① **投資会社から被投資会社（関連会社）への販売**

投資会社から被投資会社（関連会社）への商品販売（ダウン・ストリーム）の場合には、商品に含まれる未実現損益のうち投資会社の持分相当額を消去する。この場合、投資会社が計上した売上高に未実現損益が含まれるため、「売上高」を減額し、同額を「投資」から減額する。なお、未実現損益の消去については税効果会計が適用される。

売上高	×××	投資有価証券	×××
繰延税金資産	×××	法人税等調整額	×××

② **被投資会社から投資会社への販売**

被投資会社から投資会社への商品販売（アップ・ストリーム）の場合には、商品に含まれる未実現損益のうち投資会社の持分相当額を消去する。この場合、投資会社が保有する商品に未実現損益が含まれるため、「商品」を減額し、「持分法による投資損益」を計上する。なお、未実現損益の消去について税効果会計が適用されるが、他の一時差異とは異なり、「投資」を増額し、「持分法による投資損益」を計上する。

持分法による投資損益	×××	商品	×××
投資有価証券	×××	持分法による投資損益	×××

◆例題◆

(1)　P社は、×1年3月31日にA社の発行済株式数の20%を6,300円で取得してA社を関連会社とし、これ以降A社を持分法適用会社とした。×1年3月31日におけるA社の個別貸借対照表は、次のとおりである。なお、諸資産の中には、土地15,000円（簿価）が含まれており、この土地の×1年3月31日における時価は16,000円である。P社は持分法の適用に当たって、A社の土地を時価で評価しているが、土地以外の資産及び負債については、簿価と時価の差額に重要性が乏しいため簿価で評価している。なお、税効果会計については考慮不要とする。

貸借対照表　　　　（単位：円）

資　　産	金　額	負債・純資産	金　額
諸　資　産	80,000	諸　負　債	50,000
		資　本　金	20,000
		利益剰余金	10,000
合　計	80,000	合　計	80,000

(2)　P社は、のれん相当額について、それを計上した年度の翌年から10年間にわたり定額法により償却している。

(3)　A社は、×1年6月20日の株主総会において、利益剰余金の配当300円を行った。

(4)　A社は、×2年3月31日の決算において、当期純利益800円を計上した。

(5)　×2年3月31日のA社の期末商品のうち200円はP社から仕入れたものであり、この商品のP社における利益率は30%である。

【解答・解説】

(1)　×1年3月31日の処理

①　組替仕訳

投資有価証券	6,300	関係会社株式	6,300

②　のれん

仕　訳　な　し			

※　のれんの算定

(a)　評価差額

(16,000－15,000)×20%＝200

(b)　のれん

6,300－{(20,000＋10,000)×20%＋200}＝100

③ 連結財務諸表

連結貸借対照表	
3 投資その他の資産	
投資有価証券	6,300

(2) **×2年3月31日の処理**

① 組替仕訳

投資有価証券	6,300	関係会社株式	6,300

② のれんの償却

持分法による投資損益	10	投資有価証券	10

※ 100÷10年＝10

③ 当期純利益の計上

投資有価証券	160	持分法による投資損益	160

※ 800×20%＝160

④ 受取配当金の修正

受取配当金	60	投資有価証券	60

※ 300×20%＝60

⑤ 未実現損益の消去

売上高	12	投資有価証券	12

※ 200×利益率30%×20%＝12

⑥ 連結財務諸表

連結貸借対照表	
3 投資その他の資産	
投資有価証券	6,378

※ 6,300－10＋160－60－12＝6,378

連結損益計算書	
Ⅳ 営業外収益	
持分法による投資利益	150

※ 160－10＝150

15. 連結財務諸表における包括利益

(1) 包括利益

① 意義

包括利益とは、ある企業の特定期間の財務諸表において認識された純資産の変動額のうち、当該企業の純資産に対する持分所有者との直接的な取引によらない部分をいう。

なお、当該企業の純資産に対する持分所有者には、当該企業の株主のほか当該企業の発行する新株予約権の所有者が含まれ、連結財務諸表においては、当該企業の子会社の非支配株主も含まれる。

② 包括利益に含まれない純資産の変動

包括利益には、当該企業の純資産に対する持分所有者との直接的な取引による純資産の変動額は含まれない。具体的には、新株の発行、剰余金の配当、新株予約権の発行等がある。

③ 包括利益の計算方法

連結財務諸表における包括利益は、当期純利益にその他の包括利益を加減して計算する。

包括利益＝当期純利益±その他の包括利益

なお、包括利益には、親会社株主に係る部分と非支配株主に係る部分が含まれる。

(2) その他の包括利益

その他の包括利益とは、包括利益のうち当期純利益に含まれない部分をいう。連結財務諸表におけるその他の包括利益は、包括利益と当期純利益との差額である。具体的には、その他有価証券評価差額金、繰延ヘッジ損益、為替換算調整勘定等の純増減額が該当する。

なお、その他の包括利益には、親会社株主に係る部分と非支配株主に係る部分が含まれる。

(3) 包括利益の表示

包括利益の表示は、当期純利益にその他の包括利益の内訳項目を加減して包括利益を表示する。

その他の包括利益の内訳項目は、その他有価証券評価差額金、繰延ヘッジ損益、為替換算調整勘定等に区分して表示する。持分法を適用する被投資会社のその他の包括利益に対する投資会社の持分相当額は、一括して区分表示する。

その他の包括利益の内訳項目の金額については、税効果を控除した後の金額で表示する。

なお、包括利益のうち親会社株主に係る金額及び非支配株主に係る金額を「内訳」として連結包括利益計算書又は連結損益及び包括利益計算書に付記する。

(4) 包括利益を表示する計算書

① 2計算書方式

2計算書方式とは、当期純利益を計算する「損益計算書」と、包括利益を計算する「包括利益計算書」とを別々に作成する方式である。

連結損益計算書

売上高		×××
売上原価		×××
⋮		
税金等調整前当期純利益		×××
法人税等	×××	
法人税等調整額	×××	×××
当期純利益		×××
非支配株主に帰属する当期純利益		×××
親会社株主に帰属する当期純利益		×××

連結包括利益計算書

当期純利益	×××
その他の包括利益	
その他有価証券評価差額金	×××
繰延ヘッジ損益	×××
持分法適用会社に対する持分相当額	×××
包括利益	×××
（内訳）	
親会社株主に係る包括利益	×××
非支配株主に係る包括利益	×××

② 1計算書方式

1計算書方式とは、当期純利益の計算と包括利益の計算を「連結損益及び包括利益計算書」のみで表示する方式である。

連結損益及び包括利益計算書		
売　　上　　高		×××
売　上　原　価		×××
⋮		
税金等調整前当期純利益		×××
法人税等	×××	
法人税等調整額	×××	×××
当期純利益		×××
（内訳）		
親会社株主に帰属する当期純利益		×××
非支配株主に帰属する当期純利益		×××
その他の包括利益		
その他有価証券評価差額金		×××
繰延ヘッジ損益		×××
持分法適用会社に対する持分相当額		×××
包括利益		×××
（内訳）		
親会社株主に係る包括利益		×××
非支配株主に係る包括利益		×××

(5) その他の包括利益累計額

包括利益計算書の導入に伴って、従来「評価・換算差額等」と表示していた項目が、「その他の包括利益累計額」として表示される。なお、個別財務諸表の表示については従来通り「評価・換算差額等」と表示される。

連結子会社の個別貸借対照表に計上されている「評価・換算差額等」は、持分比率に基づき親会社持分相当額と非支配株主持分相当額に按分し、親会社持分相当額は連結貸借対照表及び連結株主資本等変動計算書上、「その他の包括利益累計額」として表示し、少数株主持分相当額は非支配株主持分に含めて表示される。

なお、包括利益計算書におけるその他の包括利益は、連結貸借対照表及び連結株主資本等変動計算書での「その他の包括利益累計額」の前期からの変動額と一致しないことがある。これは包括利益計算書でのその他の包括利益には非支配株主に係る部分も含まれることが原因である。

◆例題◆

(1) P社は×1年3月31日に、S社（資本金500円、利益剰余金600円、その他有価証券評価差額金100円）の発行済株式数の80％を960円で取得した。

(2) P社が保有するその他有価証券（取得原価1,000円）の×1年3月31日及び×2年3月31日の時価は、それぞれ1,200円及び1,500円である。

(3) S社が保有するその他有価証券（取得原価500円）の×1年3月31日及び×2年3月31日の時価は、それぞれ600円及び700円である。

(4) 税効果会計は考慮不要とする。

(5) 当期（×1年4月1日から×2年3月31日）における個別財務諸表は次のとおりである。なお、P社及びS社とも剰余金の配当は行っていない。

損益計算書　(単位：円)

借　方	P社	S社	貸　方	P社	S社
諸　費　用	7,500	4,800	諸　収　益	8,000	5,000
当期純利益	500	200			
合　計	8,000	5,000	合　計	8,000	5,000

株主資本等変動計算書　(単位：円)

	資本金		利益剰余金		その他有価証券評価差額金	
	P社	S社	P社	S社	P社	S社
当期首残高	1,500	500	800	600	200	100
当期純利益			500	200		
当期変動額					300	100
当期末残高	1,500	500	1,300	800	500	200

貸借対照表　(単位：円)

借　方	P社	S社	貸　方	P社	S社
諸　資　産	2,840	1,800	諸　負　債	2,000	1,000
投資有価証券	1,500	700	資　本　金	1,500	500
S社株式	960	－	利益剰余金	1,300	800
			その他有価証券評価差額金	500	200
合　計	5,300	2,500	合　計	5,300	2,500

【解答・解説】

(1) 連結修正仕訳

① 開始仕訳

資本金当期首残高	500	S　社　株　式	960
利益剰余金当期首残高	600	非支配株主持分当期首残高	240
その他有価証券評価差額金当期首残高	100		

※　少数株主持分　(500＋600＋100)×20％＝240

② 子会社の当期純利益の按分

非支配株主に帰属する当期純利益	40	非支配株主持分当期変動額	40

※　200×20％＝40

③ 子会社のその他有価証券評価差額金の振替

その他有価証券評価差額金当期変動額	20	非支配株主持分当期変動額	20

※　当期変動額100×20％＝20

(2) 連結財務諸表

連結損益計算書　(単位：円)

諸収益	13,000
諸費用	12,300
当期純益	700
非支配株主に帰属する当期純利益	40
親会社株主に帰属する当期純利益	660

※1　諸収益　8,000＋5,000＝13,000

※2　諸費用　7,500＋4,800＝12,300

連結包括利益計算書　(単位：円)

当期純益	700
その他の包括利益	
その他有価証券評価差額金	400
包括利益	1,100
(内訳)	
親会社株主に係る包括利益	1,040
非支配株主に係る包括利益	60

※1　その他有価証券評価差額金（当期変動額）

P社300＋S社100＝400

※2　親会社株主に係る包括利益
当期純利益660＋その他の包括利益（P社300＋S社100×80％）＝1,040

※3　非支配株主に係る包括利益
非支配株主利益40＋その他の包括利益S社100×20％＝60

連結株主資本等変動計算書　（単位：円）

	資本金	利益剰余金	その他有価証券評価差額金	非支配株主持分
当期首残高	1,500	800	200	240
親会社株主に帰属する当期純利益		660		
当期変動額			380	60
当期末残高	1,500	1,460	580	300

※1　資本金当期首残高→P社の金額
※2　利益剰余金当期首残高→P社の金額
※3　その他有価証券評価差額金当期首残高→P社の金額
※4　親会社株主に帰属する当期純利益→連結損益計算書より
※5　その他有価証券評価差額金当期変動額
P社300＋S社100×80％＝380
※6　非支配株主持分当期変動額　40＋20＝60
※7　利益剰余金当期末残高　800＋660＝1,460
※8　その他有価証券評価差額金当期末残高　200＋380＝580
※9　非支配株主持分当期末残高　240＋60＝300

連結貸借対照表　（単位：円）

借方	金額	貸方	金額
諸資産	4,640	諸負債	3,000
投資有価証券	2,200	資本金	1,500
		利益剰余金	1,460
		その他有価証券評価差額金	580
		非支配株主持分	300
合計	6,840	合計	6,840

※1　諸資産　2,840＋1,800＝4,640
※2　投資有価証券　1,500＋700＝2,200
※3　諸負債　2,000＋1,000＝3,000
※4　資本金・利益剰余金・その他有価証券評価差額金・非支配株主持分→連結株主資本等変動計算書より

索　　引

MEMO

MEMO

税理士受験シリーズ

2025年度版　簿記論　完全無欠の総まとめ

（平成12年度版　1999年12月20日　初版 第１刷発行）

2024年11月22日　初　版　第１刷発行

編著者　ＴＡＣ株式会社（税理士講座）

発行者　多田敏男

発行所　ＴＡＣ株式会社　出版事業部（TAC出版）

〒101-8383
東京都千代田区神田三崎町3-2-18
電話 03（5276）9492（営業）
FAX 03（5276）9674
https://shuppan.tac-school.co.jp

印刷　株式会社　ワコー

製本　株式会社　常川製本

ISBN 978-4-300-11347-9
N.D.C. 336

乱丁・落丁による交換、および正誤のお問合せ対応は、該当書籍の改訂版刊行月末日までといたします。なお、交換につきましては、書籍の在庫状況等により、お受けできない場合もございます。
また、各種本試験の実施の延期、中止を理由とした本書の返品はお受けいたしません。返金もいたしかねますので、あらかじめご了承くださいますようお願い申し上げます。

チャレンジコース

受験経験者・独学生待望のコース!

4月上旬開講!

開講科目	簿記・財表・法人 所得・相続・消費

基礎知識の底上げ × 徹底した本試験対策

チャレンジ講義 + チャレンジ演習 + 直前対策講座 + 全国公開模試

受験経験者・独学生向けカリキュラムが一つのコースに!

※チャレンジコースには直前対策講座(全国公開模試含む)が含まれています。

直前対策講座

5月上旬開講!

本試験突破の最終仕上げ!

学習メディア	教室講座・ビデオブース講座 Web通信講座・DVD通信講座・資料通信講座

直前期に必要な対策が
すべて揃っています!

＼全11科目対応／

開講科目	簿記・財表・法人・所得・相続・消費 酒税・固定・事業・住民・国徴

徹底分析!「試験委員対策」

即時対応!「税制改正」

毎年的中!「予想答練」

※直前対策講座には全国公開模試が含まれています。

チャレンジコース・直前対策講座ともに詳しくは2月下旬発刊予定の
「チャレンジコース・直前対策講座パンフレット」をご覧ください。

(2024年2月現在)

書籍のご購入は

1 全国の書店、大学生協、ネット書店で

2 TAC各校の書籍コーナーで

資格の学校TACの校舎は全国に展開!
校舎のご確認はホームページにて

資格の学校TAC ホームページ
https://www.tac-school.co.jp

3 TAC出版書籍販売サイトで

TAC 出版 で 検索

24時間
ご注文
受付中

https://bookstore.tac-school.co.jp/

新刊情報を
いち早くチェック!

たっぷり読める
立ち読み機能

学習お役立ちの
特設ページも充実!

TAC出版書籍販売サイト「サイバーブックストア」では、TAC出版および早稲田経営出版から刊行されている、すべての最新書籍をお取り扱いしています。
また、会員登録(無料)をしていただくことで、会員様限定キャンペーンのほか、送料無料サービス、メールマガジン配信サービス、マイページのご利用など、うれしい特典がたくさん受けられます。

サイバーブックストア会員は、特典がいっぱい! (一部抜粋)

通常、1万円(税込)未満のご注文につきましては、送料・手数料として500円(全国一律・税込)頂戴しておりますが、1冊から無料となります。

専用の「マイページ」は、「購入履歴・配送状況の確認」のほか、「ほしいものリスト」や「マイフォルダ」など、便利な機能が満載です。

メールマガジンでは、キャンペーンやおすすめ書籍、新刊情報のほか、「電子ブック版TACNEWS(ダイジェスト版)」をお届けします。

書籍の発売を、販売開始当日にメールにてお知らせします。これなら買い忘れの心配もありません。

2025年度版 税理士試験対策書籍のご案内

TAC出版では、独学用、およびスクール学習の副教材として、各種対策書籍を取り揃えています。学習の各段階に対応していますので、あなたのステップに応じて、合格に向けてご活用ください!

（刊行内容、発行月、装丁等は変更することがあります）

●2025年度版 税理士受験シリーズ

「税理士試験において長い実績を誇るTAC。このTACが長年培ってきた合格ノウハウを"TAC方式"としてまとめたのがこの「税理士受験シリーズ」です。近年の豊富なデータをもとに傾向を分析、科目ごとに最適な内容としているので、トレーニング演習に欠かせないアイテムです。」

簿記論

01	簿 記 論	個別計算問題集	（8月）
02	簿 記 論	総合計算問題集 基礎編	（9月）
03	簿 記 論	総合計算問題集 応用編	（11月）
04	簿 記 論	過去問題集	（12月）
	簿 記 論	完全無欠の総まとめ	（11月）

所得税法

15	所得税法	個別計算問題集	（9月）
16	所得税法	総合計算問題集 基礎編	（10月）
17	所得税法	総合計算問題集 応用編	（12月）
18	所得税法	過去問題集	（12月）
36	所得税法	理論マスター	（8月）
	※所得税法	理論マスター 暗記音声	（9月）
37	所得税法	理論ドクター	（12月）

財務諸表論

05	財務諸表論	個別計算問題集	（8月）
06	財務諸表論	総合計算問題集 基礎編	（9月）
07	財務諸表論	総合計算問題集 応用編	（12月）
08	財務諸表論	理論問題集 基礎編	（9月）
09	財務諸表論	理論問題集 応用編	（12月）
10	財務諸表論	過去問題集	（12月）
33	財務諸表論	重要会計基準	（8月）
	※財務諸表論	重要会計基準 暗記音声	（8月）
	財務諸表論	完全無欠の総まとめ	（11月）

相続税法

19	相続税法	個別計算問題集	（9月）
20	相続税法	財産評価問題集	（9月）
21	相続税法	総合計算問題集 基礎編	（9月）
22	相続税法	総合計算問題集 応用編	（12月）
23	相続税法	過去問題集	（12月）
38	相続税法	理論マスター	（8月）
	※相続税法	理論マスター 暗記音声	（9月）
39	相続税法	理論ドクター	（12月）

法人税法

11	法人税法	個別計算問題集	（11月）
12	法人税法	総合計算問題集 基礎編	（10月）
13	法人税法	総合計算問題集 応用編	（12月）
14	法人税法	過去問題集	（12月）
34	法人税法	理論マスター	（8月）
	※法人税法	理論マスター 暗記音声	（9月）
35	法人税法	理論ドクター	（12月）
	法人税法	完全無欠の総まとめ	（12月）

酒税法

24	酒 税 法	計算問題+過去問題集	（2月）
40	酒 税 法	理論マスター	（8月）

書籍の正誤に関するご確認とお問合せについて

書籍の記載内容に誤りではないかと思われる箇所がございましたら、以下の手順にてご確認とお問合せをしてくださいますよう、お願い申し上げます。

なお、正誤のお問合せ以外の**書籍内容に関する解説および受験指導などは、一切行っておりません。**
そのようなお問合せにつきましては、お答えいたしかねますので、あらかじめご了承ください。

1 「Cyber Book Store」にて正誤表を確認する

TAC出版書籍販売サイト「Cyber Book Store」の
トップページ内「正誤表」コーナーにて、正誤表をご確認ください。

CYBER TAC出版書籍販売サイト BOOK STORE

URL:https://bookstore.tac-school.co.jp/

2 1の正誤表がない、あるいは正誤表に該当箇所の記載がない ⇒ 下記①、②のどちらかの方法で文書にて問合せをする

★ご注意ください★

お電話でのお問合せは、お受けいたしません。
①、②のどちらの方法でも、お問合せの際には、「お名前」とともに、
「対象の書籍名(○級・第○回対策も含む)およびその版数(第○版・○○年度版など)」
「お問合せ該当箇所の頁数と行数」
「誤りと思われる記載」
「正しいとお考えになる記載とその根拠」
を明記してください。
なお、回答までに1週間前後を要する場合もございます。あらかじめご了承ください。

① ウェブページ「Cyber Book Store」内の「お問合せフォーム」より問合せをする

【お問合せフォームアドレス】

https://bookstore.tac-school.co.jp/inquiry/

② メールにより問合せをする

【メール宛先 TAC出版】

syuppan-h@tac-school.co.jp

※土日祝日はお問合せ対応をおこなっておりません。
※正誤のお問合せ対応は、該当書籍の改訂版刊行月末日までといたします。

乱丁・落丁による交換は、該当書籍の改訂版刊行月末日までといたします。なお、書籍の在庫状況等により、お受けできない場合もございます。
また、各種本試験の実施の延期、中止を理由とした本書の返品はお受けいたしません。返金もいたしかねますので、あらかじめご了承くださいますようお願い申し上げます。

TACにおける個人情報の取り扱いについて

■お預かりした個人情報は、TAC(株)で管理させていただき、お問合せへの対応、当社の記録保管にのみ利用いたします。お客様の同意なしに業務委託先以外の第三者に開示、提供することはございません(法令等により開示を求められた場合を除く)。その他、個人情報保護管理者、お預かりした個人情報の開示等及びTAC(株)への個人情報の提供の任意性については、当社ホームページ(https://www.tac-school.co.jp)をご覧いただくか、個人情報に関するお問い合わせ窓口(E-mail:privacy@tac-school.co.jp)までお問合せください。

(2022年7月現在)